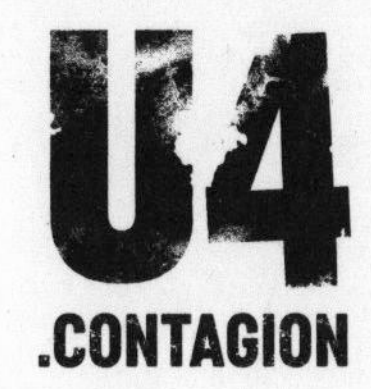
U4
.CONTAGION

Alicia, bande dessinée inédite.
Scénario : Carole Trébor. Dessin : Marc Lizano.

14 Décembre, d'après les œuvres originales *U4.Koridwen*, *U4.Yannis*, *U4.Jules* et *U4.Stéphane*.
Adaptation : Lylian. Dessin : Pierre-Yves Cézard.

Gagnants du Concours de Fan Fiction U4 :
Alicia, nouvelle de Claire Juge,
Héloïse, nouvelle de Dess-Laura Decaux,
Cindy, nouvelle de Clara Suchère,
Francis, nouvelle de Sylvain Chatton.

25, avenue Pierre-de-Coubertin, 75013 Paris, France
Loi n° 49-956 du 16 juillet 1949 sur les publications destinées à la jeunesse, modifiée par la loi n° 2011-525 du 17 mai 2011

ISBN : 978-2-09-256718-0

Dépôt légal : octobre 2016

U4

.CONTAGION

YVES GREVET
FLORENCE HINCKEL
CAROLE TRÉBOR
VINCENT VILLEMINOT

SYROS
NATHAN

U4 est un ensemble de cinq livres
qui peuvent se lire dans l'ordre de votre choix.
À l'origine de cette aventure collective,
quatre auteurs français, qui ont écrit chacun un titre :

Koridwen, de Yves Grevet
Yannis, de Florence Hinckel
Jules, de Carole Trébor
Stéphane, de Vincent Villeminot

**Aujourd'hui, ils signent, ensemble, *U4.Contagion*,
un recueil de nouvelles qui ont lieu avant, pendant
et après l'intrigue de ces quatre romans.**

Rassurez-vous, pour profiter pleinement de ce livre,
vous n'êtes pas obligés d'avoir lu les quatre romans U4.
La présence de spoilers est signalée au début de certaines
nouvelles.

Le filovirus méningé U4 tient son nom de « Utrecht »,
la ville des Pays-Bas où il est apparu,
et « 4e génération ».

D'une virulence foudroyante, ce virus a décimé
90% de la population mondiale, n'épargnant que les
adolescents entre 15 et 18 ans et de rares adultes.

Jules, Koridwen, Stéphane et Yannis
font partie des survivants.
Mais ils ne sont pas les seuls...

NOUVELLES DE LA CONTAGION

Vincent Villeminot

CHARLES, IDUN, MARCO, ÉMILIE, AHMED, PHILO, JULIEN, SALIEN, PHILIPPE, ALICE, MILA, JULIA, FIAMETTA, ALEX, TERZIEFF… ET TELLEMENT D'AUTRES

LIGNES DE FRONT

21 octobre

11.30 P.M., parvis de Lyon-Part-Dieu

Le dernier souvenir net qu'il conserve, c'est le parvis de la gare. La tour en forme de crayon, éclairée dans la nuit, lueurs vertes. Le centre commercial illuminé de blanc. Les hôtels, les terrasses, l'enseigne du fast-food qui se mettent à tourner, tourner, carrousel de lumières…

Charles revenait d'Amsterdam, il a eu la gerbe dans le Thalys, il a pensé que l'herbe du *coffee shop* était de mauvaise qualité – il s'en est voulu d'en avoir acheté autant. Ensuite, ça a été la migraine. Dans le TGV. *Bad trip* à en chialer. Un pull sur les yeux, pour ne plus rien voir… Ses potes le charriaient, il ne fallait pas fumer quand on ne savait pas.

Charles titubait presque en descendant du train. Mal aux articulations.

Les flics, dans le hall, l'ont regardé d'un drôle d'air, se sont approchés. Ses potes riaient, ils ont dit qu'il était malade… Il a rendu presque à leurs pieds. Il a fait encore trois pas, a vacillé. Il est tombé.

Thibault et Xavier l'ont relevé, l'ont pris chacun sous un bras. L'air frais allait lui faire du bien…

Sur le parvis, Charles leur a dit que ça allait. Il a senti que son nez coulait. Il a senti le goût du sang dans sa bouche.

Il a vu Thibault le dévisager, stupéfait.

– Tu saignes, mec… Du nez, et… des yeux ?

Il sait qu'il est tombé, de nouveau. Ils répétaient son nom, l'appelaient, de très loin, semblait-il.

Il a entendu la sirène des pompiers, ensuite. Puis il y a eu des voix d'hommes, une de femme. Elles lui posaient des questions. Il y avait la voix de Xavier, aussi, folle d'inquiétude. Il les entendait.

Il n'avait jamais eu aussi mal. Tout son corps le lançait. Comme une grippe puissance 10.

Il n'est pas sûr d'avoir senti vraiment le brassard du tensiomètre, peut-être simplement lui serrait-on le bras.

Les pompiers essayaient de déterminer ce qu'il ressentait, mais Charles ne parvenait pas à leur répondre. Comme si ses fonctions vitales étaient paralysées, tout le système nerveux central.

Et puis plus rien.

22 octobre

9.15 A.M., CHU de Lyon-Sud, service de réanimation

Le docteur Salien secoue la tête. C'est fini pour cette femme-là aussi.

– Heure du décès, 9 h 15, constate-t-il en regardant sa montre.

Il en a vu, des maladies infectieuses. Mais il n'a jamais vu ça. Une sorte d'hémorragie interne généralisée, comme si tous les organes avaient subi une surpression, une implosion.

Il sait ce que ces symptômes rappellent. Filovirus. Fièvres hémorragiques.

Il refuse pourtant d'y croire – et c'est le cinquième cas qui se présente, en trois heures…

Celui-ci, c'est le plus net.

Si c'est bien ce qu'il pense, alors, dans cette pièce, ils sont possiblement tous foutus. Cela dépend du mode de transmission. Pour le savoir, il faut documenter le cas, savoir d'où vient la victime, où elle a passé les dernières trente-six heures…

L'ont-ils compris, les infirmiers, les aides-soignants, ses collègues, tous ceux qu'il a croisés depuis ce matin ?

– Inutile de nettoyer le corps, dit-il. Crémation immédiate. Précaution maximale, code 3.

Il voit les membres du personnel se raidir, échanger des regards, hocher la tête.

– Mesdemoiselles, messieurs, veuillez quitter la salle dans le calme… Nous sommes confinés, à partir de maintenant, dans ce service. On ferme les portes.

– La… la famille, monsieur ? dit une infirmière. Que fait-on ?

– Appelez l'accueil. Isolement immédiat. Fermez les urgences, avec tous les patients à l'intérieur. Quarantaine générale. Je préviens les autorités.

Salien se sent calme. Il s'est préparé à cette éventualité, depuis toujours ; il espérait qu'il garderait son sang-froid. Il faut endiguer la vague.

– Et contactez Gerland, tout de suite… Demandez Philippe Certaldo.

Il sort son téléphone portable. Il appelle son fils.

7.30 P.M., aéroport de Lyon-Saint-Exupéry, terminal 2, hall des départs

Idun est tombée sur le sol lisse, brillant, tout d'un coup.

Elle a cru qu'elle avait glissé, mais c'est comme si ses jambes ne lui obéissaient plus. Comme si elle ne commandait plus ses muscles. Et cette douleur, soudain, dans le crâne, les yeux. Elle vomit, en se tordant le cou pour ne pas se souiller, un tailleur tout neuf qu'elle a acheté passage Thiaffait, élégance française, en prévision des fêtes de fin d'année…

Que lui est-il arrivé ? Elle tremble.

Elle est tombée.

Quand elle relève les yeux, elle voit les gens autour d'elle, les autres voyageurs qu'elle croisait d'un pas rapide, il y a trente secondes. Ils forment un cercle, la dévisagent, horrifiés.

– Je… je vais bien… dit-elle. J'ai glissé, je…

En un éclair, elle pense à ce qu'ils ont appris ce midi – des malaises, une maladie étrange ; les aéroports qui menacent de fermer dès le lendemain, vers l'Europe du Nord. Ils devaient quitter Lyon, retourner d'urgence chez eux, à Oslo. Pour…

Pourquoi, déjà ?

Elle a si mal à la tête, elle ne se souvient plus. Mal aux yeux.

Elle voit dans les regards des badauds du hall qu'ils ne la croient pas. Ils ne comprennent pas sa langue, mais ils savent qu'elle ne va pas bien…

Où est son mari ?

Idun avait un peu de fièvre, ce matin, mais maintenant elle claque des dents.

Les agents de sécurité se sont précipités d'abord, ils viennent de s'arrêter, ils restent à cinq mètres.

À quoi ressemble-t-elle ?

Pourquoi la regardent-ils comme ça ?

Certains badauds se sont détournés. D'autres, hypnotisés, ne peuvent la quitter des yeux.

Ils reculent, tous.

Des agents de sécurité demandent que personne ne quitte le hall. Mouvement de panique…

Idun s'essuie le front. Il goutte. Elle voit une tache brune, sur son tailleur neuf. Brun rouge sur le bleu. Elle touche sa tempe du bout des doigts, regarde.

Elle saigne.

Ça tourne devant ses yeux. Les lumières trop crues, blessantes, de l'aéroport, sur sa rétine. Dans sa rétine.

Elle entend des annonces au micro, qui la concernent, pense-t-elle. Forcément… En français, en anglais… On annonce la fermeture du terminal 2 des départs. On annonce la suspension des vols.

Ils vont rater leur vol.

Des gens crient. Des voyageurs essayent de sortir, soudain, comme des fourmis paniquées.

Il faut fuir.

Elle est seule, assise sur le sol.

Il faudrait qu'elle se relève, mais elle a peur de glisser – elle ne se sent pas libre de ses mouvements, dans son tailleur trop serré. Il faudrait qu'elle enlève d'abord ses chaussures, et déchire sa jupe. Pieds nus, elle devrait pouvoir se relever. Elle a le souffle coupé, pourquoi respire-t-elle si vite ?

Elle a mal, si mal, toutes les terminaisons nerveuses de son corps sont en feu, chaque articulation.

Elle transpire. Elle s'essuie encore le front.

– Je voudrais… un médecin, essaye-t-elle de dire en anglais.

Les policiers ont relayé les vigiles, ils font un cordon autour d'elle, assez large. Qu'attendent-ils pour lui envoyer un médecin ?

Qu'attendent-ils ? Où est son mari ?

Elle doit l'appeler. Elle essaye de sortir le téléphone de son sac, mais ses mains tremblent trop. Elle ne doit pas fermer les yeux. La lumière lui fait si mal, ça brûle, mais elle sait, elle le sait, elle ne doit pas fermer les yeux.

Elle voudrait parler à son mari. Elle voudrait lui parler…

23 octobre

3.25 A.M., hôtel de police, Direction départementale de la sécurité publique, Lyon

Le capitaine Massard insiste auprès de la direction générale de la SNCF. Ils ont besoin également de la liste des passagers – noms, numéros de CB des clients, adresses – sur le « Amsterdam-Paris-Lyon » de l'avant-veille au soir. Oui, tout de suite. Urgence absolue, sécurité nationale.

Assis à ses côtés, autour de la table des opérations, d'autres officiers décrochent, rappellent, transmettent. Préfecture. Ministères de l'Intérieur, de la Santé, de la Défense. Direction générale de la sécurité civile.

Rapports du terrain.

Ils fument. Il y a des tasses de café, vides, devant eux.

Dans son bureau, le commissaire Rey répond à un troisième appel de son homologue, à la Sous-direction antiterroriste de Levallois :

– Non, Jallet… Pour l'heure, rien ne permet d'avérer une piste criminelle.

– Vous en êtes sûr ?

– Certain. Pas de dissémination, aucune substance connue à la gare ni sur les corps des victimes, selon la police scientifique. Et il est impossible d'établir un lien quelconque entre les premières victimes identifiées ici et celles que vous avez à Paris et Rennes…

– Très bien. Poursuivez les investigations. Vous bouclez le métro pour la journée, à titre de précaution.

7.00 A.M., hôpital Saint-Joseph Saint-Luc, hall d'accueil des urgences, Lyon

Les urgences ressemblent à un hall de gare un jour de grève.

Le garçon qui vient d'entrer est descendu d'un taxi. Trois fillettes l'accompagnent, il porte la plus jeune dans ses bras. Elles ont les yeux encore endormis sous leurs chevelures emmêlées, des polaires passées à la va-vite. Réveil brutal.

Personne ne prête attention à eux, dans ce désordre. Des gens attendent, assis par terre. D'autres s'occupent comme ils peuvent, parlent, trompent l'angoisse. La plupart évoquent à voix basse des symptômes similaires, vomissements, diarrhées, migraines, douleurs articulaires. Asthénies.

Le tout jeune homme fait asseoir ses sœurs, va se signaler à l'accueil. Nom et prénom de sa mère ?

– Gallehault, Éva.

La femme tape sur son ordinateur, regarde, se tait.

– Elle a dû arriver en ambulance, il y a une heure environ…

– Oui, oui, je la vois. Service de réanimation.

Ils ne pouvaient pas tous monter dans l'ambulance, et puis ses sœurs dormaient, explique-t-il. Il ne les a réveillées qu'après, une fois leur mère partie avec les brancardiers, pas la peine qu'elles voient ça.

L'infirmière de l'accueil, devant son écran, ne commente toujours pas. Pourquoi ne lui donne-t-elle pas des nouvelles ? Il ajoute :

– C'était pour… enfin, vous savez, pour une crise…
– Oui. Il faut attendre.
Il ne sait pas encore quel nom porte la maladie. Tout le monde en parle depuis hier.
L'infirmière ne sait pas non plus le nom de ces crises, mais elle a l'air gênée. Marco comprend que ce mutisme n'annonce rien de bon.

7.30 A.M., tour P4, quartier de Gerland, dix-huitième étage

– Certaldo ? C'est Anthelme.
L'homme qui vient de décrocher, dans le laboratoire IV, dix-huitième étage de la tour, a un visage émacié, les cheveux gris, les yeux gris également. Il a l'air épuisé et la peau trop pâle des hommes qui n'ont pas dormi depuis plusieurs jours.
– Je vous écoute, répond-il.
– Aucune confirmation de la piste terroriste. En revanche, on pense à une éventuelle transmission par voie aérienne. Et vous, où en êtes-vous ?
– Nulle part pour l'instant. Les premiers échantillons ne sont pas répertoriables, un filovirus à signature nouvelle. À l'intuition, je jurerais qu'il n'est pas militarisé, mais je ne peux pas en être sûr à 100 %. Par ailleurs, j'ai suivi votre hypothèse et travaillé sur une comparaison avec les souches Marburg III et Utrecht I. On penche plutôt pour la seconde.
– Une mutation ultrarapide ?

– Peut-être. Ou une génération parallèle des U2 et U3, au cours des cinq dernières années. Je vous envoie nos observations dans une heure.

Au bout du fil, Anthelme se tait. Philippe Certaldo se tourne vers la cage de verre où deux hommes, en combinaison, sont en train de terminer les clichés 3D au microscope électronique, sur les plaques des échantillons envoyés par Salien.

– Ce sera trop tôt pour avoir la structure ADN, en revanche, ajoute-t-il.

– Bien entendu.

Anthelme va raccrocher, cela s'entend à sa voix.

– Voie *aérienne*, répète-t-il pourtant. Travaillez sur cette hypothèse.

– C'est la pire.

– Évidemment. Prenez des dispositions. Appelez le préfet de zone.

10.45 A.M., hôpital Saint-Joseph Saint-Luc,
hall d'accueil des urgences

Une infirmière se dirige droit sur lui, dans la cohue. Elle porte des gants, un masque, comme tout le personnel hospitalier, maintenant.

Marco se lève. Enfin, des nouvelles.

– Vous êtes la famille d'Éva Gallehault ? demande-t-elle.

– Oui. Comment va-t-…

– Elle est décédée. Je suis désolée, monsieur… mon garçon.

– Décédée ?

Quelques voisins ont entendu, hochent la tête, murmurent deux à deux. Marco répète le mot, encore une fois, jette un œil à ses trois sœurs – ont-elles compris ? Il regarde autour de lui.

– Ce… ce n'est pas possible… C'était… ça lui a pris cette nuit. Seulement cette nuit… Hier soir, elle allait…

– Je suis désolée.

– Mes sœurs dormaient encore… Ça ne peut pas…

L'infirmière frôle son coude pour le guider, l'entraîner à l'écart des gamines.

– Venez…

– Qu'est-ce qu'elle a eu ? Qu'est-ce qui est arrivé ?

– Je vais vous l'expliquer… Mais d'abord, il faut que tu me suives, avec tes sœurs.

Elle est passée en moins d'une minute du « monsieur » au tutoiement. Deux mastards, des Antillais en tenues d'aides-soignants, surveillent la scène de loin. Marco secoue la tête, se cabre.

– Je ne peux…

– *Maintenant*, insiste l'infirmière.

Les yeux de la jeune femme implorent, au-dessus du masque de protection.

– Pas d'histoire, s'il te plaît… Je t'en prie.

D'un mouvement du menton, elle montre les policiers qui ont pris position voici une heure devant l'entrée, suscitant l'inquiétude dans le hall. Marco comprend, hoche la tête. Il prend Mila dans ses bras. Les deux autres fillettes, Julia et Fiametta, s'accrochent à lui.

– Suivez-moi, les filles, on doit aller quelque part.

– On va voir maman ? demande Julia.

– Non. Pas tout de suite.

Il ne doit pas flancher, il doit être un père, maintenant, pour ses petites sœurs, puisque sa mère est morte. « Fais l'homme, Marco. » L'homme…

10.52 A.M.

Une porte. Une tonnelle de plastique, comme une bulle de décontamination. Ils sont sortis du bâtiment, ont traversé une arrière-cour, derrière les urgences, dans le tunnel de plastique.

Trois infirmières masquées occupent un sas, avant l'entrée de la « zone de quarantaine » – une affiche jaune et noire, imprimée à la va-vite, est scotchée là dans l'improvisation… Marco entrevoit un grand hangar, derrière elles. Sans doute un lieu de stockage, jusqu'à cette nuit – pour le linge, la nourriture, quoi d'autre ?

Deux des femmes enregistrent le nom des entrants. La troisième vérifie la température corporelle, un thermomètre dans l'oreille, la tension, un bracelet au biceps.

– 38,7 °C, dit-elle à Fiametta. Tu restes avec nous. On va venir te chercher, jeune fille.

La cadette, neuf ans, regarde son aîné d'un air effrayé.

– Elle ne peut pas, toute seule… dit Marco. Je dois…

– Personne n'accompagne les malades. Ce sont les consignes.

L'infirmière qui l'enregistrait, et n'avait rien dit

jusque-là, lui désigne le hangar. L'autre appelle quelqu'un au téléphone...

Marco entend :

– ... Oui... un nouveau cas...

Fiametta s'est mise à pleurer, sans un mot. Une des trois femmes en blouse, la brune, la plus âgée, a posé une main sur son épaule et tente de la rassurer, à travers son masque. La fillette se recroqueville sur elle-même. Marco veut l'embrasser, mais l'autre infirmière l'arrête :

– Le moins de contacts possible, s'il vous plaît, monsieur... s'il vous plaît...

12.25 P.M., place de la Comédie, hôtel de ville, cabinet du maire, Lyon

– On signale un deuxième accident de tramway, monsieur le maire. Rue Servient...

– Un malaise du conducteur, là aussi ?

– Oui monsieur.

Le magistrat se gratte le crâne, réfléchit un instant. Il a toujours eu un coup d'avance, toujours, dans sa carrière, mais là...

– Bien... Je suppose que nous n'avons plus le choix. Nous interdisons la circulation de tous les transports publics, jusqu'à nouvel ordre.

– Et les véhicules privés ? La préfecture recommande que chacun reste chez soi.

– On ne peut pas cantonner les gens chez eux, tout de même ! Surtout s'ils doivent accéder aux hôpitaux.

– Les hôpitaux sont saturés, monsieur le maire. Le préfet de zone a donné l'ordre d'en bloquer les accès. Entrées et sorties interdites.

– Appelez le colonel des pompiers et la Sécurité civile, dans ce cas. Je veux une cinquantaine d'équipes volantes de secours, susceptibles d'intervenir à domicile. On ne bloque pas les voitures tant qu'on ne sera pas en capacité.

1.30 P.M., École normale supérieure de Lyon, campus Monod

Le directeur a rassemblé tout le monde dans le hall principal : élèves, doctorants, profs.

– J'ai reçu les dernières consignes de la police, annonce-t-il au micro. Je souhaitais vous en faire part à tous. Comme vous l'avez compris, mesdames, mesdemoiselles et messieurs, il s'agit d'une circonstance d'une exceptionnelle gravité…

Le micro a un larsen, il s'en écarte, par réflexe, remonte ses lunettes sur son nez. Deux professeurs se regardent. La fausse jungle intérieure, qui prospère derrière les baies vitrées dans le puits de lumière, semble déposer des reflets verdâtres sur les visages, ce midi. Le directeur tousse, deux fois, se rapproche du micro à nouveau :

– Hum… Vous savez tous que deux de vos camarades sont décédées cette nuit, dans l'internat des filles. Nous craignions une épidémie de méningite, mais vous avez entendu aux nouvelles, j'imagine, qu'il s'agit d'une pandémie d'une ampleur beaucoup plus importante. Sans précédent. Un filovirus, probablement.

Bruissement, parmi les élèves, notamment ceux de biologie, de chimie, qui comprennent plus vite que tous les autres de quoi on parle. Puis chacun se tait. L'atmosphère est de plomb.

– Hum, hum... Les mesures mises en place par les autorités impliquent le confinement de toutes les personnes susceptibles d'avoir été en contact avec un malade. Afin évidemment d'éviter la propagation... Hum... Je me vois dans l'obligation de vous annoncer que nos portes resteront fermées *sine die*, avec interdiction formelle d'entrer ou de sortir du campus, d'y faire pénétrer quiconque...

Des rires, à l'utilisation de ce mot, des commentaires de mauvais goût, malgré tout, malgré l'angoisse...

– ... Je vous en prie, messieurs, mesdames, mesdemoiselles... Dans les heures qui viennent, je vous demande d'éviter toute agitation et de vous comporter en citoyens exemplaires. Je préférerais, dans la mesure du possible, que vous demeuriez dans les bâtiments de l'internat, et que vous restreigniez les déambulations entre les bâtiments au strict nécessaire. Vous êtes mieux placés que quiconque pour comprendre la gravité de...

– Les profs vont rester aussi sur le campus ? lance une voix.

– Oui, bien entendu, nous...

– Ça veut dire qu'on est ici pour combien de temps ? Combien de temps on nous donne pour voir si on meurt ?

Le directeur se tourne vers le jeune homme qui vient de l'interpeller.

– Je l'ignore, monsieur.

– Sait-on quel est le mode de contagion ? demande un troisième.

Ahmed se penche vers Émilie. Il chuchote :

– Si c'est ce qu'on suppose, ça ne durera pas longtemps. Vraiment pas. Voie aérienne.

Il a dit cela d'une voix neutre. La jeune fille approuve en silence. Oui, vu la vitesse de l'épidémie, c'est l'hypothèse probable.

Elle lève le bras à son tour :

– Monsieur, avons-nous tout de même accès à la bibliothèque ?

10.15 P.M., CHU de Lyon-Sud, service de réanimation/ tour P4 de Gerland (liaison téléphonique)

– Certaldo à l'appareil…

– Philippe ? C'est Salien, de nouveau. On est submergés, mon vieux. J'ai trois toubibs HS… Moi-même, je…

– Je sais, Jérôme. On est tous sur la brèche, on travaille sur vos échantillons. On n'a rien, pour l'heure, trop tôt. Et je n'ai personne à vous envoyer.

– De toute façon, ici, ce serait trop tard. Je n'ai jamais vu un bordel pareil. C'est foutu, mon vieux… C'est foutu.

24 octobre

5.00 A.M., Cran-Gevrier, Haute-Savoie

La caporale Alice Vittoz monte dans le transport de troupe, regarde le sommet du Semnoz qui brille dans le noir. Il a neigé, cette nuit. Premières chutes. Si le froid se maintient, ils auraient pu aller skier, ce week-end, avec Marc et leur petiote…

Elle se penche sur la radio, donne l'ordre au chauffeur du humvee :

– On y va.

Ils partent. Son escouade monte au front.

Le 27e bataillon de chasseurs alpins a reçu deux ordres successifs, depuis six heures. Faire mouvement. Villes cibles : Grenoble, puis Lyon. « Sentinelle » renforcée. Les premiers véhicules sont déjà en route vers les hôpitaux lyonnais. Ils seront là-bas dans deux heures.

7.30 A.M., quartier général Sabatier
(7e régiment de matériel), Lyon

Le lieutenant-colonel Pierre de Lioteau discute depuis une heure avec les services de la ZDS, et l'état-major interarmes.

Les autorités sanitaires civiles sollicitent la mise en place de camps provisoires, sur trois emplacements, face aux hôpitaux lyonnais, et l'installation de barrages fixes sur les principales avenues. La première tâche est dans les cordes de son régiment, la seconde relève plutôt du génie. Mais on va improviser.

Le lieutenant-colonel attend simplement la confirmation des ordres par le chef d'état-major de la zone et/ou son ministère de tutelle. Une fois autorisé, le déploiement de deux bataillons en zone de contamination demandera moins de cinq heures.

8.15 A.M., ciel de Lyon

L'hélico a passé la banlieue, il survole maintenant la ville, à très basse altitude. La boucle de la Saône, le Rhône. La Presqu'île.

Le paysage urbain défile sous leurs pieds, à grande vitesse, les immeubles, à moins de dix mètres. Sur les trottoirs, on voit distinctement des corps. Plusieurs accidents de circulation, également.

Le capitaine Georges, depuis le QG, signale que les drones ont repéré des tirs isolés, plusieurs…

Les ordres, dans son oreillette. Les reflets du ciel sur ses lunettes. C'est comme un film qui se déroulerait sous ses yeux, dont le lieutenant Terzieff ne serait pas l'acteur. Lunettes de vision diurne/nocturne. Communications radio.

– *Eagle One* en approche, dit le pilote. H-2.

L'appareil décroche brutalement, reprend de l'altitude, une vingtaine de mètres.

Le lieutenant Terzieff regarde ses hommes – ses six gars. Ils sont dans leurs combinaisons NBC, l'arme à portée de main.

– *Eagle One* sur zone. Je vous droppe.

Terzieff distingue, sur le toit de la tour P4, un cercle rouge, qui sert de repère aux hélicos.

Le cercle se rapproche.

Quand ils sont à deux mètres du sol, il exécute sans réfléchir les procédures qu'il connaît par cœur.

Largage en zone ennemie. Sauter le premier. Sécuriser la zone.

Il court vers la porte d'accès aux étages inférieurs, l'arme à la main. Dans sa radio, le capitaine Georges rappelle les consignes.

– Labo P4. Dix-huitième étage. Évacuer les cibles… Aucun autre contact, neutraliser au besoin.

– On y va, les gars, dit Terzieff sur la fréquence fermée.

8.20 A.M., hôtel de police, Direction départementale de la sécurité publique

– Monsieur le préfet, on sait enfin où se trouvait le troisième cas identifié parmi les premières victimes. Renaud Déleau…

– Le mort de la place Bellecour ?

– Oui, oui, celui retrouvé inanimé dans la nuit du 21 au 22… On sait ce qu'il faisait à Lyon ce soir-là, et où il se trouvait au cours des heures précédentes.

– Eh bien, *où* était-il, commandant ?

– Au stade des Lumières, monsieur. La vidéosurveillance vient de le confirmer. Il y avait un match.

– Vous voulez dire… ?

– Oui. Il était au milieu de la foule. 58 000 personnes…

8.22 A.M., tour P4, dix-huitième étage

Terzieff consulte le plan. Deux doigts tendus, vers l'avant, on progresse dans le noir des couloirs, après la cage d'escalier. Lumières frontales, pinceaux des visées laser. Dans la radio, la voix du capitaine Georges indique la porte IV.

Il suit leur progression *via* les caméras embarquées des sept hommes – casques, plastron.

Deux hommes s'arrêtent devant l'entrée. Terzieff donne les ordres, brefs, qu'ils connaissent tous – miner les accès aux étages inférieurs, supérieurs, pour empêcher toute intrusion dans le labo, après leur départ.

Il appuie sur l'interphone de la porte blindée.

Une voix répond. Il dit seulement :

– Sécurité nationale, monsieur.

Quelques secondes, puis la porte blindée s'ouvre. Ils entrent dans un sas, se retrouvent nez à nez avec un homme en blouse blanche, chemise ouverte, cheveux gris. Il y a une porte vitrée entre eux.

L'homme les regarde, apparemment surpris. Son visage correspond à l'une des deux cibles du commando :

– Docteur Certaldo ? Docteur Philippe Certaldo ?

La voix de Terzieff sort déformée par le micro, sous le masque NBC.

– C'est moi, répond la voix du médecin, à travers la vitre équipée d'un micro elle aussi. Qu'est-ce qui... ?

– On vous évacue, monsieur. Immédiatement. Deux hélicos vous attendent. Où est le docteur Gilles ?

– CHU de Lyon-Sud. Depuis deux jours. Plus de nouvelles.

Le médecin secoue la tête, derrière sa vitre, pour signifier qu'il n'y a pas d'espoir de ce côté.

– Où est le reste de votre équipe ? demande Terzieff.

– Là-dedans. Nous ne sommes plus que quatre.

Certaldo désigne une autre paroi de verre, à main droite. Comme dans un aquarium, trois hommes évoluent en combinaisons blanches, au bout de leurs manchons d'air pulsé, avec une lenteur de marionnettes, au-dessus de fioles colorées – zone réservée aux manipulations de virus mortels.

– Isolement total ? Tous ?

– Oui, répond Certaldo. Depuis deux jours. On dort et on mange ici.

– Prévenez-les, monsieur, s'il vous plaît.

8.24 A.M.

Certaldo appuie sur un interrupteur, dit seulement :

– Chers confrères...

Il a mis une sorte d'ironie dans sa voix. À l'intérieur de l'aquarium, deux des trois marionnettes l'ont perçue, sans doute, elles cessent leur travail, se retournent. Une radio grésille dans les haut-parleurs du labo.

– Qu'est-ce qu'il se passe, Philippe ?

– L'armée... On évacue immédiatement. Sécurité nationale.

Certaldo en revient au militaire en combi NBC d'assaut, derrière la paroi de verre :

– Ils ont besoin d'une demi-heure pour décontaminer,

avant de pouvoir sortir du sas… Vos hélicos vont devoir attendre.

– Très bien. Nous avons des combinaisons NBC pour le transfert. Vous n'emportez rien. Pas de téléphone, pas d'échantillons.

Certaldo sourit, d'un air las, puis désigne un ordinateur :

– Les derniers résultats sont là-dedans. Je peux le prendre ?

Le militaire hoche la tête. Certaldo se retourne, pianote sur le clavier, quitte trois ou quatre opérations en cours. Il ferme l'ordinateur portable, le glisse dans sa housse, puis dans une pochette étanche.

8.32 A.M., faculté de médecine de Lyon-Est, campus Rockefeller

– Hey, toi, tu es au courant ? pour l'armée ?

Julien lève les yeux, regarde le grand type qui vient de l'interpeller. Max. Étudiant en troisième année. L'un des premiers qui ont pigé ce qui s'était passé, la veille, dans l'amphi Carraz, avant la panique…

– C'est la préf' qui a appelé… Le régiment médical de Valbonne a transmis des consignes aux doyens des deux facultés de médecine. Mobilisation de tous les étudiants volontaires, installation de centres de tri et de camps d'isolement, partout où on le pourra. Le régiment du matériel hélitreuille des tentes et des vivres aujourd'hui, sur le parc de la Tête d'Or.

Julien hoche la tête. De l'action. Enfin de l'action, au milieu de tout ce bordel.

– Tu en es ? demande Max.

– Bien sûr.

8.52 A.M., laboratoire XVIII, tour P4, dix-huitième étage

Deux des hommes du commando ont pris position, radio ouverte. Les hélicos *Eagle Three* et *Eagle Four* attendent le feu vert, pour les équipes qui vont descendre piéger l'accès à la tour.

Certaldo et ses trois collègues ont passé les combis NBC. Le médecin vient de prendre son téléphone sur le bureau. Il l'ouvre…

– Pas de communication avec l'extérieur, monsieur, dit Terzieff dans sa radio.

– Mais ma fille est…

– Pas de communication, s'il vous plaît. L'opération Icare est classifiée. Sécurité nationale.

L'homme aux cheveux gris semble hésiter, un instant encore. Comprend-il ? Si la population apprend l'évacuation, la panique va…

– Laissez votre portable sur la table.

– Très bien, dit-il finalement

Il repose l'appareil.

25 octobre

6.15 A.M., état-major de la zone de défense et de sécurité Sud-Est

Briefing.

Le préfet de zone étudie les conséquences d'une quarantaine stricte de toute l'agglomération. Coupée du monde, comme à Toulouse et Nantes ? Les moyens de police et de gendarmerie disponibles sur le territoire ne le permettent plus, de toute façon. Environ 45 % des hommes mobilisés depuis cinquante-six heures sont hospitalisés ou morts.

– Même l'armée n'y suffira pas, dit-il. Messieurs, j'attends vos propositions alternatives. Nous avons carte blanche de la présidence.

Carte blanche… Mais il n'y aura aucun moyen supplémentaire attribué à la zone de sécurité. Tous les hommes, tous les matériels, toutes les infrastructures sont mobilisés à 150 % de leurs capacités ordinaires, au niveau national.

En fait, il n'y a aucune alternative.

7.45 A.M., zone de quarantaine numéro 1 de l'hôpital Saint-Joseph Saint-Luc

– Ça va faire deux jours ! a hurlé la jeune femme. On va tous crever, de toute façon ! Laissez-nous sortir d'ici !

Marco sait qu'elle a raison. Ce n'est pas parce que

deux militaires essaient de la raisonner, de la faire taire qu'elle se trompe. Où sont passés les flics qui les surveillaient, hier et avant-hier ? Morts, eux aussi ? Comme les quinze, les vingt, les cinquante personnes qui ont convulsé en quarante heures, immédiatement évacuées ? Comme Fiametta, dont il n'a aucune nouvelle, Julia, qu'ils ont emmenée hier soir ?

Julia...

Elle venait de vomir, discrètement, dans un sac plastique.

Un de leurs voisins a levé le bras, apparemment pour demander de l'aide. Un aide-soignant est venu. Marco a vu le type lui parler, à l'oreille, en donnant des coups d'œil vers eux. L'aide-soignant est reparti, revenu moins d'une minute plus tard avec une infirmière. Ils ont pris leur température. Ensuite, ils ont dit qu'ils emmenaient Julia.

Marco a protesté. Mila pleurait. Julia pleurait. Les flics sont intervenus. Dans la bousculade, Marco n'a même pas pu la serrer contre lui, avant que les infirmiers...

Elle a crié son prénom, tandis qu'ils l'emmenaient.

Elle s'est retournée, elle l'a regardé, elle a crié :

– Marco !

Depuis dix heures, plus personne n'arrive dans le hangar.

L'hôpital doit avoir fermé ses portes. Peut-être les a-t-on tous abandonnés ?

Sol de béton, marqué de lignes jaunes et rouges pour les chariots élévateurs. Le froid pénètre sous les parois de tôle ondulée. Il y a des matelas jetés par terre. Deux cantines de fer, au milieu, distribuent du café, de l'eau chaude, froide. Des centaines de patients en quarantaine sont dispersés, par grappes de deux ou trois, par famille ou seuls, le long des murs.

Ils regardent leurs portables. Ils échangent à voix basse. Ils suivent les nouvelles de la contamination.

Ils ne parlent pas. Pensent-ils qu'ils vont mourir ? Pensent-ils à leurs proches ?

Mila dort à poings fermés, sur un matelas. Marco joue avec son couteau, pour tromper l'ennui.

Il vient d'aller pisser. En passant au retour devant le voisin qui les avait dénoncés, il lui a lancé un regard lourd de menaces. S'il croit s'en tirer…

De toute façon, personne ne s'en tirera.

10.25 A.M., place de la Comédie, cabinet du maire

– Qu'est-ce que fout l'armée ? Je devais avoir trois camps de tentes ce matin !

– On l'ignore, monsieur le maire. On ne sait pas quand ils installeront les centres sanitaires… Ils sont débordés, eux aussi.

– Je sais ! C'est le bordel partout ! En attendant, moi, je ne vais pas me contenter de compter les cadavres…

Il se tourne vers son bureau privé, lance :

– Frédéric ! Appelez-moi le ministre !

Le chef de cabinet ne répond pas, dans la pièce d'à côté. Tout le monde autour de la table se regarde.

Finalement, le directeur général des services ose prendre la parole :

– Frédéric est mort, monsieur le maire. Cette nuit.

– Ah oui. Je… j'avais oublié… Excusez-moi.

Le maire s'essuie le front. Il transpire à grosses gouttes.

– Par ailleurs, le ministre ne répond plus, monsieur le maire. Le gouvernement a été évacué. Il ne reste que les services…

– Oui… Bien sûr… Effectivement…

3. 30 P.M., boulevard des Canuts,
colline de la Croix-Rousse, Lyon

Elle ne comprend pas.

Elles avaient suivi toutes les consignes, consciencieusement.

Plus de deux jours qu'elles ne sortaient pas… Quand ils ont ordonné de se calfeutrer chez soi, à la radio, à la télé, elles se sont exécutées – enfermées toutes les deux en tête à tête. En souriant presque de la panique générale… Elles n'y croyaient pas, pas vraiment. Sa grand-mère moins encore que Philo. Elle en avait vu d'autres.

Philo a lu deux livres, en trois jours. Elle a aussi regardé la télévision.

Au début, elle devinait juste un peu d'inquiétude dans les yeux de sa grand-mère. Elles jouaient au scrabble. Elles mangeaient des conserves.

Au fur et à mesure, la télé décomptait les morts,

rougissait des cartes de France, d'Europe, ajoutait des nouvelles consignes – ne pas approcher les cadavres, ne surtout pas entrer en contact avec les morts ni avec les personnes en crise.

Ne plus essayer d'aller vers les hôpitaux.

Attendre les secours.

– Philomène… fait la voix, de l'autre côté de la cloison. Philomène, tu m'entends ? Je… je ne vois plus rien… Philomène ?

4.35 P.M.

– Philomène… Philomène… Philomène, s'il te plaît… J'ai mal…

Dans la chambre, sa grand-mère gémit un peu moins. Elle ne supplie plus. Elle n'a plus la force de hurler, apparemment. La douleur s'est-elle faite moins forte, ou l'a-t-elle épuisée ?

5.14 P.M.

Ne pas entrer en contact avec les personnes en crise.

Ne pas devenir folle.

Elle repose le livre sur le parquet, se lève, va dans le salon mettre la télé encore plus fort, pour ne pas entendre. Toutes les chaînes diffusent en continu des images, des consignes, des reportages. C'est presque partout, maintenant. Il n'y a plus de grandes villes épargnées en Europe. Sur les images, des files de voitures essaient de gagner la campagne.

Philo secoue la tête. Partir ? Sans grand-mère ?

Cette nuit, quand elle a crié, Philo s'est précipitée. Elle a vu le visage de la vieille dame couvert d'une sorte de suée écarlate – les bras, le torse, décharnés par l'âge, collés par le sang à la chemise de nuit. Sa grand-mère convulsait dans le lit. Elle a failli porter la main sur elle, la toucher, la…

Ne pas toucher.

Elle a reculé, est sortie de la chambre, n'y est plus retournée, depuis.

Sa grand-mère a supplié, pleuré, demandé à boire.

Philo est presque certaine de ne pas l'avoir touchée. Presque.

Elle s'est lavé les mains, à grande eau et avec de la Javel, dans l'évier de la cuisine. Elle a honte de sa panique. Elle voudrait être forte, ne pas avoir peur. Entrer dans la chambre, nettoyer le visage, les bras, le cou de sa grand-mère, pour l'apaiser.

Elle ne *peut* pas.

6.15 P.M.

Elle va devenir folle, si elle reste. Elle va… elle va mourir.

Il fera bientôt nuit. Elle prend les clés dans le vide-poche de l'entrée, enfile un manteau. Elle n'emporte rien d'autre. Elle entend la voix faible, qui vient de la chambre de sa grand-mère :

– Philomène… Philo… je t'en prie.

Elle ouvre la porte d'entrée de l'appartement, la claque derrière elle.

26 octobre

9.15 P.M., rue Pierre-Corneille,
hôtel de préfecture du Rhône

– Monsieur, si nous maintenons les quarantaines devant les hôpitaux et les établissements scolaires, nos capacités sont désormais quasi nulles. J'ai perdu 68 % de mes hommes en quatre jours.

Le colonel de gendarmerie Vergnaz insiste :

– Il y a eu des coups de feu, ce matin, dans le quartier de Gerland et sur la Presqu'île. Le commissariat du 3e a été attaqué, une bande de jeunes, ils voulaient des armes… Et trois agences bancaires ont été pillées, ainsi que plusieurs pharmacies. Il faut que nous retirions les hommes des hôpitaux, pour les déployer en ville. S'occuper de la sécurité des survivants.

Le directeur régional de la Sécurité civile hésite. Lever les quarantaines ? Accepter l'idée que des contaminés se dispersent en ville ?

– C'est toute la ville qui est contaminée, monsieur, insiste encore Vergnaz. Zone de guerre. Ville morte. Je ne peux plus endiguer la maladie. Je dois secourir ceux qui survivent…

27 octobre

8.05 A.M., cours Roosevelt, quartier de la Guillotière

Philomène se redresse en entendant le bruit. Une mobylette est passée dans la rue, à quelques mètres. Un bruit de moteur, dans la ville.

Il n'y a plus de sirènes, désormais.

Elle a dormi dehors cette nuit, comme la précédente. Pelotonnée dans son manteau sur le trottoir. Elle grelotte.

Elle a passé la journée de la veille à errer, à la dérive. Sans savoir pourquoi, elle a fini par traverser le fleuve et emprunter le trajet quotidien pour se retrouver devant son lycée. Personne. Une affiche collée sur la porte indiquait que les survivants s'organisent autour du lycée du Parc. On promet de l'eau, des médicaments. Seule devant l'établissement où elle s'était inscrite pour rester vivre avec sa grand-mère, elle a pleuré toutes les larmes de son corps.

Un croassement. Philo sursaute. Un corbeau, à moins de trois mètres, essaye de piocher dans le corps d'un mort… Il n'était pas là, hier soir… Un mort tout frais…

Elle chasse l'oiseau en criant. Frissonne.

Elle crie de nouveau, entend l'écho de sa voix entre

les deux rangées d'immeubles aux fenêtres fermées, dans la rue vide. Elle sourit comme si ce cri lui donnait du courage. Elle va retourner chez elle. Chez sa grand-mère. Elle le lui doit.

De toute façon, qu'elle meure ou pas, elle va aller la laver, la nettoyer, la coiffer. La préparer pour le passage.

Grand-mère croyait en Dieu.

Peut-être, si elle osait… Sur le chemin, elle entrerait dans une église. Elle prendrait des fleurs, des cierges. Si elle trouvait un prêtre, elle lui demanderait de… Oui. Elle va le faire.

8.30 A.M., camp de la Valbonne,
état-major du régiment médical (Ain)/
hôtel de préfecture du Rhône
(conversation téléphonique cryptée)

– On change la stratégie, monsieur le sous-préfet.

Le colonel insiste :

– Je ne peux pas mettre à votre disposition plus de deux bataillons. Nous avons d'abord pris en charge la décontamination des évacués de Taverny.

– Quand serez-vous chez nous ?

– Je ne peux pas projeter des hommes avant deux semaines. Mais vous aurez des hélicos d'ici là.

– Je vois. Et qu'est-ce que je fais, moi, en attendant ?

– Dans un premier temps, il faut regrouper les survivants, créer des zones. D'ici deux jours, je peux parachuter des vivres, de l'eau, des pharmacies de base.

Il faut que vous invitiez les survivants à se regrouper dans des R-Points, tant que les réseaux fonctionnent.

– Vous êtes sûr de vous ?

– Tout à fait. Vous maintenez les barrages aux entrées de la ville pour éviter un afflux massif. Vous regroupez les survivants, notamment les jeunes... On opère comme en situation de guerre, monsieur. On crée des zones protégées. Je vous transmets un mémo complet.

– Et le reste ?

– Il n'y a plus de reste, monsieur le sous-préfet. Il faut sauver ce qu'on peut.

6.05 P.M., lycée du Parc, devant la Tête d'Or

Julien est assis sur les marches, dehors. Il boit du café.

Ça commence à ressembler à quelque chose. Ils ont dégagé tout le dernier étage de l'internat pour l'infirmerie. Le réfectoire sera prêt demain matin.

Il y a plus de trois cents jeunes gens réfugiés dans le lycée.

Ils font ce qu'ils peuvent.

À partir du 30, l'armée devrait commencer à hélitreuiller des vivres et de l'eau potable. Cela risque de rassembler du monde, d'autres survivants. Reste à régler, d'ici là, la question de l'électricité. Il aurait voulu n'avoir à s'occuper que d'intendance, mais la mort de Max et de Julie, hier, font de Pierre et de lui-même les deux étudiants les plus expérimentés en médecine... Deux mois à peine, plus la prépa d'été.

Il voit une fille arriver sur le trottoir.

Elle semble maigre dans son manteau trop grand.

Il se lève, la regarde. Elle sourit timidement, malgré la trace des larmes sur ses joues crasseuses. Elle dit :

– Je m'appelle Philomène. Je viens voir si je peux être utile.

07.25 P.M., périphérique nord,
barrage militaire de Caluire-et-Cuire

La caporale Alice Vittoz inspire, regarde le ciel de nuit. Vide. Il n'y a plus d'hélicos, aujourd'hui. Plus de police, plus de pompiers au-dessus des immeubles. Plus de militaires, non plus. Plus rien.

N'y a-t-il plus de recours, d'espoir ? Plus de réserve, plus de zone confinée, nulle part ?

Il faut qu'elle se calme.

Quatre jours qu'elle est avec ses hommes, sur la ligne de front, nuit et jour.

Il n'y a plus d'hôpital. Les unités médicales de décontamination doivent arriver demain, trop tard, tellement trop tard, depuis le camp de la Valbonne, s'il reste un camp là-bas.

Elle regarde son escouade ou ce qu'il en reste : les six chasseurs alpins qui viennent de se positionner sur les chevaux de frise, à l'entrée de la ville, éclairés par les projecteurs.

Qu'est-ce qui a merdé ?

Les mauvais ordres ? Peut-être. En tout cas, le mauvais

timing – ils étaient au mauvais endroit au mauvais moment. De toute façon, il fallait des hommes pour empêcher la panique, endiguer la circulation des malades et du virus.

Y a-t-il une chance que cela ait servi ?

Elle pense aux liquidateurs qu'on a envoyés à Tchernobyl pour refroidir le réacteur puis construire le sarcophage, les premiers jours qui ont suivi l'explosion de 1986. Elle avait vu un film là-dessus. Ils sont morts pour les autres, eux aussi. Elle pense à son fiancé, à la petiote. Fanny… Peut-être sont-ils à l'abri. Elle ne parvient pas à joindre Marc. Peut-être qu'ils vont s'en tirer. Et ce sera parce qu'on a empêché les gens de fuir, ici, à Lyon.

Ne pas circuler. Chaque personne infectée est une bombe. S'il faut mourir, tant pis, on mourra tous ensemble, mais personne ne sort.

Elle repense au visage de la femme, hier, qui a voulu coûte que coûte franchir le barrage, devant l'hôpital Saint-Joseph. Elle ne voulait pas croire que les urgences n'existaient plus. Elle s'est mise à pleurer, à hurler, sa gamine dans les bras. Si Alice avait été civile, si Fanny avait été en train de mourir, sans doute aurait-elle fait la même chose.

La femme a tenté de forcer le passage. Le sergent Robert a dû tirer.

Alice se touche la tempe.

Son mal de tête empire, migraine oculaire. Le monde tremble devant ses yeux, elle sent la transpiration lui inonder les poignets, les chevilles, là où l'uniforme se resserre. Depuis hier, elle a remarqué du sang dans ses diarrhées. Quand elle a enfilé le treillis ce matin, elle a vu une rougeur sur la cuisse gauche qu'elle n'avait pas la veille. Comme un eczéma. Elle a frotté, longtemps, longtemps… Cela ne part pas. Elle en aura sur tout le corps, tout à l'heure.

Et puis cette nuit, ça commencera à suinter.

28 octobre

11.15 P.M., parc de la Tête d'Or, Lyon

Mila est morte hier soir. Elle toussait depuis la veille, elle se vidait, diarrhées, vomissements, comme une gastro. Sans une plainte. Elle est morte contre lui pendant qu'il regagnait la maison – quand ils les ont enfin laissés quitter les lieux.

Les rues étaient vides. Les trottoirs étaient vides. Il y avait des voitures, garées le long des trottoirs, des bagages dedans, des morts. Plus une seule ne roulait. Pas un bus, un tramway.

Marco a déposé sa toute petite sœur sur le canapé, il s'est retrouvé à genoux devant elle. À genoux comme s'il priait. Mais qui aurait-il pu prier ? Il n'y a personne, personne, sinon, ce ne serait pas arrivé. Il a sangloté, à genoux devant Mila.

Elle n'avait presque pas pleuré, elle, pendant quatre jours. Elle n'avait plus la force ?

Il est resté quinze heures dans l'appartement, avec elle. Défait. Presque fou.

Il pleurait. Il s'excusait auprès de sa mère.

Finalement, il a voulu l'enterrer, sa petite. Il est venu au parc, avec Mila dans ses bras. Il ne sait pas pourquoi. Parce qu'il y avait des arbres, et les animaux que Mila aimait tellement aller voir, avec Julia et Fiametta, les dimanches de printemps.

Il n'avait pas prévu qu'il resterait autant de survivants dans les rues, ici.

Des jeunes gens de son âge.

Comme s'ils étaient épargnés.

11.35 P.M.

À la grille du parc, une jeune fille qu'il connaissait, Justine, lui a indiqué l'endroit où ils enterraient les morts. Elle l'a accompagné – il est arrivé au moment où les fossoyeurs venaient de terminer leur travail de la matinée, derrière la roseraie, juste devant le lac.

Ils ont creusé un dernier trou, qui lui a paru si petit. Marco a mis Mila en terre, dans son petit manteau bleu boutonné en menteuse.

Justine est restée, et deux des trois fossoyeurs.

Il a rebouché la tombe, seul, pelletée après pelletée.

Finalement, il s'est frotté les mains, essuyé le front. Il n'y avait plus rien à dire.

Quand il s'est retourné, ils n'étaient pas repartis. Ils l'attendaient.

L'un des deux types, un chevelu qu'il avait déjà aperçu, un mec assez grande gueule de classe prépa, lui a tendu la main :

– Sacha… Tu devrais rester ici… On ne sait pas combien de temps ça va durer mais, en attendant, on essaye de s'organiser… On a besoin de tout le monde.

3.30 P.M., périphérique nord, barrage de Caluire-et-Cuire

Le jeune homme descend de voiture, va vers le barrage.

– On ne passe pas, monsieur… Lyon est ville fermée jusqu'à nouvel ordre.

– Je dois voir un médecin… S'il vous plaît…

– Reculez… J'ai l'ordre de tirer. Reculez, s'il vous plaît.

– C'est pour mon père…

Le jeune homme fait encore un pas vers le barrage, s'arrête – le militaire a hurlé :

– Reculez, maintenant !

Il épaule, met en joue.

Le jeune homme lève les mains, mais ne renonce pas. Il n'a pas fait toute cette route pour rebrousser chemin. Le nouveau caporal, nommé cette nuit en remplacement d'Alice Vittoz, s'approche, indique d'un geste à son chasseur de baisser le flingue, salue le jeune homme, deux doigts au front – « garde-à-vous », « repos »…

– Mon père est mourant, s'il vous plaît ! lui dit le jeune homme.

– Tout le monde est mourant. Faites demi-tour. Plus personne n'entre dans Lyon…

Les épaules du jeune homme s'affaissent. Il obtempère, finalement, remonte dans la voiture. C'est celle de ses parents. Il a juste dix-huit ans, pas encore le permis, mais il conduit depuis deux ans, à la ferme – conduite accompagnée.

Il n'est plus accompagné.

Sa mère est morte. Son père est en train de mourir, sur la banquette arrière.

Depuis quarante-huit heures, il a appelé plusieurs médecins, aucun n'est venu.

Il a appelé le Samu, qui n'est jamais venu.

Après avoir inhumé sa mère, cette nuit, il s'est décidé à venir jusqu'ici, avec son père allongé sur la banquette arrière.

– Circulez, maintenant, ordonne l'officier.

Alex se retourne pour dire un mot à son père, le rassurer. Il voit le visage aux yeux fixes.

3.38 P.M.

Derrière lui, d'autres voitures klaxonnent, certaines font demi-tour.

Panique. Chaos. Il roule depuis cinq minutes, trois cents mètres sur le périph, au pas. Embouteillage géant. Deux voitures se sont percutées au milieu de la chaussée, l'un des conducteurs a eu des convulsions. Plus moyen d'entrer, plus moyen de repartir.

Merde…

Alex se gare sur la bande d'arrêt d'urgence, comme il peut. Il met ses warnings. Laisser son père ici, mort sur une banquette de la voiture, parmi tous les autres ? Qu'est-ce que ça change ?

Il ne retournera pas à la ferme.

Il descend, claque la portière et s'en va. Marchant entre les voitures à l'arrêt. Il escalade la glissière centrale du périph, retourne vers la ville, à pied cette fois.

Au niveau du barrage, il voit les soldats, qui essayent de faire refluer les voitures. Ils ne sont pas assez nombreux pour empêcher les passants de circuler, dans les deux sens, entre les véhicules. Certains piétons portent des valises, des sacs, des baluchons. Certains pensent peut-être qu'à la campagne ils s'en sortiront mieux…

Peut-être ont-ils raison.

Mais il n'y a plus personne, au hameau.

Sur la route, dans les deux sens, il n'y a que des fuyards, et des morts. Et dans Lyon ?

Florence Hinckel

LENA

LE BUNKER

23 octobre

– Ouvre-nous, Tom ! Ouvre ! Pitié… On n'est que deux.

Les tambourinements contre la porte d'entrée de la maison nous tétanisent, papa, maman et moi, alors qu'on s'élançait vers la vitre coulissante qui ouvre sur le jardin arrière. Papa traverse le salon, se plaque contre la paroi et crie :

– Allez-vous-en ! Je vous l'ai déjà dit : il n'y a de place que pour trois dans l'abri !

Les larmes perlent aux yeux de ma mère. Elle s'agrippe à la poignée de la baie vitrée comme à une bouée de sauvetage, tandis que mon père serre son fusil au point de blanchir ses phalanges. Moi, je me tiens au centre de la pièce, sac sur le dos, le cœur brisé mais fin prête. On venait juste de finir nos paquetages, d'enfiler nos manteaux, et on n'avait plus qu'à quitter la maison pour se rendre dans l'abri logé sous la pelouse… quand les Bergman sont venus frapper chez nous.

– Je n'aurais jamais dû leur parler de cet abri ! fulmine mon père, nez contre le chien de son arme.

– Tu construis une piscine, Tom ? avait demandé monsieur Bergman à mon père un jour de l'été dernier, durant un barbecue organisé dans le quartier. C'est une bonne idée. Se prélasser dans l'eau tout en admirant la vue magnifique que vous avez de votre jardin, ce sera un vrai bonheur !

Ma mère s'était éloignée sous prétexte de se servir à boire, et mon père s'était penché vers l'oreille de son voisin pour y glisser discrètement :

– Le trou qu'on creuse, Martin… ce n'est pas pour une piscine. C'est pour y loger un container… un abri NBC.

– Ennebiquoi ?

– Antinucléaire, chimique et bactériologique. Mais motus, hein, je compte sur toi !

Les yeux de monsieur Bergman s'étaient agrandis de surprise, puis il avait éclaté de rire.

– Après tout, c'est dans ta logique, avait-il chuchoté. Tu es déjà bardé d'armes, et après deux stages de survie, il ne te manquait plus que…

– Chut ! Je préfère que ça ne se sache pas.

– Tu as peur qu'on te regarde bizarrement ?

– Je m'en fous des autres. Je veux juste rester discret, voilà tout.

J'avais plongé le nez dans mon verre de punch, comme si je ne pouvais pas entendre alors que je me trouvais tout près. « Regarder bizarrement » était un euphémisme.

Dans tout le quartier, on m'appelait la « fille du taré ». Autant dire à quel point j'adorais mon père, jusque-là. À chaque fois que je le surprenais en train d'astiquer amoureusement sa collection d'armes, je ne rêvais que d'une chose : que le temps passe très vite et que je sois déjà loin pour mener mes études de littérature comparée. J'avais fait des demandes dans plusieurs facultés ou écoles étrangères, pour la rentrée à venir.

Mon père avait poursuivi à voix basse :

– Non mais tu as vu l'état du monde, Martin ? Si ce n'est pas l'explosion d'une centrale nucléaire, ce sera un attentat, ou bien le climat qui se déglingue. On crèvera tous de trop de chaleur ou de trop de froid. On crèvera tous tués par des fous de Dieu. On crèvera…

– On mourra tous un jour, Thomas.

– Autant que ce soit le plus tard possible. Et pas de façon stupide. Dans cet abri, Judith, Lena et moi, on pourra survivre à toutes les catastrophes.

Il avait murmuré plus doucement encore :

– Et ma fille sera enfin fière de moi.

J'avais été tentée de répondre quelque chose mais le regard de monsieur Bergman m'en avait empêchée : il dévisageait mon père… comme s'il était taré.

Et maintenant ce même Martin Bergman tambourine à la porte, nous suppliant de pouvoir aussi profiter de notre abri. L'apocalypse tant redoutée, voire attendue par mon père est arrivée. Jamais je ne lui ai vu les yeux aussi brillants. Ils semblent dire : « J'avais raison ! »

Depuis hier, les gens agonisent et tombent partout

dans le monde, on l'a vu à la télé et sur le Net. Dans les premières heures, ils citaient les noms des personnes célèbres qui mouraient les unes après les autres. Plusieurs écrivains que j'admire en faisaient partie. Puis très vite ça n'a plus été la priorité : un virus foudroyant traite tout le monde de la même façon. La mort se moque bien du nom des gens.

Sur l'écran de la télé encore allumée en ce moment même, les images des cadavres défilent... Leurs yeux exorbités. Les journalistes parisiens ou berlinois ou londoniens ne parviennent même pas à finir leurs phrases. L'image chavire. Le bruit d'un râle...

Les coups sont de plus en plus forts et se portent aussi contre les volets fermés.

– Tom ! Ouvre, bon Dieu ! Judith ? Ouvrez !

Mon père nous a interdit de sortir, ma mère et moi, dès l'annonce de la catastrophe. Il a barricadé la maison et a commencé à rassembler du matériel : armes, corde, vivres, médicaments, tout en marmonnant :

– J'aurais dû préparer tout ça plus tôt. On serait à l'abri à l'heure qu'il est. Vite. Vite !

Et aujourd'hui les premiers cas mortels ont été détectés dans la ville. Des zones de quarantaine ont d'office été instituées. On l'a appris ce matin en écoutant la radio durant le petit déjeuner.

– Le virus est déjà là ! Finissez vos sacs ! a crié mon père. Grouillez-vous !

Ma mère a hoché la tête gravement en posant son bol de café au lait et a couru dans sa chambre. Moi j'ai fait pareil. J'avais commencé à remplir mon sac à dos avec mes vêtements, une trousse de toilette et des protections périodiques – sûre que mon père n'avait pas pensé à ce détail important. J'ai pris aussi mon téléphone et son chargeur, ma tablette, ma peluche-éléphant de quand j'étais petite, de quoi écrire, quelques bouquins et une photo de moi et de mes copines, prise durant un voyage à Londres. Rosie, Sarah et moi, avec Big Ben en arrière-plan… Les meilleures amies du monde ! La veille, je les avais appelées mais on n'avait réussi qu'à augmenter nos angoisses et notre panique. Elles voulaient qu'on se voie, mais j'avais dû expliquer que mon père m'empêchait de sortir.

– Nous on se prépare à partir, avait dit Sarah. Ma mère dit qu'il vaut mieux quitter la ville. Aller à la campagne, dans des endroits moins peuplés, pour avoir moins de risques d'être contaminés. Tu dois partir toi aussi, Lena !

Mes joues avaient brûlé de honte. Plus que jamais papa voulait qu'on ne révèle à personne l'existence de notre abri. Je n'avais pu que répondre :

– Au revoir, Sarah…

Ce matin, je n'arrivais plus à la joindre. Ni Rosie. La douce et discrète Rosie, dont les parents sont si à la masse qu'ils n'ont sans doute réussi à prendre aucune décision… Où est-elle ? Que fait-elle ?

– Tom ! crie encore monsieur Bergman, je vais être obligé de…

– De quoi, hein ?

Cinq secondes plus tard, ma mère hurle :

– Ils escaladent la palissade !

Nos voisins ont quitté la rue pour emprunter le chemin qui longe la maison. Ils sont désormais devant la clôture arrière droite. L'abri est invisible puisqu'il est enterré, mais nous savons tous qu'il débute à cinq mètres environ de la maison. L'entrée est ménagée du côté opposé, dans la pente qui s'amorce plus loin, sur une dizaine de mètres. Le jardin pentu mais parfaitement rectangulaire est entouré d'une palissade en bois le séparant des autres propriétés. Monsieur Bergman fait la courte échelle à sa femme, sur le point de rouler-bouler sur notre pelouse. À son âge et vu sa corpulence, elle va se casser au moins trois côtes ! Mon père bouscule ma mère pour faire coulisser la porte vitrée du jardin. Il brandit son fusil.

– Ne bougez plus ou je tire !

Mais madame Bergman s'est plutôt bien réceptionnée, pour une vieille, et elle court déjà vers l'entrée de notre abri, que nous ne pouvons pas voir d'ici.

– Et merde ! jure mon père, tout en la visant.

– Non ! crie ma mère.

Elle s'élance pour l'empêcher de tirer mais le coup part quand même, madame Bergman hurle de douleur, et s'écroule dans la pente.

– Je voulais juste tirer à côté pour lui faire peur, gémit mon père.

– Espèce de salaud ! vocifère monsieur Bergman qui pointe son arme vers nous.

Et qui tire.

– Maman !

Ma mère s'écroule. Mon cœur explose de chagrin. Mon père, fou de rage, tire à son tour.

– Lena, reste à l'abri ! m'ordonne-t-il.

Les coups de feu fusent alors que je me recroqueville derrière le canapé.

– Hé, tous, venez ! hurle monsieur Bergman. Y a un abri qui protège du virus, ici ! Venez tous ! Ven…

Un nouveau coup retentit. Puis un autre.

– Lena, va dans l'abri. Cours, cours ! Et bloque la porte !

Je me déplie et me précipite vers mon père allongé sur la pelouse, non loin de ma mère. Du sang coule dans l'herbe verte. Du sang souille le manteau de mon père. Du sang brille sur le visage de ma mère… Je ne vois plus monsieur Bergman, mais un attroupement se crée devant la clôture, et deux personnes sont déjà en train de la franchir.

– Cours, souffle mon père. Cou…

Ses yeux deviennent subitement vitreux et sans expression. Je prends son fusil d'entre ses mains et je tire en l'air pour faire peur aux inconnus. Ça n'a aucun effet. L'un d'eux est déjà dans le jardin, un jeune type brun à l'air blafard. Est-il contaminé ? Je suis plus proche que lui de l'entrée de l'abri, alors je m'élance, j'enjambe le corps sans vie de madame Bergman, j'ouvre la porte blindée, je la ramène vers moi en m'agrippant à la roue, que je tourne rapidement pour verrouiller le container de façon totalement étanche, comme un sous-marin.

Clac.

Les coups du type contre la porte me parviennent sourds et étouffés. Je glisse contre la paroi métallique et froide et m'enroule sur moi-même en position fœtale, bras sur la tête pour ne plus les entendre. Je me balance doucement en récitant une comptine de la maternelle, un truc issu *d'Alice au pays des merveilles*, un œuf sur un muret qui danse et chante jusqu'à tomber… comme madame Bergman du haut de notre palissade.

Humpty Dumpty
Assis sur une butte
Humpty Dumpty
Fit une grande chute

Tous les chevaux du roi
Et tous ses servants
N'ont pu remettre
Humpty comme avant

…

Le noir complet. Le silence. Je ne sais pas ce qui est le pire, là-dedans.

Dès que je me réveille, j'allume la lumière et je trace à la craie un trait sur le mur, à la manière d'un prisonnier dans son cachot. Il est 5 h 30. C'est trop tôt mais je n'y peux rien ; je me réveille de plus en plus tôt, chaque jour. Je me force pourtant à respecter les horaires d'une vie normale : coucher vers 22 heures, pas avant, et interdiction de dormir dans la journée, à part une sieste d'une demi-heure en début d'après-midi, pas plus. Mon seul repère est l'heure indiquée par le réveil posé sur la table en formica, et je vis dans la terreur de louper un tour de cadran et de confondre 8 heures du matin avec 8 heures du soir. Terreur de vivre en décalé avec ce qui se passe dehors. Terreur de dormir le jour et rester éveillée la nuit, à l'encontre du rythme de la nature.

Je compte les traits, de nouveau. Dix-sept. Si mes calculs sont bons, on est le 9 novembre.

Il y a dix-sept jours que les Bergman et mes parents se sont entretués.

Et mon père qui espérait ne pas mourir de façon stupide…

La gorge serrée, je secoue la tête en essayant de ne pas penser aux cadavres qui pourrissent au-dessus de ma tête. Les corps de mes parents, à quelques mètres à peine de moi… Je préfère m'activer.

Toutes mes journées se ressemblent.

Au lever, je prends un petit déjeuner semblable chaque matin. Je ne mange que de la nourriture lyophilisée et des compléments alimentaires qui remplacent les vitamines des produits frais ainsi que le manque de soleil. J'ouvre une boîte de muesli suisse au lait. Je fais chauffer de l'eau dans un micro-ondes et je la verse directement dans la boîte. Ça m'évite de salir un bol et de faire la vaisselle. Même enfermée ici à ne rien faire, je déteste toujours autant les tâches ménagères.

L'eau provient d'une cuve de 1 000 litres munie d'un robinet. L'électricité est fournie par un groupe électrogène avec réserve d'essence. L'air est filtré par un système de ventilation qui ne laisse passer que les particules inférieures à 20 nanomètres. Un virus a une taille comprise entre 20 et 300 nanomètres… Je sais tout cela grâce à la notice livrée avec le caisson, que j'ai eu le temps de lire à peu près trente fois en entier. Je dispose également d'un compteur Geiger, d'un éclairage à dynamo, mais aussi d'un frigidaire et d'une télévision à écran plat, avec laquelle j'ai pu visionner une centaine de fois les trois seuls DVD que mon père a eu le temps de stocker. Je connais par cœur *Platoon*, *Apocalypse Now* et *World War Z*. Même une fois à l'abri, mon père comptait bien se délecter encore de ses cauchemars…

Quand je n'aurai plus d'eau ou de carburant ou de nourriture, je serai obligée de sortir, même si le virus est toujours actif. Manque de bol, les combinaisons NBC que papa avait commandées ne sont jamais arrivées. Je n'ai donc aucun moyen de me protéger de l'air du dehors.

Pendant que je petit-déjeune, je branche mon téléphone pour lancer la musique qui y est stockée. La 4G n'a jamais fonctionné, ici, et j'ai tout de suite été coupée du monde… Une fois mon muesli terminé, j'attends dix minutes puis j'effectue des mouvements de gymnastique sur Massive Attack, Adele ou Aerosmith. Abdos, saut à la corde, pompes, étirements. Parfois je choisis l'extrait de l'assaut en hélicoptère, dans *Apocalypse Now*. Il est accompagné par *La Chevauchée des Walkyries*, de Wagner. Ça booste pas mal…

Je ne me douche que tous les trois ou quatre jours pour économiser l'eau. Sinon j'effectue une toilette de chat. Quand je n'ai vraiment pas le moral, je prends le temps de me maquiller et de coiffer mes cheveux mi-longs en chignon ou autre assemblage sophistiqué. Je rêve alors qu'Adam vient me chercher pour aller boire un coup ou aller au cinéma... Même si mon histoire avec lui a pris fin en septembre dernier, « parce qu'il voulait connaître d'autres expériences »...

Le reste du temps, je lis et relis les romans que j'ai emportés. *Tropique du Cancer* de Henry Miller, *Madame Bovary* de Gustave Flaubert, *Mrs Dalloway* de Virginia Woolf, *Fonds perdus* de Thomas Pynchon, *Les Possédés* de Fiodor Dostoïevski. Je dois être aussi tarée que l'était mon père pour avoir choisi ces romans complexes et qui ne se distinguent pas particulièrement par leur optimisme. Ce sont des ouvrages que je devais lire pour préparer les concours des écoles qui me faisaient rêver. Je sais bien au fond de moi-même que j'ai choisi cette voie exigeante en réaction à la culture de troisième zone de mon père. Quant à ma mère, elle était secrétaire médicale, avec une vie sociale bien remplie, mais des goûts peu affirmés. Elle lisait peu et ses sorties étaient rarement culturelles. Je ne crois pas qu'elle approuvait les délires de son mari, mais elle les tolérait. Pour elle, c'était un passe-temps comme un autre. « Je préfère ça plutôt que de le voir courir après tout ce qui bouge ! » l'avais-je entendue dire une fois à l'une de ses amies.

Ça m'avait déprimée pendant trois jours : si c'est tout ce que l'on doit attendre d'un homme ! Cet homme chaste, ce merveilleux époux, mon père, occupait le poste de directeur financier d'une entreprise qui fabriquait et vendait des scanners. Il n'a toujours respecté que les chiffres. Aussi critiquait-il ouvertement les intellectuels qui « déblatéraient » ou « brassaient de l'air » ou encore « pissaient dans un violon ». Que je devienne l'une d'entre eux était une vraie provocation, et il la vivait comme telle. Au moins étions-nous d'accord sur ce point.

L'avantage, c'est que ces romans sont longs et occupent bien mon temps. J'éprouve un certain plaisir à les relire ; je les comprends à chaque fois autrement.

À midi pétant, je m'installe à la table en formica et fais de nouveau chauffer de l'eau. Le déjeuner se compose au choix d'œufs brouillés, de pâtes à la sauce tomate, de risotto aux légumes, d'un plat de lentilles, d'une purée de pommes de terre, de soupe de tomates, le tout accompagné de pain de seigle noir ou de pain complet. Ce sont les menus proposés par le pack de survie clés en main, prévu pour trois durant deux semaines et demie. Toute seule, je devrais tenir deux mois.

Ensuite, je fais une mini-sieste et je reprends la lecture, en n'omettant pas de me lever régulièrement pour me dégourdir les jambes.

Au fil de la journée, cela devient plus difficile.

Chaque soir je déprime. Parfois j'atteins le fond. Les idées noires tournoient malgré la musique joyeuse que je me force à écouter. De plus en plus, j'ai du mal à attendre 22 heures avant de me coucher. Dormir est la seule fuite qui me soit possible. Le sommeil est ma seule évasion… lorsque les rêves ne virent pas aux cauchemars.

15 novembre

J'ai décidé de tenir un carnet de bord… sans doute pour ne pas devenir folle. J'avais placé dans mon sac à dos un calepin à la jolie couverture imitant les enluminures dorées des ouvrages du Moyen Âge, que m'avait offerts Rosie pour mon anniversaire.

Au tout début de ma captivité volontaire, je n'écrivais que la date et ce qui se produisait. Les coups sourds que j'entendais parfois au-dehors, les premiers jours. La date et l'heure auxquelles ils survenaient. Les relevés de température (le froid s'intensifie et me fait hausser le chauffage quotidiennement). Mais il se passe si peu de choses, ici, que je sens bien que je dois désormais y poser mes pensées.

Je préfère tenir ce carnet plutôt qu'écrire sur ma tablette. J'ai besoin d'un rapport physique au papier, ça fait comme une présence. Je peux ainsi mieux imaginer un destinataire, même s'il ne s'agit que d'un futur lecteur hypothétique. En les écrivant, mes pensées ne tourbillonneront peut-être plus sans fin dans ma tête…

Cher lecteur éventuel, je dois d'abord te situer les choses. Mon lieu de vie est composé de deux couchettes superposées, un canapé, un coin-toilette, un coin-douche à côté du réservoir d'eau, un coin-cuisine, un système de ventilation, le tout sur une surface rectangulaire de 25 mètres carrés.

J'ai commencé à en dessiner le plan… avant de déchirer la feuille. Qui cela intéressera-t-il ? Ce n'est que la preuve irréfutable que je prends pour moi seule la place de trois personnes. Deux personnes supplémentaires auraient pu être sauvées.

Mais sauvées de quoi ?

16 novembre

Lorsque j'éteins la musique ou le DVD en cours, le silence est complet. Est-ce que tout le monde est mort audehors ? Ou alors…

Peut-être a-t-on réussi à contenir le virus très rapidement. Peut-être que l'antidote a été trouvé. Sarah, Rosie et tous les autres auraient repris le cours de leur vie. La police aurait recueilli les corps dans mon jardin, les aurait fait enterrer. On aurait frappé à la porte de mon abri puis abandonné puisque personne n'ouvrait. On aurait pensé que mon père l'avait fermé de l'extérieur avant de mourir.

Ce sera trop la honte si moi je sors d'un seul coup comme une fleur, des semaines plus tard. Je serai celle qui s'est cachée, toute seule, dans un abri NBC. Celle qui a laissé pourrir les corps de ses parents à quelques mètres à peine de là où elle s'est terrée. Celle qui n'a pas réagi aux coups portés du dehors. L'égoïste et la peureuse.

Ou encore la digne fille de son père.

17 novembre

Chaque jour je me demande si ma mère était bien morte. Ou même les Bergman. Mon père, j'en suis certaine. J'ai senti sur mon visage son dernier souffle. J'ai recueilli son dernier mot. « Cours... » C'est une parfaite dernière parole pour un survivaliste forcené.

Mais je n'ai pas eu le temps de vérifier si ma mère ou nos voisins respiraient encore. Une fois enfermée ici, je n'ai pas eu le courage de ressortir, lorsque les coups contre la porte ont pris fin. Si j'étais sortie pour voir si je pouvais encore les sauver, est-ce que ça aurait été du courage ou de la folie ?

Suis-je lâche, ou trop saine d'esprit ?

29 novembre

Je me suis surprise à dire tout haut « panic room », tout en relisant la notice du caisson, pour la cent cinquantième fois. On appelle ce genre de lieu « panic room », lorsque le cœur de la sécurité électronique de la maison y est logé. Je sais que c'était le projet de mon père. En réalité, il craignait davantage une attaque terroriste ou une invasion étrangère. Il a dû être surpris, peut-être déçu, que la menace réelle soit un virus. Un truc qu'on ne peut pas tuer avec une arme...

30 novembre

Je parle de plus en plus à voix haute, pour me tenir compagnie ou simplement pour entendre une voix humaine, même si ce n'est que la mienne. Vais-je perdre la raison, à force?...

1er décembre

Platoon *démarre par cette citation de l'Ecclésiaste, dans la Bible : « Jeune homme, réjouis-toi dans ta jeunesse. » Se réjouir de quoi, bordel ?*

De rage, j'ai sorti le DVD de son logement et je l'ai brisé en deux. J'ai longtemps regardé les morceaux brillants à mes pieds.

3 décembre

Mon père avait demandé à l'entreprise de livraison et d'installation de l'abri NBC de venir en pleine nuit et dans la plus grande discrétion possible. Cette nuit-là, je dormais chez Sarah. À mon retour, le trou creusé dans le jardin était comblé. Une dalle de béton avait été coulée sur le toit du caisson, et mon père était en train de la recouvrir de terre. La pelouse y repousserait rapidement.

Une grande amertume avait coulé dans ma gorge jusque dans mon cœur. Moi, j'ai toujours rêvé d'une piscine, dans ce jardin, en lieu et place de ce container. L'endroit où je suis serait rempli d'eau. J'y aurais passé de bons moments. Et je ne serais pas là à crever à petit feu.

5 décembre

Le virus paraissait si fulgurant… Si ça se trouve, tout le monde est mort en quelques jours à peine. Tout le monde ! Dans cette hypothèse, combien de temps aura survécu le germe, sans corps vivant où se nicher ? Il aura disparu sans doute très vite. Et alors, je pourrais sortir sans danger dès maintenant.

Mais c'est trop risqué : je ne suis sûre de rien.

Et je suis trop effrayée à l'idée de découvrir que je suis seule au monde…

10 décembre

« C'était l'heure, entre six et sept, où chaque fleur s'embrase – les roses, les œillets, les iris, les lilas ; blanche, violette, rouge, orange profond ; chaque fleur semble brûler de son propre feu, douce et pure, dans les plates-bandes embrumées. »

La lecture de Mrs Dalloway, *avec ses descriptions si pleines de vie, m'est de plus en plus insupportable. Les premiers jours, cela me faisait du bien, c'était comme un souffle d'air frais qui pénétrait dans le container. Maintenant, cet air frais me manque trop pour que je me réjouisse de simplement l'imaginer.*

11 décembre

Dans le miroir de la salle de bains, je crois invariablement surprendre un fantôme. Je n'ai plus jamais le courage de me maquiller. J'aurais l'impression de redonner des couleurs au visage d'une morte.

13 décembre

Je me souviens de ce passage dans Robinson Crusoé. *Au bout d'un certain temps, il s'aperçoit qu'il ne parvient plus à esquisser un sourire, puisqu'il n'a personne à qui l'adresser. Par chance, il a un chien, Tenn. Il se force à lui sourire et, grâce à lui, il retrouve une part de son humanité. Si seulement j'avais au moins un animal avec moi ! Un brave chien, par exemple. J'en ai toujours rêvé mais ma mère disait que ça générerait trop de contraintes.*

15 décembre

« Si tu veux vaincre le monde, vaincs-toi toi-même. »

« La vie est souffrance, la vie est peur, et l'homme est malheureux. Aujourd'hui tout est souffrance et peur. Aujourd'hui l'homme aime la vie parce qu'il aime la souffrance et la peur. Et c'est ainsi que cela a été fait. La vie se donne aujourd'hui au prix de la souffrance et de la peur, et toute la duperie est là. »

Dostoïevski m'abreuve de réflexions sur la vie, la mort,

la religion. Dostoïevski, en creux, me demande: «Mais qu'est-ce que tu fous à rester terrée là?»

16 décembre

Jamais je n'ai autant pensé à Adam. Mais son image se mêle assez souvent à celles de tous les beaux gosses que je connais. Est-ce que je ferai de nouveau l'amour, un jour?

19 décembre

Je ne supporte plus le grésillement qu'émet la nourriture lyophilisée lorsque j'y verse de l'eau. Je ne supporte plus de l'observer alors qu'elle gonfle et change de forme et de couleur. Je ne supporte plus de la voir opérer une transformation contraire aux lois de la vie. Au-dessus de ma tête, des corps autrefois colorés et gonflés d'eau sont en train de se dessécher et de flétrir. C'est dans ce sens que ça fonctionne. Pas autrement.

Je n'arrive à presque plus rien avaler. Tout me dégoûte. Et j'ai maigri.

20 décembre

Depuis une semaine, je dors n'importe quand et longtemps. J'ai perdu le fil. Je ne sais plus s'il fait jour ou nuit dehors…

23 décembre

Pour finir, j'ai rédigé un testament. Ma décision est prise.

J'obtempérerai dans deux jours.

Parce que je ne peux plus tenir comme ça.

Et parce que je n'ai presque plus de nourriture.

Je n'ai même pas su quoi écrire dans ce testament. Qu'est-ce que je lègue et à qui ?

J'ai parlé de la maison et du jardin, qui reviendront à n'importe quel membre de ma famille qui aura survécu, si jamais… J'ai ajouté que je désirais qu'une piscine soit construite, à la place de cet abri.

Et j'ai dit combien j'aimais ma mère.

Et combien j'aimais mon père.

24 décembre

Demain, ce sera Noël, et aussi la fin de tout.

Des images de réveillon m'assaillent. Le jardin au-dessus de ma tête décoré de guirlandes lumineuses. Un sapin trônant dans le salon. Des boules argentées. J'aimais y mirer mon reflet déformé. On confectionnait des biscuits en forme d'étoiles. On invitait ma tante et mes cousins. On mangeait des mets délicieux, on riait et on attendait tous avec impatience que « le père Noël passe ». Le père Noël sur son traîneau dans le ciel.

Malgré moi, je tends l'oreille pour discerner le son des clochettes fixées au cou des rennes.

25 décembre

Le jour est venu. C'est Noël.
Adieu, carnet de bord.

Je me suis maquillée. Mascara. Blush sur mes joues. Rouge à lèvres. J'ai mis mes plus jolis vêtements. J'ai natté mes cheveux. J'ai enfilé ma doudoune, mes gants et mes bottes. Posé un bonnet sur ma tête. Embrassé ma peluche-éléphant et laissé bien en évidence mon carnet de bord ainsi que mon testament sur la table, avec la dernière boîte de muesli suisse dessus pour que le tout ne s'envole pas au premier coup de vent.

Fusil en bandoulière, je m'approche de la porte blindée.

D'abord, j'y pose mon oreille pour sonder les bruits du dehors. Rien.

Puis je prends une grande inspiration.

Le cœur battant, j'empoigne la roue fixée à la porte et je la tourne.

Une bourrasque de vent s'engouffre dans le caisson, chargée de flocons de neige. Tout en retenant ma respiration, je constate que le perron devant moi est tout blanc. L'hiver est bien installé. Je ne peux plus tenir, je dois expirer.

Puis inspirer.

De toute façon, si l'air est chargé du virus, je ne m'en rendrai compte que dans quelques heures, quand je commencerai à tousser, avoir de la fièvre, les membres raides, puis une hémorragie, et puis tout le reste…

Je fais deux pas au-dehors.

Les pieds dans la neige qui recouvre la pelouse de mon jardin, je contemple la vue époustouflante qui a tant séduit mes parents à l'achat de cette maison. La *skyline* vue de Hoboken dans le New Jersey est légendaire : de l'autre côté de la rivière Hudson, New York se dresse fièrement. Le soleil caresse avec respect le flanc des tours sereines. Le *One World Trade Center* les surpasse toutes, juste après l'*Empire State Building.*

J'ai toujours adoré cette vue, aussi belle pour moi que les images surréalistes qu'on m'en a montrées, datant d'avant un certain 11 septembre. Deux tours de plus s'y trouvaient.

Mais jamais le silence n'a été aussi assourdissant.

Aucun vrombissement de moteur, aucun cri, aucun brouhaha continu, aucune nappe de pollution.

Rien.

Sous des monticules de neige, derrière moi, je distingue les quatre corps des Bergman et de mes parents. Ils n'ont pas bougé. Personne ne les a bougés.

Je me détourne rapidement.

Je place mes mains en porte-voix et lance un appel vers New York :

– HÉÉÉÉÉ HOOOOO !

Mon cri résonne. Me revient en écho.

J'attends une minute. Deux minutes. Trois.

Mais toujours rien.

Je laisse tomber mes bras le long de mon corps.

Après un long moment de sidération, je cours vers la maison. Je traverse le salon. J'ouvre les verrous de la porte d'entrée, je me précipite dans la rue. Déserte.

Silencieuse.

Je retourne à l'intérieur pour y décrocher les clés de notre voiture garée devant. Une Dodge Grand Caravan automatique, noire. Je m'y engouffre et mets le contact. Le bruit du moteur me rassure. Je démarre lentement et remonte la rue avant de sortir du lotissement. Je ne peux pas aller vite car la couche de neige est épaisse. On dirait que cela fait longtemps qu'aucune voiture n'a roulé sur ces voies.

Je n'ai pas le courage de me rendre chez Rosie. J'ai peur de ce que je pourrais y trouver. Ce que je devine sous la neige, sur les rebords du chemin ou dans les jardins ne m'encourage pas. Est-ce une main que je vois dépasser ici ? Un pied là ? Je maîtrise un haut-le-cœur. Peut-être que ce ne sont que des hallucinations. Peut-être que tout le monde a fait comme Sarah et est parti se réfugier loin de la ville. Ou peut-être que des survivants se sont réunis et organisés en plein New York? Je me concentre sur ma conduite.

Sinatra Drive, Willow Avenue. Je choisis la direction du Lincoln Tunnel qui passe sous l'Hudson River parce que c'est le chemin le plus court vers le centre de New York City, mais aussi parce que cette voie protégée des intempéries sera plus facile à emprunter. Malgré tout, une forte appréhension m'étreint au moment de passer la barrière du péage relevée. J'allume les phares qui trouent l'obscurité totale. La traversée de ce tunnel me paraît durer une éternité. Je crains à tout moment que des zombies surgissent des véhicules arrêtés, que je dois contourner. Je n'y attarde pas mon regard : à défaut de zombies, y verrais-je des cadavres ? J'accélère pour en sortir au plus vite. Lorsque la lumière du jour est enfin perceptible, je respire mieux. J'étais proche de la crise de panique.

Dyer Avenue, 42e Rue, 8e Avenue, 46e Rue, 7e Avenue…

Me voilà arrivée devant Times Square, en plein Manhattan. Times Square, ce quartier surnommé *Crossroads of the world*. Je me souviens d'un chiffre : 365 000 personnes s'y croisaient chaque jour. Mais aujourd'hui, il n'y a personne. En tout cas, personne qui soit debout. Les monticules recouverts de neige jonchent les trottoirs et la chaussée.

Je stoppe le moteur. Je sors de la voiture. Des flocons de neige dansent et meurent dans mes cheveux. Je prends la direction de Central Park par Broadway.

Broadway, avenue réputée pour son animation, ses couleurs, ses grands écrans publicitaires clignotants, sa circulation effrénée, sa population bigarrée… Broadway est grise, terne et sans vie. Lugubre. Les tours semblent vouloir se pencher vers moi pour me toucher, voire m'avaler. Je suis le seul signe de vie, que le vide convoite. Des dizaines de taxis jaunes sont arrêtés en désordre, comme des petites voitures qu'un enfant lassé de jouer aurait abandonnées. Je marche au milieu de la route. J'évite toujours de regarder à l'intérieur des véhicules. Je frémis en distinguant des silhouettes humaines dans les vitrines : ce ne sont que des mannequins en plastique.

Ils me sourient, fiers d'exhiber leurs jeans à cent dollars, leurs tops portés par la dernière *It-girl* en vue. J'ai envie de les dézinguer mais je ne fais que les viser avec mon fusil, sans tirer. Inutile de gâcher des cartouches. Je poursuis ma route en tendant l'oreille.

Jamais je ne me suis sentie aussi petite. J'ai froid.

J'entre dans Central Park. J'aperçois un écureuil roux, ce qui me réchauffe un peu le cœur, un bref instant. Mais il disparaît aussitôt, et à nouveau plus rien. Les branches nues des arbres bougent tout doucement, se délestant parfois de paquets de neige, qui tombent à terre avec un bruit mat.

Je crie de nouveau :

– HÉÉÉÉÉÉ HOOOOO !

La seule réponse est une bourrasque de vent qui charrie des détritus. Une feuille de papier journal vient se plaquer contre ma jambe droite. Je l'en décolle, la déplie. Il s'agit du *New York Times*, daté du 27 octobre, quatre jours après mon repli dans le bunker. Le titre s'étale en grosses lettres : L'APOCALYPSE.

Bien que la feuille soit détrempée et abîmée, je parviens à déchiffrer l'article. Il décrit les morts qui surviennent les unes après les autres, n'épargnant personne, quel que soit l'âge, quels que soient le sexe, l'origine ou la religion. Que ce soit dans les campagnes ou dans les villes.

Au sein de l'équipe, nous ne sommes plus que trois, précise le journaliste. *Nous présentons pourtant déjà des signes de faiblesse et de fièvre. Il n'y a plus aucun espoir. Ceci est sans doute notre dernière édition. Restera-t-il suffisamment d'imprimeurs pour qu'elle voie le jour sous sa forme papier ? Je l'espère, pour que soit amplement diffusée cette dernière prière : « Dieu, protège-nous, pardonne-nous, guide-nous vers la lumière. Même si c'est dans l'au-delà. »*

Je lâche la feuille qui s'envole. Je regarde Central Park, que je n'ai jamais connu aussi paisible. Le soleil perce derrière les nuages.

Moi, Lena Watson, je suis seule au monde.

U4.Jules
U4.Koridwen
U4.Stéphane
U4.Yannis

Yves Grevet

LE PRÉSIDENT DE LA RÉPUBLIQUE FRANÇAISE

DISCOURS

26 octobre

Le visage de ma mère apparaît sur l'écran. C'est la toute première fois de sa vie qu'elle discute avec moi de cette façon. D'habitude, nous nous téléphonons ou bien je passe la voir rapidement chez elle quand mon agenda me le permet, c'est-à-dire trop rarement. À chaque fois, c'est le même rituel. Nous sommes installés face à face et elle me prend les mains. Je me retrouve alors projeté de longues années en arrière, à l'époque de mon enfance. Elle réservait ce rituel aux discussions les plus graves, l'annonce d'un drame, d'un changement important ou lorsque je devais avouer une grosse bêtise. Dans ces moments-là, même adulte, j'ai l'impression qu'elle me passe au détecteur de mensonges et guette le moindre tressaillement de ma peau qui pourrait lui révéler mon état psychique.

Elle paraît très en forme. Et pourtant le médecin en

combinaison NBC que j'aperçois à l'arrière-plan me l'a certifié : le virus l'a infectée et elle n'en a plus que pour quelques heures. Son organisme va rapidement s'épuiser en tentant de se défendre contre les assauts du mal. Elle me fixe dans les yeux. Je ne sens de son côté aucun reproche. Pourtant, moi, son fils, le président de la République française, l'homme le plus puissant de l'Hexagone, n'ai pas pu sauver ma propre mère. Je suis malheureux mais je ne me sens pas coupable. Je l'avais mise sur ma première liste, celle des gens ultraprioritaires à confiner au plus vite. Mais la maladie nous a devancés.

– Maman, comment vas-tu ?

– Moi, ça n'a plus d'importance. Mais toi, mon fils, tu es sûr que tu es bien entouré ? Tu vas survivre ? Promets-le-moi.

– Oui, ne t'inquiète pas. Toutes les personnes qui veulent m'approcher sont testées avant et à plusieurs reprises. Je suis confiné dans un endroit sûr. Je ne risque rien.

– J'ai entendu que tu allais parler à la nation ce soir. Tu as préparé ton discours ?

– J'y travaille encore, maman.

– C'est pour faire face à ce genre de crise que les Français t'ont élu. Tu vas leur montrer qui tu es, mon fils, et de quoi tu es capable.

– Je vais essayer.

– Parle avec ton cœur. Rassure-les mais ne leur mens pas. Allez, mon petit, il est temps que je te laisse. Je sais que tu as du travail et moi, je dois mettre quelques affaires en ordre. Je t'embrasse. Je t'aime.

– Moi aussi, maman, je t'aime.

Elle a disparu de l'écran mais je l'entends encore:

– Comment vous éteignez votre machin? Faites-le tout de suite. Je ne veux pas qu'il pleure à cause de moi. Il a des choses plus importantes à fai…

Je n'entendrai plus sa voix, plus jamais. Je ne me décide pas à quitter des yeux l'écran devenu noir. Je repense à ses paroles: « C'est pour faire face à ce genre de crise que les Français t'ont élu. » Je ne sais pas si elle, comme le reste de la population d'ailleurs, a conscience de l'ampleur inédite de la tragédie que nous vivons. À quoi pourrait-on comparer ce virus? À celui de la grippe espagnole qui a tué en 1918-1919 plus de personnes que toute la Première Guerre mondiale? À l'époque, une personne sur deux dans le monde a été touchée et 3 % en sont mortes. On évalue les pertes à quelque cinquante millions de victimes. U4, c'est bien pire. La diffusion s'est faite beaucoup plus vite, et la mortalité des personnes atteintes est de 100 %. Une voix féminine me tire de mes réflexions:

– Monsieur, il faut nous remettre au travail. L'enregistrement est dans moins d'une heure.

– Je sais, Adèle, je sais.

—

(Discours du président de la République diffusé sur toutes les chaînes hertziennes le 26 octobre à 20 heures.)

Mes chers compatriotes

Ce soir, je veux vous parler un langage de vérité. Nous

traversons aujourd'hui la pire crise sanitaire que l'humanité ait eu à affronter dans son histoire. Actuellement, personne ne peut dire quand elle s'arrêtera et même si l'homme y survivra. Mais nous devons y croire. Le pire dans une telle situation serait de se résigner. Je connais vos souffrances. Je sais votre désarroi. Quand je dis que je partage votre douleur, ce n'est pas une simple formule. Je pleure moi aussi des proches infectés ou déjà morts.

Je comprends le sentiment d'abandon que beaucoup ressentent aujourd'hui. Mais, je vous le dis solennellement ici : nous ne vous abandonnons pas. Depuis le début de la crise, nous recherchons les meilleurs moyens de vaincre ce fléau. Nous sommes mobilisés sur le plan national comme international. Des chercheurs de tous les pays sont au travail et collaborent jour et nuit. Un test de dépistage a été mis au point. Nous tenterons de le développer au niveau industriel dans les plus brefs délais. Je vous annonce officiellement ce soir que des pistes de vaccin très prometteuses sont actuellement explorées. Nous avons conscience que le temps est notre pire ennemi dans cette lutte et que nous arriverons peut-être trop tard.

Mais, je vous le répète, nous mettons tout en œuvre pour gérer au mieux cette terrible crise. Mes chers compatriotes, gardez espoir. Nous viendrons à bout du virus. J'en ai la conviction et, en attendant, pas une seconde je ne relâcherai mes efforts. Bonsoir.

15 novembre

J'ai perdu presque tous les membres de ma famille. Le sang de ma lignée ne coule plus que dans les veines d'un de mes neveux, Antoine, que j'ai eu peu l'occasion de croiser durant ces dernières années. Je l'ai fait exfiltrer d'un R-Point de la capitale il y a deux jours. Trois gaillards en combinaison NBC lui sont tombés dessus pendant son sommeil. Son évacuation a eu lieu dans le plus grand secret. Au réveil, il pensait qu'il allait servir de cobaye pour des tests de vaccin ou, pire, qu'on allait le faire disparaître pour une raison qu'il ignorait. Depuis qu'on lui a expliqué que j'étais l'instigateur de son sauvetage, il doit être rassuré sur son sort. Personne dans mon entourage officiel n'a osé contester ma décision. Sauver un membre de sa famille, fût-il éloigné, n'était-il pas naturel ? S'ils en avaient eu le pouvoir, tous auraient agi de la même façon. Ce matin, je trouve enfin le temps de lui parler.

Je suis deux membres de mon escorte personnelle dans les couloirs souterrains jusqu'à une pièce carrelée de blanc qui sert de sas entre la zone dite propre et la zone potentiellement contaminée. Toutes les dernières études que j'ai consultées indiquent que les adolescents survivants ne sont pas porteurs du virus U4. Mais, en attendant d'en avoir la certitude, il faut que je me plie au sacro-saint principe de précaution. Je dois revêtir une combinaison NBC qui protège des risques nucléaire, biologique et chimique. Un spécialiste m'assiste dans mon habillage. Son déroulement respecte un protocole strict. Je ne garde que mes sous-vêtements avant d'enfiler la combinaison d'abord par les pieds et ensuite par les bras. On me fixe le masque grâce à des sangles en plastique réglables. Il est équipé d'un micro qui déforme un peu la voix mais permet de communiquer sans forcer. On me visse une cartouche pour filtrer l'air vicié au niveau de la joue droite. Je me demande comment je vais pouvoir respirer normalement là-dessous. La capuche de la combinaison est maintenant fixée autour du masque. On scotche des bandes adhésives pour renforcer l'étanchéité entre les deux éléments. Je commence déjà à transpirer. Je passe ensuite deux paires de gants l'une par-dessus l'autre. La deuxième est à son tour soudée aux manches grâce au même adhésif. J'ai l'impression d'être un spationaute. Je pousse la porte au fond de la pièce et me retrouve face à mon neveu. Il est loin de l'image que j'en ai gardé. Ce n'est plus du tout ce gamin maigrichon qui cachait ses boutons d'acné sous une mèche trop longue. Il a mûri, je dirais presque vieilli. Il ressemble à son père dont j'étais très proche à l'adolescence. C'était mon frère, mais aussi mon confident et un peu mon modèle.

– Bonjour Antoine. Excuse-moi pour toutes ces procédures…

– C'est toi, oncle Phil ? Tu as la voix de Dark Vador.

– C'est bien moi. La prochaine fois, j'espère que je pourrai te prendre dans mes bras. Alors, comment te sens-tu ici ? En sécurité ?

– Oui, je suis très entouré. Oncle Phil, pourquoi tu m'as fait amener ici ?

– Quelle question ! Je voulais que tu sois près de moi.

Tu es mon neveu. La famille, ça compte. Dans ces moments difficiles, il faut qu'on reste soudés, tu ne crois pas ?

– Oui, mais les autres, tous ceux qui restent en dehors…

– J'essaie d'agir pour le mieux avec les informations qui me parviennent. Tu sais, si je le pouvais, j'aimerais me rendre compte moi-même de la situation et interroger directement des jeunes. Mais actuellement, les risques sont trop grands. À ce propos, j'aimerais que tu me racontes ton expérience dans le R-Point. Ton témoignage me sera précieux.

– Si tu veux tout savoir, rejoindre un R-Point a été un soulagement. Tu n'as aucune idée de l'horreur que c'était de rester dans l'appartement où papa, maman, Igor et Césarine étaient morts. J'avais l'impression d'y entendre encore leurs cris de détresse et de souffrance. L'odeur du sang imprégnait tout. Je devais partir. Au R-Point, j'ai pu enfin me poser, me remettre à réfléchir et parler avec d'autres. Là, tout le monde s'entraidait. On s'occupait des blessés, on réconfortait ceux qui avaient vécu de sales trucs. Évidemment, tout n'était pas rose. À mesure que l'endroit s'est rempli, on a commencé à voir naître des conflits. Certains, par exemple, ne comprenaient pas pourquoi ils devaient obéir à des types du même âge juste parce que ceux-ci étaient arrivés un peu plus tôt ou…

– On m'a rapporté ce genre de faits, et aussi que des bandes constituées à l'extérieur venaient piller la nourriture et enlever des filles. Toi, tu as été témoin de ça ?

– Pour la nourriture, je l'ai vu pratiquement à chaque livraison. Pour les rapts de filles, on me l'a raconté. Oncle Phil ?

– Appelle-moi Philippe, s'il te plaît.

– Philippe, ça me fait drôle de t'appeler comme ça ! Bon, mais d'accord... Philippe, je veux retourner au R-Point. Planqué dans ces sous-sols, au milieu de privilégiés, je ne me sens pas à ma place. Je veux être avec mes amis. Ils doivent se demander pourquoi j'ai disparu sans explication. On est où, d'ailleurs ? Personne n'a voulu me renseigner.

– Je ne suis pas non plus autorisé à te répondre. Antoine, il n'est pas question que tu retournes là-bas.

– De quel droit pourrais-tu m'empêcher de vivre avec ceux qui comptent vraiment pour moi, aujourd'hui ?

– Si je t'ai fait rapatrier à mes côtés, c'est pour ta sécurité.

– Ma sécurité ? C'est ça qui compte le plus à tes yeux ? Tu oublies que tu n'es pas seulement mon oncle. Tu es avant tout le président de la République et les jeunes Français comptent sur toi. Que fais-tu pour leur sécurité ?

– Tu crois que c'est facile d'y voir clair dans une telle situa...

– Tu veux que je te dise, moi ? Tu ne fais rien pour eux. Tu les abandonnes à l'armée. Et les militaires ne font rien pour calmer le jeu. Au contraire, ils poussent à l'affrontement ceux qui n'aspirent qu'à vivre de façon indépendante. Dans les R-Points, ils laissent les conflits se développer. Reprends la main, Philippe !

– Je vais essayer de...

– Pas essayer, oncle Phil ! Agir ! Agir vite ! Promets-moi d'intervenir et de protéger les jeunes, ce sont tes jeunes ! Tu en es responsable !

– Calme-toi, Antoine !

– Promets-moi ou plus jamais tu ne me reverras !

– Je te le promets. Mais, en attendant, je ne te laisserai pas repartir au R-Point.

– Mes amis, tu crois que je peux les abandonner ? Tu dois me laisser les retrouver ou… alors, fais-les venir auprès de moi.

– Il n'en est pas question, Antoine. La discussion est close. J'ai beaucoup à faire.

À cet instant, il me déteste mais un jour, il comprendra. Il quitte la pièce en claquant la porte. Je me sens au bord du malaise. La sueur perle sur mon front et descend le long de mon dos. J'ai le souffle court. Dans le sas, on me déshabille. La procédure est heureusement plus rapide que celle de l'habillage. La combinaison est découpée et tous les éléments sont stockés dans un sac-poubelle qui sera brûlé dans l'heure.

—

(Discours du président de la République enregistré sur le canal officiel et diffusé par les ondes courtes à l'intention des populations confinées dans les différents centres secrets de l'Hexagone le 15 novembre à 20 heures.)

Mes chers compatriotes

C'est par le réseau intérieur de sécurité que je vous transmets ce message, à vous, membres des forces de maintien de l'ordre, professionnels de médecine, décisionnaires politiques, ingénieurs et techniciens des secteurs de l'énergie et des transports, et des autres industries nécessaires à la survie. Il ne reste aujourd'hui que la population âgée de quinze à dix-huit ans. Ce phénomène de résistance au virus n'a été observé dans aucun autre pays. Il s'explique donc vraisemblablement par une action de santé publique uniquement pratiquée en France. Il s'agit certainement de la campagne massive de vaccination contre la méningite effectuée durant quatre ans il y a quelques années et arrêtée quand il a été constaté qu'elle induisait plusieurs pathologies graves chez certains des ados vaccinés. Si cette hypothèse se vérifie, cela signifierait que les adolescents ne sont pas contagieux. En attendant d'en avoir la certitude, aucun risque ne doit être pris. J'ordonne donc la poursuite du confinement et interdis absolument aux parents de chercher à récupérer des adolescents de leur famille. Ils feraient courir à la population confinée de graves dangers. Les soldats qui seront en contact avec les adolescents devront impérativement être armés et revêtus d'une combinaison NBC. Nous devons continuer à inciter les jeunes à se concentrer dans les R-Points où ils sont nourris, logés et soignés dans des conditions convenables. Même si des informations commencent à nous parvenir, rapportant des cas de pillages et d'actes de violence dans les R-Points, il reste hors de question d'en armer leurs occupants. Ceci risquerait d'entraîner une escalade meurtrière que nous voulons à tout prix éviter. Je tiens à rappeler à tous une constante de ce genre de catastrophes. Leurs retombées entraînent davantage de morts que la catastrophe elle-même. Il nous faut donc raison garder. Vive la France.

28 novembre

– Mon général, je vous serais reconnaissant de m'éclairer sur la situation actuelle. J'entends par des sources diverses des récits que j'ai du mal à croire. Les forces de l'ordre se livreraient à ce que certains n'hésitent pas à qualifier de massacres.

– De quoi parlez-vous, monsieur le président ? Et surtout, à quelles sources vous fiez-vous ?

– Je me garderai de répondre précisément à votre seconde question. Vous imaginez bien que j'ai conservé des contacts fiables un peu partout en région, des contacts qui heureusement s'adressent à moi sans votre intermédiaire. Répondez simplement à ma question : des immeubles non évacués ont-ils été incendiés à Lyon par exemple ?

– Ces immeubles étaient vides.

– En étiez-vous certain ?

– Pratiquement, monsieur le Président.

– Permettez-moi de ne pas me satisfaire de ce « pratiquement ».

– Nous devions au plus vite dégager certains espaces pour sécuriser des zones stratégiques.

– Soyez plus concret, je veux comprendre.

– Nous préférons éviter les concentrations des éléments incontrôlés et souvent criminels près des centres de commandement. Certains de ces voyous ont entrepris de débusquer les adultes, en vue d'en débarrasser la France. Ils veulent être les seuls maîtres de la situation et récupérer la totalité du pouvoir.

– Êtes-vous sûr de leurs intentions ? Les avez-vous rencontrés ? Leur avez-vous parlé ?

– Le dialogue est impossible avec eux. Ils ne comprennent que la violence. Nous savons que certains vous cherchent personnellement, monsieur le Président, avec pour seul objectif de vous assassiner.

– Comment le savez-vous ?

– Le palais a été visité à deux reprises. Nous avons, à chaque fois, réussi à neutraliser les visiteurs, mais d'autres viendront sans doute si nous ne faisons rien.

– Neutraliser… vous parlez d'exécutions pures et simples, sans procès ! Ces pratiques sont contraires aux valeurs de notre pays !

– Monsieur, nous sommes en guerre. À situation exceptionnelle, mesures exceptionnelles. Les forces de l'ordre doivent être autorisées, par la loi, à tirer sur ceux qui refusent de se plier aux règles. Ce sont nos ennemis ! Dans un conflit armé, on n'instruit pas le procès de chaque combattant ennemi avant de le tuer.

– Ceux que vous appelez nos ennemis sont les enfants de la France, ce sont nos enfants sur lesquels vous faites tirer ! Moi vivant, jamais je ne permettrai que de telles dispositions voient le jour ! Vous m'entendez ?

– Croyez-moi, ceux que nous affrontons ne ressemblent plus à des enfants. Permettez-moi de juger votre vision comme étant d'une grande naïveté.

– Vous n'êtes pas payé pour me juger, général, mais pour m'obéir. C'est moi qui décide.

– Mais dans quel monde vivez-vous, monsieur le Président ? Sauf votre respect, je commence à penser que vous n'êtes pas fait pour affronter ce genre de crise. La France y gagnerait si vous songiez à passer la main.

– Comment osez-vous !? Qui êtes-vous pour me parler ainsi !?

– Sachez, pour votre gouverne, que je ne suis pas le seul à le penser.

– Vous songez à prendre ma place, mon général ? à demander les pleins pouvoirs ? Mais de quels arguments disposez-vous pour réclamer ma destitution ?

– Je suis en charge de la sécurité du pays et si vos décisions futures ne me permettent pas d'accomplir ma tâche efficacement et de garantir l'ordre dans notre pays, oui, en effet, monsieur le Président, il faudra en tirer les conséquences.

– Sortez d'ici, général ! Sortez immédiatement ou sinon…

– Sinon quoi, monsieur le Président ? Vous allez appeler l'armée pour vous défendre ? C'est moi, l'armée. Je vais vous laisser. Je crois que vous avez besoin de retrouver votre calme. Nous aurons l'occasion de revenir sur ces sujets bientôt. En attendant, je ne saurais mieux vous conseiller que de penser à votre propre avenir en rédigeant votre prochain discours.

—

(Discours du président de la République enregistré sur le canal officiel et diffusé par les ondes courtes à l'intention des populations confinées dans les différents centres secrets de l'Hexagone le 28 novembre à 20 heures.)

Mes chers compatriotes

Je veux faire le point avec vous ce soir sur l'évolution de la situation de notre pays et sur les actions que nous menons. L'immense majorité de nos jeunes n'aspirent qu'à vivre en paix, qu'à respecter les règles nécessaires à la vie en commun. La plupart d'entre eux ont déjà rejoint les R-Points ou s'apprêtent à le faire. Les forces de l'ordre entretiennent avec cette population des rapports constructifs.

Malheureusement, cette main tendue vers la jeunesse n'est pas toujours saisie. Une infime partie des adolescents ont choisi une autre voie, celle de la marginalité, de l'illégalité et de l'affrontement avec les autorités. Ces jeunes mettent gravement en péril la sécurité de l'ensemble de la communauté des survivants. Chaque jour, on me rapporte des faits très graves dont se sont rendus coupables ces sauvageons.

Dans la nuit du 25 au 26 novembre, un jeune gendarme courageux qui protégeait un R-Point à Lyon a été tué de sang-froid à l'arme automatique. Il avait vingt-six ans et avait voué sa vie à défendre ses prochains.

On me rapporte aussi que des gangs criminels se partagent des territoires dans les grandes villes et s'affrontent entre eux ou affrontent les forces de l'ordre. Ils n'hésitent pas à utiliser des armes de guerre. Nous ne laisserons pas de tels agissements se multiplier sans réagir. Je profite de ce discours pour rendre hommage à ces militaires qui combattent sans relâche pour le bien de tous et je réaffirme mon entière confiance en ceux qui les dirigent.

J'annonce ce soir la constitution prochaine de groupes de supplétifs recrutés dans les R-Points et qui prêteront main-forte aux autorités. Je n'hésiterai pas par ailleurs à recommander l'utilisation de tous les moyens dont dispose l'armée si la situation venait à empirer. Bientôt viendra le temps de la reconstruction de notre beau pays, et rien ne devra nous empêcher de réaliser cette tâche qui sera longue et difficile mais qui nous redonnera l'espoir. Vive la France.

24 décembre

En tant que président, je me sens investi du rôle symbolique de « père de cette nation d'orphelins » qu'est devenue la France. Je pense souvent à Antoine dont je suis sans nouvelles depuis plusieurs jours. Je me souviens de notre discussion et de ses reproches. Il est de mon devoir de président d'aller rencontrer ces adolescents qui dans quelques années dirigeront notre pays. Je veux entendre leurs difficultés mais aussi leurs espoirs. Dans cette démarche, il est évident que je ne peux me cantonner à dialoguer qu'avec ceux qui coopèrent avec l'armée et qui ont rejoint les R-Points. Il me paraît important d'interroger aussi ceux qui se sont égarés dans la violence et la révolte. Je veux les écouter, non dans l'intention d'excuser ou de justifier leurs actes mais pour tenter de les comprendre. J'apprécie aussi ces rencontres car elles sont comme des respirations dans ma routine, pour moi qui passe mon temps à lire des rapports sans jamais mettre le nez dehors. Elles me sortent de l'isolement dans lequel on me maintient pour des raisons de sécurité.

Il a été visiblement très compliqué d'organiser cette entrevue, et les services de sécurité ont tout essayé pour m'en dissuader. J'ai appris hier soir qu'on avait enfin chargé un officier de la rendre possible. J'ai bien senti, quand il est venu me chercher il y a quelques minutes dans mes appartements, qu'il ne le faisait pas de gaieté de cœur.

– Monsieur le Président, permettez-moi de vous déconseiller de discuter seul à seul avec cet individu, l'expérience pourrait s'avérer dangereuse.

– Le prisonnier est solidement attaché, d'après ce que j'ai pu comprendre.

– Oui, mais tout de même. On ne sait jamais.

– Je vous remercie d'être soucieux de ma sécurité, mais ouvrez-moi cette porte.

Je sens de l'agacement dans le regard qu'il m'adresse. Il s'exécute en prenant son temps.

– Merci, laissez-nous maintenant.

Il souffle bruyamment pour bien me montrer son exaspération. Je m'installe devant l'adolescent qui garde un long moment la tête baissée. Il a les poignets menottés à sa chaise.

– Bonsoir, jeune homme.

Il lève les yeux vers moi et sourit.

– On t'a déjà dit que tu ressemblais à l'autre bouffon qui est mort ?

– Qui ?

– Philippe Sarlande, l'ancien président.

– Qu'est-ce qui vous fait penser qu'il est mort ?

– Tu crois que si Sarlande était encore le boss, il laisserait faire toute cette merde ? C'est les militaires qui ont le pouvoir maintenant… enfin, c'est ce qu'ils croient, ces connards ! Mais tant qu'il y aura des mecs comme moi, ils ne feront pas la loi !

– Je suis le président Sarlande, justement.

– Alors, vous êtes vivant, mais vous servez plus à rien, c'est ça ?

– Je soutiens l'armée qui se doit de maintenir l'ordre contre les individus de votre espèce.

– Pourquoi vous êtes là ? Pour me faire la morale ? Pour m'expliquer que c'est normal qu'on nous balance des grenades offensives en pleine gueule ? Mais j'ai aucun problème avec ça, moi, c'est la loi du plus fort maintenant ! Et on verra qui gagnera à la fin !

– Arrêtez, s'il vous plaît ! Affirmer que les militaires jettent des grenades offensives sur des adolescents, c'est du délire ! Jamais je n'ai autorisé de telles mesures.

– Hé Sarlande, faudrait sortir de ta planque cinq minutes pour venir voir la réalité en face ! Depuis le 15 décembre, tout est permis ! La chasse aux ados est ouverte. C'est même officiel !

– Ça suffit. Revenons à la raison de notre entretien, voulez-vous. Je suis là pour vous écouter et essayer de comprendre.

– Comprendre quoi ?

– Comprendre comment nous en sommes arrivés à une telle situation de violence.

– C'est la guerre, mon pote. Nous, on se défend, c'est tout.

– Essayez de m'expliquer comment ça a commencé, d'après vous.

Il affiche un sourire moqueur avant de se lancer :

– Alors, alors... au début, les militaires ils étaient planqués. Ils avaient trop la trouille de nous approcher. La rue était aux jeunes et on s'est organisés entre nous. Des conflits entre bandes qui dataient d'avant sont assez vite remontés. Alors, on en a profité pour s'armer. Mais franchement, au début, c'était cool, mon pote. On faisait nos affaires, tranquilles. On allait comme les autres se servir au moment des ravitaillements.

– Ça, c'est pour dire que vous alliez piller les R-Points lors des livraisons de nourriture ?

– Hé, arrêtez ! On prenait juste notre part, comme les autres, sauf qu'on se servait en premier.

– Et les rapts de filles ?

– Putain ! Que les choses soient claires entre nous, mon gars, moi, les filles, elles venaient toutes seules. Je suis un beau gosse, non ?

– Ce n'est pas ce qui est rapporté dans votre dossier.

– J'aimerais bien le lire, mon dossier. Avant, même les pires criminels avaient droit à un avocat. Alors que maintenant, je suis sûr que t'es prêt à m'enfermer sans avoir la moindre preuve contre moi.

– Vous aurez un avocat, en temps voulu. Reprenez où vous en étiez. Vous disiez que tout se passait bien dans un premier temps.

– Oui, on nous laissait faire. Tout le monde savait et on nous laissait faire. Après, les militaires sont réapparus en force et ils ont engagé des nullos pour nous faire la chasse. Ils ont voulu imposer leur loi. Et là, on n'était plus d'accord.

– Vous êtes accusé de crimes en bande organisée, d'enlèvements, d'actes de cruauté…

– Stop ! J'ai jamais vu les preuves.

– Il y a de très nombreux témoignages.

– De qui ? Donnez-moi les noms de ces bâtards ! Je les tuerai tous de mes propres mains !

– Calmez-vous, Attila ! Ici, vous ne faites plus peur à personne.

L'officier vient de pénétrer dans la pièce, m'indiquant ainsi que l'entretien est terminé. Je sors avec lui sans protester car j'ai le sentiment d'en avoir assez entendu. En plus, je n'ai plus trop de temps pour peaufiner mon discours de ce soir.

– Dites, j'avais demandé du papier ce matin pour travailler sur ma communication mais je n'ai rien vu ve…

– Quelle communication ?

– Comment cela ? Celle que je dois enregistrer pour mes compatriotes confinés dans les centres et qui sera diffusée ce soir.

– Elle a été annulée. On ne vous l'a pas dit ? À la place, votre discours sera affiché partout dans les grandes villes. L'opération a déjà commencé.

– Comment ça ? Je ne comprends pas. Je ne l'ai pas encore écrit.

– D'autres s'en sont chargés, déclare l'officier en me souriant, visiblement content de son effet. Il est d'ailleurs très bien, « votre » discours.

—

(Discours placardé sous forme d'affiches dans tous les R-Points et largué depuis des hélicoptères, sous forme de tracts, au-dessus des zones supposées encore habitées par des populations marginales des grandes villes, à partir du 24 décembre.)

Mes chers compatriotes

Depuis dix jours sont entrées en vigueur des mesures exceptionnelles pour mettre fin à la violence qui règne dans nos villes. Ces mesures sont transitoires, mais je ne peux, à l'heure où j'écris, indiquer quand elles seront levées. Nous agissons en collaboration avec les forces armées, avec mesure et détermination. Il est temps que cesse le désordre. Il a donc été décidé que l'enregistrement de toute la population devenait strictement obligatoire et que, sauf dérogation, tous les jeunes devaient rejoindre les R-Points. Que ceux qui choisissent de vivre en marge et en clandestins sachent qu'ils s'exposent à de grands risques. J'ai accordé la possibilité de tirer à vue sur tout individu qui refuserait de s'identifier et de suivre les militaires. Je sais la responsabilité que je prends en autorisant ce type de conduite, mais je l'assume pleinement. Il est temps de mettre derrière nous le chaos et de reconstruire notre pays. La France, qui a su montrer à travers son histoire qu'elle pouvait se relever des pires catastrophes, doit maintenant se tourner vers l'avenir. Le temps est venu de la reconstruction. C'est notre belle jeunesse qui aura les clefs de la réussite de cette immense tâche. Je crois en elle et je lui fais confiance. Vive la France et joyeux Noël.

Le président de la République

Scénario
Carole Trébor

Dessin
Marc Lizano

ALICIA

SIFANO
Tiens, Papi, mange un peu.

Il a pas faim, Papi !
enfants

Il faut manger, Papi.
Je vais chercher à manger dans ta cuisine.
Il y a plus rien à manger.
Je vais voir chez les voisins.
Je reviens, Papi.

Babouche !
En route,
on va chercher à manger

Y'a pas d'eau. Comme chez papi!

CHOCOLAT

Ça sent pas bon.

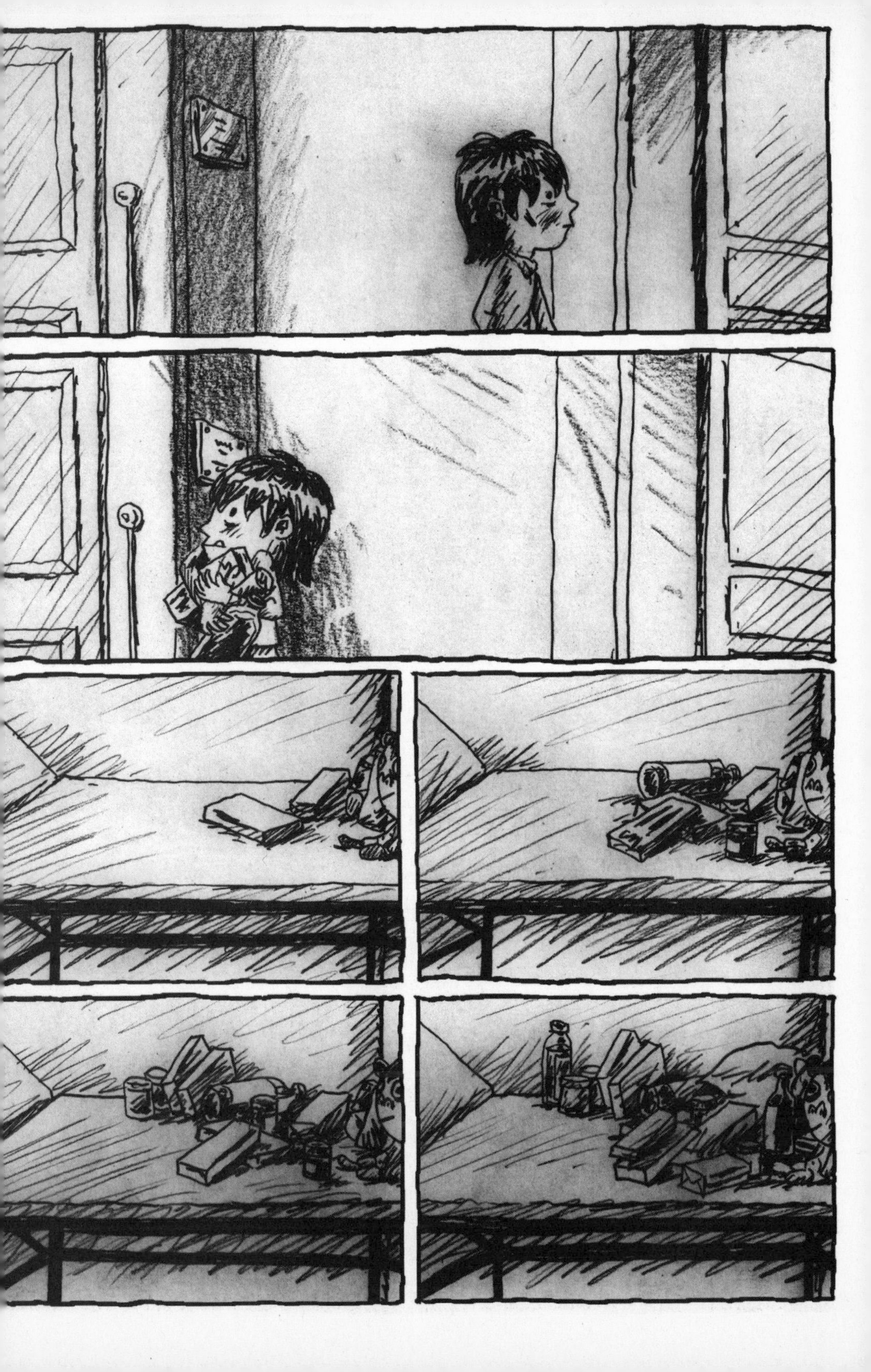

Cette nuit, c'est toi qui surveilles Papi.

Mécha
rats
Je vais guérir Dora.
Je suis forte. Comme Papi.
Je suis docteur.!
DORA
DORA

20 21 22 23
27 28 29 30
enfants
Aie pas peur, Babouche, la lampe marche plus. Aie pas peur.

Il y a plus de piles.
Faut chercher des piles chez les voisins

...
Pomp.
Pomp.
Pomp.

Il y a quelqu'un ?
Hé, parle ! T'es plus tout seul !
T'es où ?
J'habite au 5ème étage.
N'aie pas peur, montre-toi.

Je m'appelle Jules.
Et toi ?!

REGGIE

À PEINE DEUX SECONDES AVANT LA FIN…

Lyon-Sud, 20 novembre

Vingt et un ans, disais-tu. C'était un mensonge. En fait, tu n'en as que dix-huit, mais tu te pensais immortel – on le pense tous, au fond, à ton âge.

Toi, tu voulais que les autres le croient. Pour qu'ils te craignent.

Tu as toujours eu l'air plus vieux. À quinze ans tu avais l'air d'un homme, déjà. C'est ton problème : tu fais les choses trop vite. Impatiemment. Avec ta barbe naissante, tu rêvais d'être un adulte, tu te comportais comme un homme avec les filles, avec les bagnoles, comme une tête brulée – tu prenais, tu jetais. Au lycée, ils ont fini par te virer. Dommage, disaient-ils, tu étais pourtant intelligent, supérieurement intelligent…

Ils t'avaient testé, à cause de tes problèmes de comportement. Précoce. Intelligence *précoce*, dit-on ; mais on dit : mort *prématurée*.

Et maintenant, à dix-huit ans, tu rêvais d'être un

roi. Roi des pirates, des pillards, puisque l'épidémie te donnait cette occasion-là. Des territoires à prendre, des alcools, du fric, une moitié de ville – il suffisait de se pencher pour s'en emparer. Des hommes, des gamins qui n'attendaient que toi. Toi, tu voyais le butin, mais surtout ce sentiment dans leurs yeux, de fierté et de peur mêlées ; quand ils te regardaient à la lueur des torches, quand tu les haranguais.

Tes hommes. Tu avais assez d'audace et de culot pour eux tous.

Et là…

Ça ne pouvait pas durer, de toute façon, les pirates ne vivent pas longtemps – deux ans d'espérance de vie, tu l'avais lu, gamin… Mais deux ans, quand tout le monde meurt en une semaine, ça paraît presque énorme.

On dit que tout défile, en quelques instants, au moment où ça se termine.

Toi, as-tu eu seulement le temps de tout revoir ?

Quand as-tu compris que c'était fini ? Après l'attaque du zoo ?

C'était une connerie, le zoo. Tu le sais. S'en prendre aux lycéens dans leur R-Point, bille en tête, frontalement, piller les cargaisons d'eau et d'essence, les vivres déposés par hélicos, défier l'armée elle-même…

Jusque-là, tout se déroulait comme sur des roulettes. La presqu'île était à toi, une partie de l'ouest de la ville comme terrain de jeu, aussi. Les magasins à piller, les planqués à débusquer… À la vérité, ça semblait trop facile. Et toi, ce qui t'intéressait, c'était la conquête – le risque, l'abordage. Tenter des coups d'audace, s'emparer en une nuit de ce qu'on t'aurait refusé durant mille ans, en d'autres circonstances. Risquer le tout pour le tout et l'emporter par la vitesse brutale, à un contre cent.

Provoquer.

Reggie le Conquérant.

Mais tu t'es trompé de cible – le zoo, c'était une connerie, celle de trop.

Après ça, les hélicos vous ont chassés, traqués. Il a fallu planquer les pick-up. Moins rouler. Il a fallu vous planquer, toi, tes hommes. Les choses sont devenues trop compliquées trop tôt.

Tu n'avançais plus. Tu reculais déjà, tu te repliais. À quoi bon ? Peut-être aurais-tu pu jouer avec l'armée six mois ? À cache-cache avec les hélicos, dans cette ville, la tienne, comme les Seigneurs de la guerre dans *La Chute du faucon noir*...

Si vous aviez attaqué le lycée, au lieu du zoo, vous auriez tenu une position inexpugnable. Ils auraient été obligés de négocier, de pactiser. Tu aurais pu régner sur Lyon, peut-être – au moins quelques semaines...

Précoce ? Quel con tu fais, au fond !

Pas grave.

Tu n'avais pas compris que c'était fini, après le zoo.

Mais tu as commencé à t'ennuyer. Les filles, comme cette blonde que vous alliez violer, ça t'ennuyait. La frime de tes hommes, Ralph par exemple, si fier d'avoir buté des animaux en cage… Tes « hommes », c'étaient juste des mômes. Des mômes éblouis de brandir des flingues, de s'en servir, de prendre lorsque, auparavant, il fallait acheter. Aucune ambition. Pas de vision. Rien. Juste les besoins primaires. Des animaux. Toi, tu aurais voulu être roi barbare. Tu as failli, presque… Si ça se trouve, ça s'est joué à rien, presque rien.

Tu t'ennuyais, quand tu as vu ce gamin maigre, tremblant, le gamin dont tu pensais qu'il mouillait son pantalon et pleurait sa race, parce que tu menaçais son chien. Tu ne connaissais pas Yannis, le hussard – ni Adrial. Tu n'imaginais pas. Tu te foutais de le détruire. Tu occupais tes garçons, tu marquais ton pouvoir, tu rappelais juste ta force… Être craint pour être obéi.

Quand il t'a résisté, as-tu compris ? Quand il a frappé ? La première fois ? As-tu compris que c'était fini ?

On t'a toujours dit que tu étais impatient, trop pressé, et tu ne l'as pas vu venir, la minuscule résistance ; ce grain de sable dans l'engrenage et puis cette chute, plus rapide que prévu.

Tu n'avais pas pensé qu'il se débattrait.

Tu n'avais pas prévu le clou, qui sortait de la bicoque, qui pointait, comme ça, juste pour toi. Ni que le môme que tu poignardais, notre Yannis, allait dans un dernier sursaut te pousser contre le mur. Tu as senti une piqûre sur ta nuque.

As-tu compris ?

Oui, alors, tu as compris. En moins de deux secondes, à toute vitesse, tu as tout vu défiler. La première fille, les morts, le zoo, tes garçons – le tigre, tout. On a le temps de tout revoir, pas celui de raconter. Tu es mort, Reggie. Tout s'est éteint brutalement. Devant tes yeux, à l'intérieur aussi, tout ce qui te tenait debout.

Dix-huit ans pour toujours, immortel, vraiment ?

U4.Stéphane
U4.Yannis

Florence Hinckel

HAPPY

Quand il était encore un jeune chiot, Drax aimait entendre sa mère lui parler du « pouvoir de l'œil » :

– Notre race a la capacité d'hypnotiser les animaux sur lesquels elle doit veiller. Tu apprendras vite à utiliser ce don.

Elle dressait fièrement son cou à encolure blanche. Une bande blanche elle aussi s'étirait des oreilles au museau ; tout le reste de sa fourrure était noir. C'était une magnifique femelle border collie, appelée aussi « chien de berger ». Les humains la flattaient pour son intelligence, son endurance, son agilité et sa capacité à se faire obéir des autres animaux de la campagne.

Le chiot, dont le pelage ressemblait beaucoup à celui de sa mère, posait parfois des questions sur son père – possédait-il le même pouvoir, ou d'autres encore ? –, ce à quoi elle répondait simplement :

– Il n'était pas de race noble, mais son cœur l'était. Tu en as hérité, je le vois dans ta posture.

L'horizon vallonné se teintait de tristesse. Le père de Drax était passé de l'autre côté du monde des chiens.

Lorsque Drax eut trois mois, sa mère mourut à son tour, heurtée par un camion qui roulait trop vite. Écrasé par le chagrin, le chiot ne parvenait même plus à s'alimenter.

Des êtres humains inconnus ne tardèrent pas à venir le voir dans le grand jardin sans clôture. Le maître les interrogeait. C'était un bon maître et il sondait toujours le regard de Drax avant de congédier les humains... Jusqu'à ce qu'*il* arrive.

Il était avec sa mère. C'était un petit d'homme au regard doux et au large sourire. Dès qu'il vit Drax, il s'approcha avec délicatesse puis déclara :

– Triste.

La mère du petit garçon prononça une phrase humaine dont Drax comprit deux mots, à force de les avoir entendus dans la bouche du maître :

– Triste ?... Heureux.

Le maître proposa un autre mot inconnu :

– Happy ?

– Happy ! répéta l'enfant en applaudissant.

Puis il s'agenouilla pour caresser Drax très doucement, comme s'il s'agissait d'un objet précieux. Le maître sonda le regard de Drax et dit :

– D'accord.

En aparté, il glissa dans l'oreille du chiot des phrases dont celui-ci ne comprit que peu de sons. Mais il devina ce que cela voulait dire :

– Tu as besoin de l'amour d'un enfant.

C'est ainsi que Drax quitta le jardin sans clôture dans les bras de l'enfant, assis dans une voiture qui les mena dans le lieu aux multiples murs que les humains nommaient « ville ».

L'enfant avait pour nom Yannis. Il était alors âgé de cinq années humaines et vivait avec ses parents dans un espace étroit. Il fallait monter de nombreuses marches avant d'y accéder. Drax, ou Happy, comme on l'appelait désormais, devait attendre qu'on lui attache un collier muni d'une laisse pour mettre la truffe dehors. Puis il devait marcher au pas jusqu'à un jardin où, enfin, on le libérait. Enfin, il pouvait courir. Il ne vivait que dans l'attente de ce moment.

Heureusement, le petit garçon jouait beaucoup avec lui dans le lieu aux murs si rapprochés, qu'il appelait « appartement ». Lorsqu'ils furent tous les deux plus grands et que leur complicité se fit évidente et sans faille, ils eurent le droit d'en sortir sans laisse pour Happy. Il pouvait courir n'importe où. Cependant, il veillait à ne jamais trop s'éloigner de son jeune maître, craignant qu'il ne lui arrive quelque chose en son absence. L'instinct protecteur de sa mère border collie coulait dans ses veines. « Les borders collies aiment se sentir utiles, lui avait-elle dit une fois. C'est même un besoin qui surpasse tout. »

Yannis eut bientôt une petite sœur ; elle s'appelait Camila. Elle était vive et gentille, même si parfois le chien la sentait jalouse de la relation nouée entre son frère et lui. Cela ne ternissait pas l'harmonie d'une famille cimentée par l'amour et le respect.

Yannis grandit encore. Il devenait moins bavard et avait tendance à rester plus longtemps enfermé devant un appareil appelé « ordinateur ». Mais quand Happy posait son museau sur sa cuisse en gémissant, Yannis comprenait le besoin de son chien. Après une caresse et un sourire, il sortait avec lui pour jouer et courir comme quand ils étaient petits.

Un jour, les oiseaux manifestèrent une agitation inhabituelle, volant de façon désordonnée dans le ciel et s'affrontant entre espèces sur les toits. Puis ce furent les rats, devenus nerveux. Les chats, eux, suintaient la peur. L'air lui-même acquit une autre densité. Les odeurs changèrent imperceptiblement. Toute la population animale s'électrisa en quelques jours. Happy comprit bien avant ses maîtres qu'un bouleversement se préparait.

– Qu'est-ce qui t'arrive, Happy ? lui demanda Yannis. D'habitude tu te rues sur ton repas dès qu'on te le sert…

– Il ne cesse de humer l'air, depuis quelques jours, fit remarquer le père.

– Peut-être qu'un orage va arriver, suggéra la mère.

Mais il n'y eut pas d'orage dans les jours suivants. Il advint autre chose. Il advint le déclin de l'espèce humaine.

Peut-être sa chute. Certains rats le croyaient, voyant les humains tomber subitement comme des mouches.

Happy les entendait en parler avec des couinements aigus. C'était les animaux qu'il côtoyait le plus à Marseille ; leur population y était peut-être plus élevée que celle des humains. Ils se déplaçaient entre les murs ou les tuyauteries, rôdaient dans les caves et les greniers, nichaient au fond des égouts, vivaient sur les bateaux du port et couraient sur les cordages des quais ou le long des trottoirs, même en plein jour. Désormais, ils se cachaient encore moins et se divisaient en deux camps. Certains se réjouissaient, au comble de l'excitation :

– Les humains sont en train de disparaître ! Nous n'aurons plus à nous cacher d'eux !

D'autres s'inquiétaient :

– Ce sont les humains qui nous nourrissent sans le vouloir. Qu'allons-nous devenir sans leurs déchets et leurs poubelles ? Que vont devenir leurs égouts où nous aimions vivre ?

Les goélands ou les pigeons réagissaient comme les rats. Pour l'instant, ils s'observaient tous les uns les autres, regardaient ensemble le monde changer, mais Happy sentait des rivalités grandir et se demandait comment ils allaient cohabiter dans un avenir proche. Il voyait aussi les cafards pulluler à la vitesse de l'éclair. Happy ne comprenait pas le langage des insectes, ce qui rendait leur invasion silencieuse d'autant plus inquiétante. Il s'épuisait à les chasser, pour tenter de les éloigner du foyer de Yannis. En vain.

Happy crut un temps que la famille de son maître serait épargnée. Mais Camila puis ses parents moururent comme les autres. Le chagrin de Yannis rappela à Happy la mort de sa propre mère. Son instinct protecteur se décupla. Et Yannis ne mourut pas. Au fil des jours, les animaux constatèrent qu'une petite partie des humains ne mouraient pas, mais il s'agissait d'une catégorie peu autonome, qui ne faisait pas tourner les machines et les villes. Ces humains-là n'empêcheraient pas leur monde de sombrer.

Le chien fut soulagé quand son jeune maître décida enfin de quitter son logement nauséabond où la maladie et la mort se sentaient comme chez elles. Il fut encore plus soulagé quand il décida de quitter la ville où les odeurs de pourrissement affolaient tous les êtres vivants, rendus agressifs. Happy souffrait de voir sa propre espèce devenir folle. Il y avait des chiens qui se jetaient sur tout ce qui bougeait pour le déchiqueter. Certaines races commençaient à marquer des territoires de plus en plus grands, les défendant de plus en plus brutalement. Yannis et Happy fuirent la ville aux murs multiples et aux survivants fous. Ils fuirent à perdre le souffle.

Arrêtés sur le bord d'une grande route, le temps d'une pause bien méritée, ils se figèrent tous deux devant une apparition. Un animal jaune tacheté, au cou et aux jambes immenses, enjamba la glissière, contourna deux voitures et s'approcha d'eux. Happy n'avait jamais rien vu de tel. Lorsque la bête baissa sa tête fine vers lui, il tenta sur elle le « pouvoir de l'œil ». Si elle était dangereuse, peut-être cela l'impressionnerait-elle… Son beau regard velouté se troubla un instant avant de se poser sur Yannis, qu'elle se mit à renifler. Le maître de Happy restait immobile, figé.

– Qui es-tu ? Qu'est-ce que tu es ? demanda Happy dans un léger gémissement.

La bête émit un bourdonnement que Happy devina inaudible pour les humains.

– N'as-tu jamais vu de girafe ? Moi j'ai rencontré de nombreux chiens dans le zoo où je vivais jusque-là. Et de nombreux humains comme celui-ci. Il y a toutes sortes d'humains. Je n'aime pas ceux qui m'ont enfermée durant des années, mais j'éprouve de la reconnaissance pour ceux qui m'ont libérée hier. Sans eux, je serais morte de faim. Sais-tu ce qui se passe en ce moment, toi qui viens de la ville ?

– Les humains meurent.

– Et cet humain-là qui est avec toi ?

– Celui-là est mon maître. Ceux de son âge ont survécu.

– Pourquoi laisses-tu un humain te maîtriser ?

– Il ne me maîtrise pas. Je le protège parce qu'il est bon. En échange, il me permet de dormir au chaud et de manger à ma faim.

La girafe ne répondit pas. Elle renifla une dernière fois Yannis et s'éloigna.

Le trajet se poursuivit en voiture. Happy n'avait jamais vu Yannis conduire auparavant. Le paysage ressemblait de plus en plus aux souvenirs des trois premiers mois du chien, ce qui le mit en joie. Mais Yannis ne put s'empêcher d'entrer dans une petite ville peuplée d'humains. Il semblait en chercher un en particulier. Lorsqu'il parlait à Happy tout bas, un mot revenait souvent : « Khronos. » Qui que soit ce Khronos, il était l'objet de sa quête. Happy devina que son maître ne trouverait pas la tranquillité tant qu'il ne l'aurait pas déniché. Et c'était dans ce but qu'il s'approchait sans cesse des humains fous.

Fous, ils l'étaient bel et bien : sans raison apparente, une masse vociférante s'en prit subitement à Yannis alors qu'il tentait de boire à une fontaine. Happy n'hésita pas une seconde à se jeter dans la bataille mais, pour la première fois de sa vie, un humain le frappa. Un violent coup de pied dans le ventre lui coupa le souffle. Il tenta malgré tout de fendre la foule pour défendre Yannis immobilisé et frappé à son tour, mais d'autres coups s'abattirent sur lui. Il tenta encore et encore de s'approcher ; les hommes le chassèrent et l'obligèrent à se replier dans une ruelle adjacente. Il en profita pour reprendre son souffle mais, lorsqu'il revint sur les lieux une minute plus tard afin de se jeter à nouveau dans la bataille, il n'y avait plus personne. Pas même son maître.

Les heures suivantes furent les pires de sa vie. Il avait failli à la mission qu'il s'était donnée. La nuit, il trembla de froid mais surtout de peur. Et s'il arrivait quelque chose de fatal à Yannis ? Ce serait l'échec de toute sa vie, lui qui s'était toujours voué à lui. Happy retourna près de la voiture que Yannis avait abandonnée dans de hautes herbes. Il s'étendit près des pneus. Il dut s'éloigner lorsque des humains vinrent la vandaliser. Il finit par s'endormir, calé contre un rocher.

Heureusement, Yannis réapparut le lendemain. Il sauta dans la voiture pour fuir ses propres congénères. Les larmes de son maître dans la fourrure de Happy lors de leurs retrouvailles réchauffèrent le cœur du chien fidèle.

Yannis décida de s'arrêter dans les montagnes pour plusieurs jours et plusieurs nuits, que Happy vécut comme un séjour au paradis. Jamais il n'avait pu courir dans une si grande liberté. Jamais il n'avait pu vivre si proche de la nature. Il apprit alors davantage sur lui-même et sur de nombreuses espèces animales que durant les cinq dernières années de sa vie. Il croisa des chevreuils, des sangliers, des blaireaux, des lièvres bruns, des écureuils, des renards, des buses, des chouettes, des rouges-queues, des couleuvres et des vipères. Tous parlaient de la chute de l'Homme. Dans ces montagnes, habituées à la vie sauvage, toutes les bêtes s'en réjouissaient. Et beaucoup commençaient à oser se promener dans des lieux qui leur étaient interdits auparavant, car trop exposés à la vue humaine. Les villes et villages étaient désormais arpentés par de multiples animaux. Les maisons étaient habitées et pillées joyeusement par les plus petites des créatures. On voyait des écureuils derrière les fenêtres et des lièvres jouer dans les jardins recouverts d'une mince couche de neige.

Un jour, Happy délivra un bébé chiot qu'il avait entendu gémir derrière une porte. Il découvrit une vitre cassée de l'autre côté de la maison, réussit à s'engouffrer dans l'ouverture, saisit le chiot par le col dans sa gueule et le mena au-dehors par ce chemin. Le pauvre petit chien allait mourir de faim et de soif. De nombreux animaux de compagnie devaient être en train d'agoniser de la même façon, enfermés dans les maisons ou les appartements. Au moins celui-là était-il sauvé. Happy le mena vers une famille de labradors qu'il avait repérée dans une ferme. Il avait vu des chiots dans la grange, emmitouflés dans le foin. Leur mère accepterait sans doute de s'occuper de cet orphelin, qui était si mignon et si doux, même s'il était d'une autre race – un caniche, semblait-il. Happy lécha le haut du crâne du chiot et le poussa vers l'entrée de la grange. Il l'envia durant une seconde, alors qu'il le voyait s'avancer : ah, connaître de nouveau la chaleur d'une mère !...

Hélas, encore une fois Yannis ne put s'empêcher de repartir vers une grande ville. Pour sa quête ou par besoin ? Cela ne changeait rien au problème.

La neige tombait ce jour-là, alors que Yannis et Happy s'approchaient prudemment d'un groupe de maisons. Un grand garçon sombre surgit alors devant eux. Happy le sentait empli de l'envie et de la rage de se battre. Inévitablement, un conflit éclata avec Yannis. L'autre se révéla si féroce que Happy crut qu'il allait tuer son maître. Le chien se jeta sur l'adversaire, le mordit, encore et encore, mais un autre garçon apparut et dressa vers lui un engin inconnu, noir et brillant. Happy entendrait souvent par la suite le mot qui le désignait : « fusil ».

L'animal sentit une douleur fulgurante à sa patte arrière droite. Blessé, il ne put empêcher son maître de l'être à son tour. Ce dernier tomba dans un trou et s'évanouit. Les humains fous disparurent. Encore des humains fous ; combien y en aurait-il encore ? L'endroit devint désert et plus froid.

Happy veilla Yannis, malgré sa douleur alternativement lancinante et fulgurante, mais se cacha prudemment lorsque d'autres humains arrivèrent. Ils emportèrent Yannis dans une camionnette. Incapable de courir derrière le véhicule, Happy resta seul. Il vécut les jours suivants dans la fièvre et le désespoir. Il réussit à se nourrir grâce à ce qu'il trouvait dans les maisons et les jardins, mais la douleur à sa patte le tourmentait sans cesse.

Il eut un soir la visite d'une bande de chiens errants qui vinrent le renifler. Il s'agissait de bergers allemands, de dogues et de corniauds. Beaucoup portaient encore le collier que leur ancien maître avait attaché à leur cou.

– Ce chien va mourir, dit l'un d'entre eux.

– Ne peut-on rien faire pour lui ?

– Rien. Tous les chiens ne sont pas aptes à redevenir sauvages.

Un bâtard qui semblait descendre du boxer adressa un regard de pitié à Happy, avant de rejoindre sa bande qui s'éloignait.

Happy crut qu'il allait mourir, là.

Mais, comme toujours, Yannis réapparut. S'il l'avait retrouvé, cela prouvait qu'il l'avait cherché. Happy pouvait donc compter sur lui pour que jamais il ne l'abandonne !

Le soulagement réchauffa son cœur de chien, presque entièrement glacé.

Yannis regarda la patte de Happy avec horreur puis pitié, et le mena rapidement dans un lieu grouillant d'humains, au centre de la grande ville. On l'endormit et, à son réveil, il n'avait plus de patte arrière droite. Que s'était-il passé ? Le membre mort était-il tombé ? La panique cohabita avec la douleur, avant de laisser la place à une triste résignation. Happy lutta contre la noirceur qui emplissait son cœur pour le glacer de nouveau, alors qu'une fille aux cheveux gris le soignait. Elle pleurait souvent et avait un regard dur, mais elle était douce avec lui. Cette fille nommée Stéphane ne quitta presque plus Yannis et Happy.

Happy sentait que son jeune maître était tout aussi malheureux que lui dans cet endroit clos et trop peuplé, aussi ne fut-il pas surpris lorsqu'il reprit la route, en compagnie de Stéphane et de deux garçons. Enfin ils retournèrent en pleine nature ! Ils s'enfoncèrent dans une étendue boisée qui redonna force et vie à Happy. Il en avait bien besoin pour éloigner les volutes sombres qui voulaient geler son cœur, mais aussi pour s'acclimater à la marche puis à la course sur trois pattes seulement. Il avait perdu vitesse et agilité, pour toujours, mais pas le plaisir inégalé de s'élancer en toute liberté. Par chance, c'était pour lui le plus précieux.

Aussi ne manquait-il aucune occasion d'utiliser cet espace, même la nuit, quand Yannis et ses compagnons dormaient dans leur campement improvisé. Courir la nuit était enivrant, à cause des odeurs musquées et du silence frais. Il croisait des animaux qu'il n'avait jamais vus auparavant, aux yeux brillants et au souffle discret. On pouvait ne pas les remarquer si on ne humait pas l'air en leur présence. Ils disparaissaient rapidement, mécontents d'avoir été repérés, heureux de s'enfoncer dans la cape de la nuit.

Une nuit, Happy fut saisi par une odeur semblable à celle de chiens, mais qui s'en démarquait pourtant. Un chien ne dégage pas ces effluves de sève, de sang et de terre. Piqué au vif par la curiosité, il courut à leur rencontre.

Dans une clairière, il se trouva museau à museaux avec un groupe de cinq bêtes d'une nouvelle espèce inconnue. Elle était bien de la même famille que les chiens. Si proche et si lointaine !

– Des loups… entendit-il souffler derrière lui.

Stéphane était là, pétrifiée. Que faisait-elle dans cette clairière au lieu de dormir avec les autres ? Peu importait, Happy comprit que c'était son odeur à elle qui avait attiré et agressé ceux qu'elle appelait « loups ». Ils grognaient en la regardant, prêts à l'attaquer si elle amorçait un seul geste. Happy était bouleversé par cette rencontre avec ces bêtes qui lui ressemblaient tant, mais Stéphane était une bonne humaine, et il s'y était attaché. Aussi se dressa-t-il contre les loups pour la protéger. L'un d'eux, au pelage gris, qui semblait être le chef de la meute, se raidit de surprise.

– Ce chien possède le « pouvoir de l'œil », constata-t-il.

– Il suffit de ne pas le regarder dans les yeux ! répliqua un loup de couleur plus sombre.

– Pas si simple, dit une femelle. Je ne peux pas m'en empêcher. Et puis cette patte en moins…

– Qui es-tu ? demanda le dernier, qui semblait le plus jeune.

– Je m'appelle Drax.

– C'est presque un nom de loup, fit le chef. Pourquoi protèges-tu les humains ?

Happy tourna brièvement son museau vers Stéphane derrière lui.

– Celle-ci ne vous a rien fait, dit-il.

– Elle pue la peur, c'est répugnant, cracha la femelle.

– Elle est de ces humains qui nous chassent sans cesse, feula le plus jeune. Je suis sûr que c'est à cause d'eux que tu as perdu ta patte.

– Autant les exterminer tous. C'est possible maintenant qu'ils sont si peu nombreux, jugea le loup au poil sombre.

Le chef grogna pour approuver.

Ils étaient tous babines retroussées, prêts à bondir. Happy entendait Stéphane sangloter dans son dos.

– Regardez-moi ! ordonna-t-il.

Ils obéirent. Pour la première fois, Happy éprouva réellement son pouvoir, et un sentiment de puissance grandit dans sa poitrine, qui se gonfla d'importance.

– Nous ne sommes pas comme eux, dit-il. Nous ne tuons que lorsque c'est nécessaire.

Il vit qu'ils étaient déstabilisés, alors il poursuivit :

– Cette humaine-ci n'est pas mauvaise. Elle m'a même

soigné quand j'en avais besoin. Sans elle et sans mon maître, je serais mort.

– Ton « maître » !

Le plus jeune avait bondi, hors de lui. La femelle cracha en ajoutant :

– Les chiens ! Tous les mêmes !

Happy précisa :

– Il ne me dirige en rien. Je le protège. Il me protège. Nous sommes amis.

– « Amis » ! C'est impossible avec un humain ! grogna le plus sombre.

Happy se concentra pour donner davantage de puissance encore à son « pouvoir de l'œil ». Ils reculèrent sans rien dire. C'est alors que Yannis arriva avec un drôle d'objet tournoyant au bout d'une ficelle, qui émit un son sifflant extrêmement désagréable et effrayant, comme si une tempête fondait sur eux. Cela acheva de faire fuir la meute. Happy put enfin détendre tous ses muscles bandés. Il se sentit soudain épuisé. Mais il était heureux d'avoir utilisé son « pouvoir de l'œil » et constaté combien il le maîtrisait désormais.

Suite à cet épisode, Happy n'utilisa plus jamais le terme de « maître ». Il ne cessait de penser à la vie des loups. Il rêvait d'eux la nuit. Il les imaginait d'une liberté sans limites, bondissant comme le vent, hurlant devant la lune comme face à une amie farouche, vivant en harmonie avec leur environnement. Ils n'avaient jamais connu de laisse ni de murs. Ils ne se protégeaient qu'entre eux. Ils étaient ensemble.

Happy ressentait de plus en plus le besoin de retrouver ses congénères et de vivre avec eux, dans les plus grands espaces possible.

Mais c'est vers une ville encore plus grande que Yannis voulut se déplacer ! Une ville où les rats dansaient de joie sur les montagnes d'immondices et où les cafards grossissaient de jour en jour en nombre et en volume. Les choses étaient confuses dans l'esprit de Happy. Il n'avait guère compris pourquoi et comment les deux garçons qui les accompagnaient avaient disparu. Il ne restait que Stéphane avec Yannis, et ils erraient aux abords de la grande ville, comme s'ils craignaient d'y entrer. Il sentait une grande agitation chez ces deux-là. Un grand chagrin, aussi. Tous deux enfouissaient souvent leur visage dans sa fourrure, comme pour se gorger de sa chaleur et de son existence.

Pendant que Yannis et Stéphane arpentaient les toits, Happy vivait sa vie dans les rues, tout en les suivant de loin en loin. Il recherchait les siens.

Il trouva plusieurs chiens isolés, perdus ou agressifs. Mais Happy cherchait davantage la compagnie de meutes. Il tenta de s'intégrer à l'une d'entre elles récemment constituée, mais il ne réussit pas à se faire une place au milieu des labradors, des colleys, des boxers ou des petits westies. Il avait grandi en ville comme eux, pourtant il se sentait loin de leurs préoccupations centrées sur la survie ou la sauvegarde de leur territoire.

Happy cherchait quelque chose de plus, sans savoir quoi. Les autres chiens le sentaient et en étaient agacés. Parfois on lui lançait :

– Hé, le chien de berger, que fais-tu aussi loin de tes montagnes ?...

Il croisa aussi des molosses, dirigés par des gangs d'humains qui s'en servaient pour mener des guerres qui ne les concernaient pas. La fidélité des chiens pouvait se révéler désastreuse si leur maître avait de mauvaises intentions. Happy le réalisait peu à peu et se félicitait de ne pas être dans ce cas. Son affection pour Yannis n'en fut que plus forte.

Des compagnons potentiels finirent par croiser sa route, alors qu'il pourchassait un rat pour s'amuser. C'était un matin humide et froid. Un aboiement au sens particulier retint son attention. Le mot « Khronos » revenait de plus en plus souvent dans les bouches de Yannis et Stéphane, aussi Happy fut-il très surpris lorsqu'il entendit ce mot en langage de chien au détour d'une rue.

– Khronos ! Khronos ! appelait un épagneul devant une entrée de RER.

Happy laissa le rat filer dans une bouche d'égout et s'approcha en courant sur ses trois pattes. Il resta en retrait, le temps de voir qui allait répondre à l'appel.

– J'arrive, Pratt, n'aboie pas aussi fort !

Un chien trapu, aux yeux comme des fentes très fines de part et d'autre d'un museau large et plat, au poil ras aussi pâle que le voile d'un fantôme, apparut en haut des marches. Khronos était un bull terrier blanc.

– Alors, tu as trouvé de quoi manger ? demanda Pratt.

– Les poubelles ont été pillées presque partout, mais…

Le bull terrier s'aperçut à ce moment de la présence de Happy. Il jeta un regard intrigué vers sa patte manquante mais n'en fit pas mention.

– Que fais-tu là à nous écouter, toi ? lui lança-t-il.

Happy les cloua de son regard.

– Tu t'appelles vraiment Khronos ? demanda-t-il.

Les deux corniauds furent visiblement impressionnés. Ils n'avaient pas dû croiser beaucoup de borders collies et sentaient pour la première fois le « pouvoir de l'œil » s'exercer sur eux. Les oreilles du chien blanc se baissèrent, ainsi que sa queue.

– Oui, vraiment. En tout cas, c'est ainsi que m'appelait mon maître. Je n'ai pas connu mes parents et ne sais donc pas mon nom de chien.

– Connais-tu d'autres individus, animaux ou humains, qui porteraient le même nom que toi ?

– Non. Cela fait déjà trois années humaines que je vis ici et je peux t'assurer que je suis le seul à m'appeler ainsi… même si mon maître prononçait beaucoup mon nom pour désigner autre chose, mais je n'ai jamais compris quoi. En tout cas, il ne s'agissait pas de quelque chose de vivant. Je suis le seul Khronos vivant.

– J'aimerais voir où vivait ton maître, déclara Happy.

– Pour quelle raison ? répondit Pratt, méfiant, à la place de Khronos.

Happy fit quelques pas claudicants vers le bull terrier.

– Des êtres humains te recherchent. J'ignore pourquoi mais je sais que c'est important. Tu dois en découvrir la raison, ta vie en dépend peut-être.

Pratt n'était pas très futé, mais une lueur d'intelligence brillait dans les yeux fins de Khronos. Il renifla longtemps Happy avant de décider s'il pouvait lui faire confiance. Ce dernier lui donna tous les renseignements qu'il désirait sur Yannis et Stéphane, qui parlaient tant de lui.

– Ils t'ont certainement emmené avec eux pour que tu me trouves, conclut Khronos. Qui d'autre qu'un chien peut trouver un autre chien ? Cela dit, je ne vois pas du tout pourquoi ils cherchent un chien aussi ordinaire que moi.

Il mena Happy vers le lieu où habitait son maître, avec l'espoir de déceler tout indice qui les éclairerait sur ce mystère humain. Ils ne marchèrent pas très longtemps avant d'arriver dans une rue large, bordée de hauts bâtiments. Khronos expliqua :

– Mon maître vivait dans ce bâtiment-ci à droite et il travaillait juste en face. Son travail, c'était toute sa vie. Viens voir.

Il posa son museau sur la vitrine du lieu où travaillait le maître de Khronos. Happy l'imita et vit d'abord des dizaines de câbles entremêlés. Sur des tables reposaient des ordinateurs aux écrans immenses.

– Ce lieu s'appelle Ukromania. Les humains y créaient ce qu'ils appelaient des « jeux vidéo », devant lesquels ils pouvaient passer des heures. Il prononçait beaucoup mon nom, Khronos, quand il pianotait sur son clavier.

Ils ne purent entrer chez Ukromania, mais Khronos entraîna Pratt et Happy dans l'appartement de son maître, à la porte défoncée. Happy arpenta les lieux sans rien trouver de signifiant. Il étudia une photo du maître de Khronos, encadrée et posée sur une table, en compagnie de son chien, comme s'il s'agissait de son seul ami. L'homme était jeune, maigre et déjà chauve. Happy alla renifler un oiseau mort dans une cage.

– L'oiseau se nommait Mario, révéla Khronos. Il y avait aussi une chatte qui s'est enfuie. Elle s'appelait Lara.

– Qu'est-ce qu'ils vont faire à Khronos, si ces humains le trouvent ? s'inquiéta Pratt.

Happy ne répondit pas, perplexe. Il aurait voulu assurer que Yannis et Stéphane étaient inoffensifs, mais ce n'était pas exactement le cas, d'après ce qu'il avait vécu auprès d'eux. Comment jurer à Pratt qu'ils ne voulaient aucun mal à son ami ? De toute façon, celui-ci était déjà parti en quête de nourriture dans la cuisine.

Ils restèrent plus d'une heure dans cet endroit, parce que la cuisine regorgeait de trésors culinaires, si l'on cherchait bien. Puis Khronos proposa de se dégourdir les pattes au-dehors. Happy aboya son approbation et sa joie. Il ne pouvait rester longtemps sans courir, et il était heureux d'avoir trouvé un chien qui avait besoin de bouger autant que lui.

Tous trois arpentèrent les rues en filant comme des éclairs dans un ciel de tempête. Happy n'avait jamais couru en groupe. À trois chiens, le plaisir et la joie étaient triplés ; c'était une expérience unique. Il n'osait pas imaginer quelle exaltation cela serait d'avancer en meute. Son cœur crut s'envoler alors qu'ils survolaient les trottoirs. Ils étaient le vent, ils étaient la vie. Ils existaient.

Happy en oublia sa patte en moins... durant une heure.

Au-delà de cette heure, Pratt et Khronos le distancèrent. Ils faillirent le semer, mais s'arrêtèrent quand ils comprirent que leur compagnon s'essoufflait. Ils l'attendirent avec impatience, les pattes avides de courir encore. Quand Happy arriva à leur hauteur, langue pendante, des regards de pitié proches de la colère vers ses trois pattes l'écrasèrent de honte.

Une lucidité brûlante lui serra le cœur.

Ces deux chiens n'avaient pas besoin de lui.

Et lui, avait-il besoin d'eux ?

Il se souvint soudain des loups. Les loups qu'il avait croisés avaient tous grandi ensemble. Ils se connaissaient depuis toujours. Si l'un d'eux perdait une patte, aucun regard méprisant d'un membre de la meute ne se poserait sur lui, Happy le pressentait. Quant à lui, un seul être au monde le regardait sans colère ni pitié. C'était Yannis. Yannis, avec qui il avait grandi. Yannis, qui savait que, même avec une patte en moins, Happy pouvait encore le protéger. Yannis, qui n'ignorait pas que son pouvoir de l'œil avait sauvé Stéphane de ces mêmes loups. Yannis, qui ne l'avait jamais abandonné.

Et s'il ne l'avait jamais fait, c'est parce qu'il avait davantage besoin de lui que d'un Khronos, tout comme Happy avait davantage besoin de Yannis que d'une meute de chiens. Tout cela paraissait soudain d'une évidence éblouissante.

– Merci pour votre aide, vous deux, laissa-t-il soudain tomber. Khronos, je te promets que les humains que je connais ne te feront pas de mal.

Et il prit congé des deux chiens, qu'il laissa seuls au milieu d'une rue déserte.

Happy retourna auprès de Yannis aussi vite qu'il put, subitement très pressé de le revoir. Il imaginait comme un lien invisible entre eux deux, un lien qui ne pouvait se rompre malgré leur attachement à leurs espèces respectives et le besoin qu'ils avaient de frayer chacun parmi les siens. Un pacte secret entre les borders collies et les humains avait dû être signé dans des temps très anciens pour que Happy le ressente aussi fort aujourd'hui.

Il pénétra en trombe dans l'appartement où Yannis avait trouvé refuge avec Stéphane. Il se lova contre l'humain qu'il connaissait le mieux, qu'il connaissait depuis toujours, et ce dernier soupira de bien-être.

– Mon vieux Happy… mon ami, souffla Yannis en humant sa bonne chaleur de chien.

Le mot « ami » résonna dans l'esprit de Happy, alors qu'il profitait lui aussi de la chaleur de son « maître ». Il ressentit en fermant les yeux la force et l'harmonie entre toutes les espèces. Cela commençait avec leur relation unique à tous deux : Yannis l'humain et Drax le chien.

Un lien précieux dans ce monde sauvage.

(Journal de Maïa) *« Le 15 décembre. Jules n'est pas revenu de Gentilly, Max est enfermé dans sa torpeur, Alicia s'inquiète pour lui. Je lui ai proposé de faire un dessin pour l'apaiser. »*

Carole Trébor

SÉVERINE

COMBIEN DE MORTS PORTERA-T-IL ?

Olympiades, Paris 13e, 15 décembre

Elle se regardait sans complaisance dans la glace de la salle de bains, ses yeux cernés, son teint blafard, les marbrures rouges le long de son nez, ses cheveux ternes. Elle n'avait jamais traqué que ses défauts dans le reflet de tous les miroirs qu'elle avait rencontrés. Les lueurs livides de l'aube, qui transperçaient la fenêtre, auraient dû adoucir ses traits. « Mais la lumière d'hiver n'a jamais été une aquarelliste assez douée pour aplanir les défauts d'un visage épuisé », songea-t-elle en soufflant de la buée sur son image pour la faire disparaître. Il faisait glacial dans cette pièce, elle enfila en frissonnant une veste polaire au-dessus de son pull en cachemire qu'elle ne quittait jamais. Juxtaposer les couches pour se protéger du froid. Elle tourna les yeux vers le ciel de Paris. Trois étages plus bas, la capitale endormie, majestueuse lui semblait aussi irréelle que sa vie depuis presque deux mois. Elle s'était d'ailleurs interdit de penser à « la capitale morte », aux catacombes en plein air qui l'ébranlaient. Les cris des charognards, à plume ou à poil, l'agressaient ; les meutes de chiens l'effrayaient ; et l'odeur des corps en putréfaction lui provoquait des nausées violentes.

Séverine retourna dans la chambre qu'elle partageait avec son homme, Jérôme, leur Chef. Un radiateur électrique y maintenait une température nettement plus agréable, il dormait sous leur couette mauve. Il était revenu de garde à 5 heures du matin et avait sombré depuis peu dans une phase de sommeil profond. C'était le moment pour elle de partir sans risquer de le réveiller. Avant toute chose, elle avait besoin de lui emprunter son laissez-passer pour le présenter aux gardes chinois qui surveillaient les parkings souterrains.

Personne ne devait savoir qu'elle sortait de la tour, elle avait donc décidé de passer par les sous-sols et de rejoindre la rue du Javelot un peu plus loin afin d'éviter Katia, qui avait pris la relève de Jérôme au rez-de-chaussée.

Pour faire ce qu'elle avait à faire, elle avait besoin d'être seule.

Elle fouilla dans les poches du blouson de Jérôme sans que ses mains tremblent, y trouva l'autorisation rédigée en chinois par le responsable du gang qui régnait sur les Olympiades. En prenant son manteau, elle tomba sur un tract, celui que leur avait apporté Isa la veille :

À compter du 15 décembre, pour la sécurité de tous, afin de réguler la violence qui s'amplifie dans le pays, toute personne demeurant hors d'un R-Point sera considérée comme criminelle et susceptible d'être traitée comme telle, sur tout le territoire français. Le document était signé d'une *Autorité provisoire légale de la République française* et contresigné du *Gouverneur de la zone militaire de Paris.*

La loi martiale était renforcée depuis ce matin. Isa avait beaucoup changé en quelques semaines, elle avait appris à manier une arme et ne craignait pas de s'en servir. Vincent ne tarissait pas d'éloges sur la Bibliothécaire, une vraie stratège.

Quand Isa leur avait parlé du R-Point, Séverine était déjà trop accaparée par autre chose pour y prêter grande attention. N'ayant aucune envie de ce retour aux moyens de communication du XVIIIe siècle, elle n'avait pas pris l'habitude de lire les affiches placardées sur les murs. C'était peut-être absurde ou négligent de sa part, mais elle n'accordait plus aucun crédit à la parole des hommes de pouvoir, qu'ils soient militaires ou énarques. Elle préférait se retirer, quitter Paris avec Jérôme et leurs amis. Là était sa vérité, elle n'attendait que ça : leur départ en Bretagne. Vivre ailleurs, loin des souvenirs d'Avant. Loin de l'armée et de la loi martiale. Et essayer de tisser une nouvelle vie dans un lieu sans entraves.

Elle soupira. Au fond, il y avait bien une chose qui la reliait encore à la capitale ; qu'elle appelait de tous ses vœux ; guettait chaque jour. Le retour de Nicolas. Elle aurait tellement voulu qu'il soit là avant qu'elle ne quitte la ville. Elle avait déjà prévu de lui laisser une lettre dans leur ancien appartement, lui indiquant précisément le nom du village où il pourrait la rejoindre. Il était encore vivant le 1er novembre. Ni lui ni aucun de ses copains de seconde, en voyage scolaire en Andalousie pendant la semaine du 22 octobre, n'avaient attrapé le virus. Par contre, leur prof d'espagnol était morte sous leurs yeux, le 25 octobre. Puis tous les habitants, il lui avait raconté par téléphone, les mêmes scènes qu'à Paris, la mort partout. Aucun survivant. Sauf leur groupe de lycéens français. Ni conducteur de train, ni pilote d'avion, ni chauffeur de car pour les ramener chez eux. Ils étaient coincés là-bas, avec leur désespoir. Seuls au monde. C'est elle qui lui avait annoncé pour leurs parents, ils avaient pleuré ensemble, elle lui avait dit qu'elle l'attendrait.

La coupure mondiale d'Internet avait mis fin à leurs communications, mais pas à l'espoir de Séverine de revoir un jour son petit frère… Traverser l'Espagne et la France lui prendrait forcément du temps, mais il saurait la retrouver.

Elle froissa résolument le tract… Jérôme avait ordonné aux membres de leur communauté de se rendre dans les rues en binôme ; courir le risque de sortir seule était son premier acte de désobéissance. Et sans puce d'identification pour la relier à un R-Point, son statut à l'extérieur serait celui d'un hors-la-loi. Son homme dormait toujours aussi paisiblement, il ne sentit pas le dernier regard qu'elle posa sur lui, le baiser retenu, qu'elle aurait voulu poser sur son front. Réfréner son élan, ne pas le réveiller.

Elle traversa leur chambre sur la pointe des pieds.

Ses bottes fourrées et son bonnet étaient restés dans le couloir, elle referma la porte de l'appartement après les avoir enfilés en silence. Le palier du troisième étage étant plongé dans les ténèbres, il lui fallut allumer sa lampe de poche pour trouver l'entrée de la réserve d'armes de Vincent. Le faisceau de sa torche éclaira un pistolet automatique dont elle s'empara avant de parcourir les quelques mètres qui la séparaient des escaliers. Ils menaient au quatrième sous-sol, le niveau relié à la tour Athènes. En passant devant la porte du rez-de-chaussée, elle pensa à Katia, qui montait la garde juste de l'autre côté. L'arme pesait dans la poche de son manteau, et cette présence métallique la rassurait, elle se pensait prête à viser un ennemi, à lui faire peur, mais elle serait probablement incapable de lui tirer dessus...

Elle accéléra vers les profondeurs et ouvrit enfin la porte qui donnait sur le parking.

Les aspérités du sol et les irrégularités des trottoirs souterrains semblaient s'animer sous le faisceau de sa torche, et le béton gris embellissait à la lumière de sa lampe, qu'elle levait de temps en temps vers les murs pour vérifier sa direction. Un vrai labyrinthe, ces sous-sols. Elle commença à remonter la pente réservée aux voitures : un étage, deux... La lumière du jour s'immisçait maintenant jusqu'à elle, la rue n'était plus loin, il était temps d'éteindre sa torche. Un jeune en faction au premier sous-sol la pointa de son fusil :

– Tu vas où ?

– Je dois aller à la pharmacie, c'est une urgence médicale, murmura-t-elle.

– Tu as ton laissez-passer ?

Il parcourut attentivement la feuille, hocha la tête avant de la lui rendre :

– C'est pas toi, d'habitude. C'est la petite brune.

– Elle est malade.

– T'es toute seule ?

Elle opina du chef, le cœur battant, espérant qu'il ne l'empêcherait pas de sortir. Un vent froid soufflait de l'extérieur jusqu'à eux.

– Et le Chef te laisse aller dehors ?

Il connaissait Jérôme. Qui ne le connaissait pas sur la dalle ?

– C'est une urgence, je suis pressée.

Et elle s'engagea vers la rue sous le regard dubitatif du garde… Une fois dehors, elle fut si émue d'avoir réussi qu'une nausée la saisit brutalement. Elle s'appuya contre le mur mais ne put éviter des spasmes de la secouer. Ils étaient si violents qu'ils l'obligèrent à s'agenouiller pour vider ses entrailles sur le trottoir couvert de givre. Les bruits de régurgitation lui parurent particulièrement intenses dans le silence effrayant de la rue. Ses vomissements quotidiens n'avaient pas échappé à Jérôme : « T'es tout le temps malade, tu as chopé un truc, il faut que tu te soignes sérieusement, va donc te reposer à l'infirmerie… » lui avait-il recommandé deux jours auparavant. Mais son besoin de rester près de lui était plus fort que toute recommandation raisonnable. Hors de question de dormir avec Alicia, Maïa et Max dans l'autre appartement. Ses jambes tremblaient encore quand elle se releva.

Les rues de Paris étaient surveillées par des patrouilles, Vincent leur avait conseillé de raser les murs pour éviter de se faire repérer. Il les avait particulièrement mis en garde contre les sections spéciales d'adolescents, accompagnées de chiens dressés pour tuer. À entendre leurs feulements furieux dans le stade de la rue de Tolbiac, les chats sauvages, eux, ne craignaient ni les molosses ni les soldats. Ils se battaient sans la moindre appréhension d'être traqués ou arrêtés. Elle marcha le plus vite possible, vigilante à ne pas trébucher sur le sol glissant, focalisée sur son objectif d'atteindre la pharmacie la plus proche, à l'intersection avec l'avenue de Choisy. Un goût de bile persistait dans sa bouche malgré ses raclements de gorge. Une nausée l'envahit de nouveau. Elle avait besoin d'être seule pour savoir. Elle savait déjà. Et cette nausée qui l'épuisait, l'anéantissait. Au vacillement de ses jambes, elle sut qu'elle devait manger un truc d'urgence pour ne pas s'évanouir. Elle devait être sûre. Il lui restait peu de temps avant que Jérôme ne s'éveille et, s'il découvrait son absence, il serait bien capable de la chercher sur toute la dalle des Olympiades.

Arrivée au carrefour, elle se dissimula derrière une poubelle verte pour observer sa cible : la pharmacie était située de l'autre côté du boulevard, et le traverser la laisserait à découvert. Jérôme et Vincent leur avaient formellement déconseillé de rester en vue des véhicules blindés qui parcouraient régulièrement la zone, de la place d'Italie aux boulevards extérieurs. Aucun vrombissement de moteur ne rompait toutefois l'effrayant silence. Sa réflexion fut interrompue par des aboiements qui la firent sursauter. Bien qu'éloignés, ils éveillèrent aussi des corbeaux, dont les croassements furieux affolèrent des pigeons, qui s'enfuirent dans des battements d'ailes paniqués. Elle se recroquevilla derrière la benne. Était-ce une meute de chiens errants ? ou les brigades spéciales ? Elle attendit quelques minutes. Les grognements ne se rapprochaient pas. Se souvenant d'une petite pharmacie pas loin, en direction de la porte d'Italie, elle décida, prudente, de rester sur le même trottoir.

—

La porte de l'officine était malheureusement protégée par un rideau métallique à croisillons. Il n'était pas détérioré, personne n'avait manifestement eu l'audace d'essayer de le forcer. Derrière les larges alvéoles, la vitrine présentait les dernières nouveautés de complexes vitaminés, de magnésium et de gelée royale pour bien préparer l'hiver et éviter la grippe saisonnière. L'ironie de cette promotion la fit sourire. Elle dut se mettre sur la pointe des pieds et coller son front aux mailles de fer pour mieux observer l'intérieur. Le bon état des rayonnages l'étonna, tout avait l'air en place. Cette pharmacie semblait avoir échappé aux pilleurs, aux drogués et aux bandes d'adolescents en détresse.

Les anneaux métalliques cliquetèrent lorsqu'elle les secoua, sans avoir aucune chance de vaincre le robuste grillage. Elle devait pénétrer dans ce lieu immaculé, ce lieu qu'elle avait choisi. Maïa lui avait expliqué que les pharmacies possédaient des issues de secours, souvent utilisées pour la livraison des médicaments, qui donnaient dans les immeubles dont les enseignes occupaient le rez-de-chaussée. Sans hésiter plus longtemps, elle s'introduisit dans le hall de l'édifice adjacent, dont le digicode était hors service. Une porte décrépite débouchait sur une petite cour carrée où elle repéra immédiatement ce qui devait être l'accès aux réserves de la pharmacie. C'était évidemment fermé. Ses coups d'épaule ne lui furent d'aucune utilité contre la résistance du panneau en bois renforcé. Se souvenant que les gardiens avaient souvent des passe-partout pour entrer dans les appartements, elle se rua vers la loge : un gros trousseau y était suspendu, près du portemanteau.

De retour devant la solide porte, elle farfouilla fébrilement, cherchant la clé adaptée à la serrure. Sa seconde tentative fut fructueuse, la pièce dans laquelle elle pénétra était éclairée par un étroit soupirail. Le sol était encombré de cartons de médicaments ; les murs dissimulés derrière un compteur électrique et des gaines techniques. L'odeur de moisi qui flottait dans cet espace humide et confiné l'écœurait trop pour qu'elle s'y attarde.

Et surtout, la pharmacie l'attendait.

Une autre porte ouvrait sur un couloir blanc, tapissé de minces tiroirs, où étaient indiqués des noms de médicaments. Le rideau métallique de la devanture laissait filtrer la lumière du jour et, lorsqu'elle arriva enfin derrière les comptoirs en plexiglas, la propreté de l'espace la déstabilisa trop pour qu'elle puisse en profiter.

Pas un rat n'avait dû fouler le sol. Elle repéra au centre du magasin un rayonnage de barres riches en protéines, voilà ce dont elle avait besoin. Ces gâteaux de régime eurent bizarrement raison du dégoût qu'elle ressentait d'habitude à l'ingestion du moindre aliment. C'était efficace, il serait judicieux d'en récupérer des stocks dans d'autres pharmacies. Dès qu'elle se sentit mieux, elle put réfléchir : où trouver ce qu'elle cherchait ? Maïa lui avait aussi décrit comment sa mère classait les remèdes par typologie. Derrière un des comptoirs, sur une étagère blanche, il y avait un espace consacré à l'« hygiène féminine ». Les tests de grossesse étaient là. Ses battements de cœur s'accélèrent. Respirer calmement. Elle prit un bâtonnet, retourna dans la réserve où elle avait aperçu les toilettes. Les WC n'avaient pas servi depuis longtemps. Avec un peu de chance, il resterait même de l'eau dans le réservoir, l'idée de tirer la chasse lui fit plaisir, elle n'avait pas effectué ce geste depuis le 1er novembre.

Elle fit pipi sur le petit stylet comme un automate, regarda le résultat se former devant ses yeux : une croix apparut dans la petite case. Enceinte.

Après quelques minutes d'inertie, elle se leva, tira la chasse et observa l'eau déferler dans la cuvette jusqu'à la fin. Merveilleux spectacle.

Elle posa délicatement le test sur une planche entre les papiers toilette et les produits désinfectants. Elle avait presque le sentiment de l'abandonner.

Ce n'est qu'en sortant de la petite pièce qu'elle recommença à respirer.

Elle n'était pas une guerrière, elle n'était pas Koridwen, ni Isa.

Isa lui avait dit récemment : « Si tu veux survivre, il va falloir apprendre à te battre, il faut arrêter de compter sur Jérôme tout le temps comme ça. » La Bibliothécaire l'avait vexée, à lui faire la leçon. Ce qu'elle voulait, c'était simplement devenir indispensable à Jérôme, qu'il ne puisse plus vivre sans elle. Sa vie était entre les mains du Chef, un amour fou, total. Elle était prête à apprendre à se servir d'un flingue, oui, pour le protéger. Elle toucha son bas-ventre, y posa sa paume. Enceinte.

Sa main ne quittait plus son ventre.

Elle avait une décision à prendre.

Restait-il des médecins vivants qui l'aideraient à accoucher au R-Point ? À accoucher ou à avorter. Son amie Céline avait pris la pilule abortive l'année précédente. Elle pourrait le faire.

Fallait-il donner vie à un bébé dans un monde qui se mourait ? Elle se souvint brusquement de sa grand-mère, née en 1946, après la Seconde Guerre. La vieille dame lui racontait parfois comment ses parents avaient perdu toute leur famille pendant l'Holocauste et comment elle portait tous ces morts depuis sa naissance. Pauvre mamie…

Son enfant, à elle, combien de morts porterait-il ?

Elle portait la vie. Ces mots surgirent du fond de sa mémoire, cette phrase que sa mère aimait dire : *Porter la vie, donner la vie.* La voix de sa mère résonna soudain dans son esprit, trop réelle, insoutenable. *Je ne vous ai pas programmés, ni toi ni ton frère. Vous êtes arrivés.*

Je vous ai gardés. Vous étiez mes bébés. Si j'avais attendu le bon moment, je ne serais jamais devenue maman. Et si vous n'aviez pas été là, que serais-je devenue ? Et son rire a jailli dans sa tête, joyeux, vivant, contagieux.

Sa mère avait dix-huit ans quand Séverine était née. Et Séverine allait fêter ses dix-huit ans cette année.

Il était temps de quitter cet antre éthéré, l'immobilité ne lui apporterait aucune réponse.

Elle retourna sur le trottoir, moins attentive aux bruits alentour. Elle n'était pas prête à devenir mère, elle était à peine une femme. Une peur fulgurante d'accoucher la transperça, elle pourrait mourir en donnant la vie. Et s'il n'y avait pas d'anesthésie ? Elle aurait si mal. Elle ralentit pour mettre de l'ordre dans son chaos intime. Ils avaient fait l'amour sans prendre de précautions, elle pensait qu'elle était à la veille de ses règles. Mais elle avait négligé le fait que ses menstruations n'étaient plus régulières depuis l'épidémie, une conséquence du choc psychologique.

Jérôme.

Pour la première fois, elle se demanda ce que lui souhaiterait. Et s'il lui en voulait ? Le besoin impérieux de se libérer d'un poids la submergea. L'embryon était un poids. Mais un poids qui pourrait aussi l'aider à s'ancrer. Merde. Merde. Merde. Aurait-elle les épaules pour supporter cette responsabilité ? Elle tressaillit, une vie dépendrait d'elle. Cet engagement total, absolu. Jérôme.

Ses seins lui faisaient mal ; c'était un des signes qui l'avaient alertée. Il fallait qu'elle se grouille, à force d'avancer au rythme d'une tortue, elle était encore loin du carrefour et elle se mettait en danger. Impossible de se promener sereinement dans les rues de ce nouveau monde, où elle doutait de vouloir continuer à vivre. Et si son bébé était victime du virus ? S'il n'était pas immunisé contre U4 ? Logiquement, si elle ne l'avait pas attrapé, son bébé ne risquait pas d'être contaminé. Logiquement, il devrait même être protégé par ses anticorps à elle. Logiquement... Mais était-il raisonnable de chercher la moindre logique à la situation dans laquelle elle se trouvait ? Elle eut la vision du monde comme un puzzle éclaté, qu'il fallait entièrement ordonner. Et elle n'avait aucune idée de la pièce qu'elle était...

Sa montre indiquait presque 8 heures, Vincent devait prendre son tour de garde après Katia. Encore merde. Jérôme était sûrement réveillé, affolé. Elle devait lui parler. Elle n'avait pas envie. Ils étaient deux, il était concerné lui aussi. Alors pourquoi ce besoin toujours aussi immense de solitude ? Elle ne se l'expliquait pas. Elle ne s'expliquait rien. Tout lui paraissait incohérent. Une patrouille d'hélicoptères survola le boulevard. Elle se dissimula sous la porte cochère d'un vieil immeuble. Une mission d'approvisionnement l'attendait aujourd'hui, il était question de se rendre avec Katia au restaurant universitaire, un bon filon qui regorgeait de boîtes de conserve. Penser à ces réserves lui donna faim, son ventre gargouilla, une barre protéinée n'aurait pas été de trop dans la poche de son blouson. L'éloignement de l'hélicoptère lui permit de reprendre sa marche, son objectif étant de ne plus faire de halte jusqu'aux

Olympiades. Une bouffée d'angoisse s'empara soudain d'elle, elle sentit une menace diffuse. Une coulée de sueur trempa son front. Elle vacilla, des points noirs défilèrent devant ses yeux: c'était une crise d'hypoglycémie. Elle venait de dépasser une épicerie... Y entrer pour récupérer de quoi manger n'était pas raisonnable, mais rester dans cet état, proche du malaise vagal, était tout aussi risqué.

Tant pis, elle se précipita dans la boutique. Une majorité des paquets de gâteaux avaient déjà été déchiquetés par les rats; un gros rongeur lui frôla les jambes, elle eut un sursaut de frayeur, est-ce qu'il restait un seul paquet qui n'ait pas été laminé? Elle en trouva un, s'assit par terre, déchira l'emballage neuf et fourra un Granola dans sa bouche. La sensation de vertige passa rapidement. Des aboiements la figèrent au moment où elle s'apprêtait à sortir, cette fois-ci les chiens étaient tout près. Une voix retentit jusqu'à elle:

– Ils s'énervent. Il y a peut-être quelqu'un! On va fouiller?

L'arrière-boutique était sa seule issue, une minuscule pièce sombre, grouillante de cafards. Elle n'avait pas le choix, elle devait se cacher, elle était certaine qu'il s'agissait d'une section spéciale. Le carrelage était si poisseux qu'elle eut du mal à décoller ses semelles. Elle se réfugia dans un placard sans réfléchir, referma les battants sur elle. Des blattes tombèrent sur ses cheveux, la crainte de se faire repérer l'empêchait d'effectuer le moindre mouvement de tête pour s'en débarrasser. Les insectes se faufilèrent le long de son cou, s'insinuèrent sous sa polaire;

elle se mordit les lèvres au sang, retint des hurlements de terreur et de dégoût mais ne remua pas d'un cil. Elle était prise d'une terrible envie de vivre. Pour ne pas craquer, elle imagina qu'elle participait aux épreuves de l'émission Fort Boyard, et tenta de se convaincre qu'elle remporterait la partie en restant le plus longtemps possible sans bouger à l'intérieur de ce meuble.

Les grognements des molosses s'amplifièrent, les jeunes militaires avaient déjà débarqué dans l'épicerie…

– Tu crois qu'il y a quelqu'un là-dedans ?

En reconnaissant le grincement de la porte de l'arrière-boutique, elle serra son pistolet dans sa main.

– Putain, y a plein de rats, c'est dégueulasse.

– On se prend un pack de bières ! Vous en dites quoi ?

Les chiens aboyèrent furieusement, masquant la réponse d'un autre garçon. Combien étaient-ils ? Ils étaient sur le point de la dénicher, leurs bêtes étaient dressées pour traquer les êtres humains, qu'allaient-ils lui infliger ? Elle crispa ses doigts sur son ventre comme pour se donner du courage.

– Attends, mec, on ferait mieux de rejoindre les autres. Ils nous attendent place d'Italie.

– Arrête tes conneries, on a le temps de s'en boire une !

– Les chiens ont flairé quelqu'un, j'en suis sûr, y a quelqu'un dans l'arrière-boutique.

Elle distinguait mieux les trois voix maintenant. L'alcoolique, le suiveur et l'acharné.

– Tu te souviens de ce qu'a dit le chef. On reste groupés. On ne doit pas être en retard à la relève au R-Point.

– Merde, mon chien s'excite ! Je crois vraiment qu'il y a quelqu'un. On se le fait ? Ce putain de hors-la-loi ! Ça sera notre premier !

Elle sortit son pistolet de sa poche, espérant qu'il était chargé, se maudissant de ne pas avoir vérifié avant. Saurait-elle seulement s'en servir ?

Les grognements affolèrent jusqu'aux rats du cagibi. « Si je m'en sors, je le garde », murmura-t-elle en baissant les yeux vers son ventre. Et ses mots étaient une promesse.

L'armoire s'ouvrit, un gars l'extirpa de son refuge :

– C'est une fille ! Oh putain, elle est armée ! Lâche ton flingue ! hurla-t-il.

Son pistolet tomba sur le sol, elle l'avait lâché sans aucune résistance, obnubilée par les grondements sourds d'un chien-loup à l'air féroce : il montrait ses crocs en la fixant d'un regard cruel. Et son maître avait beau être aussi baraqué que Jules, il peinait à retenir le molosse qui semblait prêt à lui sauter à la gorge. Elle était l'ennemie à tuer. Un second garde les rejoignit, un brassard fluo au bras, son arme pointée vers elle, résolu à lui tirer dessus s'il le fallait. Elle leva les mains en l'air, par réflexe. Celui qui la visait était un petit brun, sans doute le chef de section.

– Sors ton clebs, ordonna-t-il à son acolyte, tu le contrôles mal, il est trop dangereux.

Il n'y avait donc qu'un seul chien. Le costaud eut besoin de tirer de toutes ses forces sur la laisse pour réussir à faire bouger la bête qui résistait, retroussant ses babines, les canines en avant.

– Qu'est-ce que tu fiches là ? l'interrogea ensuite le brun, sans aménité.

– Je… j'étais à la pharmacie, bredouilla-t-elle.

– T'es en mission ? T'es autorisée à sortir ? T'es de quel R-Point ?

Ça faisait beaucoup de questions d'un coup.

– On se casse de ce cagibi, c'est trop crade, décida-t-il.

Et il l'attrapa par le poignet en le pressant sans ménagement quand elle essaya de se dégager d'un coup d'épaule : elle était capable de marcher seule et ne se sauverait pas. Il comprit et la libéra de son étreinte pendant que le troisième soldat décapsulait une bouteille de bière.

– Passe-moi le récepteur de puce d'identification, on va voir de quel R-Point elle vient, lui demanda le chef de section.

Elle frémit, elle n'était pas tracée, donc tout était fichu. Elle essaya de fuir dans un réflexe stupide, bouscula le petit brun de toutes ses forces vers le rayonnage. Lorsqu'il se cogna contre l'étagère, une boîte de conserve lui tomba violemment sur la tête. Il vacilla, grogna de douleur et elle en profita pour se dérober. Repensant à la pharmacie, elle courut vers l'arrière-boutique, espérant une issue de secours par laquelle s'en sortir. Leurs jurons parvenaient jusqu'à elle, puis elle entendit du verre se briser en mille morceaux sur le carrelage.

Il y avait bien une porte : elle donnait sur une courette, où des vélos étaient accrochés près d'un local à poubelles. Elle bloqua la porte à l'aide d'une des bennes, grimpa dessus afin de s'agripper aux barreaux d'un soupirail et de se hisser vers un rebord étroit. Plaquée contre le mur au niveau du premier étage, elle ne bénit pas longtemps sa grande taille et sa pratique de la gym, son escalade avait fort peu de chances de lui sauver la vie, mais elle continua à progresser obstinément vers la fenêtre qui lui permettrait de se réfugier dans un appartement.

Les autres criaient, tiraient des coups de feu, elle crut même entendre une rafale de mitraillette et des bruits de lutte dans le magasin… Elle accéléra, le cœur battant. Tout ce tapage pour elle… La benne tomba par terre, la voix de l'acharné retentit entre les murs : « Pauvre folle ! Je vais te tuer ! » Elle s'immobilisa, elle ne pouvait même pas se retourner, la saillie sur laquelle elle se tenait était bien trop fine pour lui permettre de faire volte-face. Elle mourrait donc, tuée d'une balle dans le dos. Putain… Elle pensa à Nicolas qui la chercherait, à Jérôme, aux amis de la communauté, et eut envie de lui sauter dessus, de mourir en plongeant sur son ennemi. Il hurla de rage. Un coup de feu retentit. Elle se courba, faillit chuter, entendit un corps heurter le sol pavé. Elle n'avait pas mal, elle n'était pas morte.

– Séverine…

Elle reconnut sa voix. Jérôme.

– Jérôme… murmura-t-elle sans bouger.

– Tu es décidément douée en escalade…

Elle sut qu'il souriait. Les jambes tremblantes, elle se concentra pour ne pas tomber en retournant sur ses pas pendant qu'il relevait la benne. Il l'escalada pour aider Séverine à redescendre et la serra enfin contre lui.

– On ne va pas rester là-dessus, on est un peu lourds... murmura-t-il dans ses cheveux.

– Grouillez-vous ! Faut qu'on rentre. Le reste de la brigade ne va pas tarder, leur ordonna soudain Vincent.

Ils étaient là tous les deux, le Chef et son Soldat. Comment avaient-ils su ?...

Une fois à terre, ses jambes ne la soutinrent pas assez pour faire un pas, Jérôme la souleva dans ses bras et s'élança vers l'avenue, couvert par Vincent, un pistolet-mitrailleur à la main. Les corps du chien et de son maître étaient allongés, raides, devant la boutique. Morts tous les deux.

Ils parcoururent le chemin jusqu'aux Olympiades sans croiser de patrouille. Jérôme tentait de réguler sa respiration pour ne pas perdre le rythme, Séverine accrochée à son cou.

– Je vais essayer de marcher, lui proposa-t-elle.

Il la reposa à terre, elle s'efforça de courir à leurs côtés.

Ils atteignirent la dalle sans encombre.

—

La douce tiédeur d'une des chambres de l'infirmerie l'aida à s'apaiser, son corps se détendit tellement que des fourmillements chatouillèrent ses doigts et ses jambes... Le visage sévère, Maïa lui apporta sans un mot des biscottes et un thé sucré. L'escapade inconsciente et égoïste de Séverine avait mis Jérôme et Vincent en danger. La frimousse d'Alicia apparut à la porte, et la petite fille attendit un signe de bienvenue avant d'approcher d'un air solennel; les traits tirés, ses yeux gris brillants et cernés, elle s'assit au bord du lit, balançant ses jambes dans le vide. Maïa lui tendit sa peluche Babouche qu'elle serra contre son cœur.

– Max ne va pas mieux? demanda Séverine.

Son amie fit non de la tête.

– Et Jules, murmura-t-elle, il n'est toujours pas rentré de Gentilly?

– Non... soupira Maïa en baissant les yeux vers Alicia.

L'hébétude de Max et l'absence de Jules, parti à la recherche de Koridwen, angoissaient clairement la fillette. C'était beaucoup de malheurs pour elle en si peu de temps.

– Je reviens, souffla Maïa en quittant brusquement la pièce.

Elle réapparut quelques minutes plus tard, un paquet de Paille d'Or dans les mains.

– C'est Koridwen qui nous l'a rapporté. Tiens, Alicia, tu en veux?

La Minuscule haussa les épaules, mais accepta quand même le paquet qu'elle ouvrit avant de le tendre à Séverine. Les gaufrettes à la framboise n'étaient absolument pas écœurantes! Quel plaisir de manger sans ressentir le moindre dégoût...

Tout en caressant les cheveux de la petite, toujours installée au bout du matelas, Maïa finit par la questionner:

– Séverine, peux-tu m'expliquer pourquoi tu es sortie seule ?

– Comment m'ont-ils trouvée ? enchaîna-t-elle du tac au tac.

En répondant à cette question par une autre question, elle étonna l'Apothicaire, qui ne s'attendait pas à une telle esquive de sa part.

– Vincent rentrait de sa mission nocturne pour prendre son tour de garde dans le hall de la tour. Il a croisé le soldat chinois qui lui a parlé de toi et de ton « urgence médicale ». Le garde connaît bien notre Chef, et ta promenade en solitaire l'étonnait un peu. Quand Vincent a appris ça, il a foncé réveiller Jérôme et ils sont partis à ta recherche !

Jérôme arriva à cet instant dans la pièce :

– Est-ce que ça va ? questionna-t-il abruptement.

Il avait utilisé son intonation de Chef, celle qu'il réservait aux décisions collectives, quand il fallait trancher sans perdre de temps. Le regard qu'ils échangèrent n'avait plus aucun rapport avec ce ton autoritaire. Il vacilla, baissa les yeux tandis qu'elle le scrutait intensément, le priant en silence de venir près d'elle tant son besoin de le toucher et de sentir sa peau était irrépressible. Maïa prit la petite dans ses bras :

– Alicia, allons-y, tu reviendras voir Séverine plus tard…

Elles les laissèrent seuls, tous les deux. Il s'assit à côté d'elle, ses sourcils froncés donnant à son regard une intensité spéciale, et elle caressa enfin la joue de son homme, passa doucement ses doigts le long de son profil, s'arrêta sur sa bouche.

– Quand je t'ai vue perchée sur ton mur, tu sais à quoi j'ai pensé ? lui demanda-t-il tendrement.

Elle prit sa main entre les siennes avant de faire non de la tête.

– C'est un vieux souvenir qui m'est revenu…

Garder la paume de Jérôme contre ses lèvres n'empêchait pas Séverine de l'écouter avidement.

– J'étais en maternelle, dans la classe de Nicolas…

Nicolas… Elle tressaillit et embrassa la main de son amoureux, les yeux baissés.

– Tu étais déjà grande, toi, tu étais à l'école primaire… et… tu te rappelles ce que tu faisais parfois pendant la récréation ?

Elle hocha doucement la tête.

– Tu grimpais sur le muret qui séparait les cours de l'école élémentaire et de la maternelle, tu t'accrochais au grillage et tu faisais signe à ton frère !

Le regard qu'il posa sur elle débordait d'affection, une immense joie envahit Séverine, deux pièces du puzzle s'emboîtaient, c'était un début. Lui ne savait pas que, lorsqu'elle escaladait le muret, ce n'était pas pour Nicolas, c'était pour l'apercevoir, lui, Jérôme. Un jour, pendant une récréation, son petit frère, fier que sa grande sœur de CE1 s'intéresse à lui, l'avait désignée aux copains qui jouaient avec lui. Parmi eux, il y avait Jérôme. Il avait levé la tête vers elle, Séverine avait croisé ses yeux gris foncé, presque noirs, cachés sous des longs cils, et lui avait souri. Mais la maîtresse lui avait ordonné de redescendre « immédiatement », et Séverine n'avait pas eu le temps de voir s'il lui rendait son sourire, d'autant que ses parents avaient été convoqués pour qu'elle ne recommence plus jamais. Elle s'était ensuite repassé cette scène en boucle avant de s'endormir, chaque soir, pendant toute l'année. Voilà, en CE1, elle l'aimait déjà, lui, un petit de maternelle. Jamais elle n'aurait imaginé qu'il puisse avoir gardé en mémoire ces moments-là.

– Tu as arrêté de venir ensuite. Je ne t'ai plus vue…

– Tu m'as attendue ? souffla-t-elle, le cœur battant la chamade.

– Pas vraiment, non… un peu…

Il lui sourit malicieusement, frôla son front de ses lèvres et répéta : « Un peu. »

Il poursuivit avec le mot « Beaucoup », en l'embrassant sur le bout du nez. Puis il déclama théâtralement « Passionnément » et lui colla un bisou sonore sur la bouche. Suivit « À la folie », qu'il murmura langoureusement avant de la couvrir de baisers chatouilleurs… Elle se recroquevilla pour se protéger de cet assaut, ne pouvant retenir son rire lorsqu'il l'embrassa dans le cou. Il redevint soudain sérieux, l'enlaça à lui faire mal et souffla dans ses cheveux :

– Pourquoi t'es allée dehors toute seule ? Si Vincent n'avait pas su, tu aurais pu…

Sa voix s'étrangla dans sa gorge, il se détacha d'elle, entoura son visage de ses mains comme s'il espérait y découvrir la vérité et lui raconta :

– Maïa nous avait parlé de la pharmacie du carrefour. Quand on est arrivés au croisement, on a vu le garde et son chien sur le boulevard, on a flippé tout de suite, on a entendu le verre qui se fracassait. Et on a foncé…

Elle détourna les yeux et s'empara d'une Paille d'Or. Il soupira quand elle commença à la croquer sans rien lui expliquer.

– On dirait un hamster quand tu manges…

Il l'imita en claquant les incisives l'une contre l'autre, elle lui sourit mais ne lui révéla toujours rien… Le visage de Jérôme se teinta de perplexité et d'inquiétude.

– Séverine, dis-moi, j'ai le droit de savoir, finit-il par murmurer.

Sous la couette, elle serrait ses poings à se faire mal, comme si elle voulait de son côté retenir les mots, garder la vérité pour elle. Cette vérité était pourtant aussi celle de Jérôme. De quoi avait-elle si peur ? Il se leva brutalement, s'éloigna sans un mot et quitta la pièce. Elle devait lui dire… Elle se leva, le poursuivit dans le couloir :

– Jérôme ! cria-t-elle.

Il se retourna, revint sur ses pas :

– Reste dans ton lit, tu es toute blanche.

Ayant sans doute entendu leurs voix à travers sa porte, Alicia sortit de sa chambre, les commissures de ses lèvres couvertes de chocolat au lait. Séverine s'agenouilla devant la petite et la serra contre elle, l'enfant se laissa bercer, posa sa main poisseuse dans les cheveux blonds. Cette petite était un miracle, tous les enfants étaient des miracles.

D'où lui venait cet angélisme ? Ce lyrisme lacrymal ne lui correspondait pas. Était-ce hormonal ?

Lego interrompit leur câlin d'un miaulement furibond, la boule de poils blanche et noire n'avait rien à faire à l'infirmerie, qui lui était formellement interdite par Maïa.

Aïe, Alicia avait intérêt à l'attraper pour le remettre dans l'autre appartement avant que l'Apothicaire ne se rende compte de sa bêtise. La petite abandonna Séverine pour courir derrière le chaton de Jules, qu'elle avait apprivoisé. Elle avait adopté Lego, et Jules l'avait adoptée, elle. Une pensée frappa Séverine : Jules devenait une sorte de père pour sa Minuscule.

Un père.

Jérôme n'avait toujours pas bougé, elle se plaqua contre son corps, afin qu'aucune parcelle d'air ne les sépare, se mit sur la pointe des pieds et murmura dans son oreille :

– Je suis enceinte.

U4.Koridwen

Yves Grevet

ERELL

DANS LES BOUCLES DU TEMPS

Caserne de Rennes, quartier Foch, 16 décembre
Interrogatoire conduit par la police militaire.

– Veuillez décliner vos nom, prénom, date et lieu de naissance, et domicile.

– Je m'appelle Le Goff Erell. Je suis née le 13 août 1952 à Rennes et je suis domiciliée au lieu-dit La Lande-Martin, à Thorigné-Fouillard.

– Ce n'est pas le prénom qui est indiqué sur vos papiers.

– À l'époque, mes parents n'ont pas été autorisés à me faire enregistrer avec un prénom breton. Je suis donc Irène, pour l'état civil, mais jamais mes proches ou mes relations ne m'ont appelée ainsi.

– Quelle est votre activité professionnelle ?

– Je suis retraitée. Avant, j'étais agricultrice.

– J'ai retrouvé dans nos dossiers une plainte à votre encontre pour exercice illégal de la médecine.

– Cette plainte a été classée sans suite, vous devez le savoir.

– En effet. Vous exercez donc une activité de guérisseuse, voyante, désenvoûteuse, que sais-je, magicienne peut-être ?

– Pourquoi vous ne dites pas directement sorcière, jeune homme, puisque c'est ainsi que vous me voyez, n'est-ce pas ?

– C'est ainsi que vous vous considérez ? Vous êtes une sorcière ?

– Non.

– Alors, vous êtes quoi ?

– Principalement guérisseuse ou herboriste.

– Pourquoi ne pas en avoir fait état spontanément ?

– J'essaie d'être précise quand je réponds à vos questions. Ce n'est pas une activité professionnelle.

– Très bien... parlez-moi de cette activité non professionnelle ?

– Je maîtrise un savoir et une pratique légués par ma grand-mère. Je soulage la douleur physique ou morale de certaines personnes.

– Et ça rapporte ?

– Si c'est d'argent que vous parlez, non. J'ai toujours refusé d'être payée. J'ai également toujours veillé à être discrète pour que ça ne s'ébruite pas trop et que ça ne risque pas de devenir une occupation trop prenante. Sachez que mes pouvoirs n'agissent pas sur tous les patients, comme certains principes actifs issus des plantes ne sont pas efficaces sur tous les organismes.

– Et la divination ?

– Je n'ai pas cette capacité.

– Dans ce cas, comment avez-vous été avertie de l'imminence et de la violence du virus U4 ? Car, madame Le Goff, vous êtes la seule adulte dans toute la région de Rennes, à ma connaissance, en dehors des personnels réquisitionnés, à avoir pris des mesures individuelles pour vous confiner pendant le premier mois de l'épidémie.

– La seule, je ne le savais pas.

– Comment avez-vous eu accès à ces informations pourtant classées secrètes ?

– J'ai consulté les sites d'information sur Internet tant que ça a fonctionné. J'ai vite compris qu'on nous dissimulait la gravité de la catastrophe. Tous ces officiels cachaient mal leur jeu. Le signe qui m'a confortée dans ma conviction, c'est le départ en catimini de mon voisin gendarme et de sa petite famille. Alors, je me suis barricadée en attendant d'y voir plus clair. Ensuite, j'ai recueilli quelques adolescents orphelins. Comme je ne mourais pas à leur contact, j'en ai déduit qu'ils n'étaient pas porteurs sains du virus.

– Vous êtes restée isolée jusqu'à quelle date ?

– Jusqu'au 1er décembre.

– Sans croiser âme qui vive ?

– J'apercevais des jeunes simplement de loin.

– Pourquoi mentez-vous ?

– Je ne mens pas.

– Et Koridwen Le Guennec, ça ne vous dit rien ?

– Si. C'est la petite-fille d'une amie guérisseuse de la région de Morlaix, malheureusement décédée il y a quelques années. Vous avez des nouvelles de Koridwen ? Elle va bien ?

– C'est plutôt à vous qu'il faut le demander, non ? Elle est venue vous rendre visite une nuit à la mi-novembre.

– C'est vrai.

– Bien sûr que c'est vrai ! Racontez-moi.

– Il n'y a pas grand-chose à raconter. Elle est passée en coup de vent. Elle se rendait à Paris et j'étais sur son trajet.

– Comment pouvait-elle savoir que vous étiez vivante ?

– Je pense qu'elle n'en savait rien, mais qu'elle s'est dit que ce ne serait pas une grosse perte de temps de passer par chez moi. Pourquoi vous intéressez-vous à elle ?

– C'est moi qui pose les questions, madame Le Goff. Que voulait Koridwen ?

– Que je la rassure. Elle se sentait perdue et se demandait si elle faisait bien de quitter sa ferme pour aller à Paris, ville qu'elle ne connaissait pas. Je lui ai indiqué une adresse où loger à Gentilly, un garage tenu par un de mes neveux avant la catastrophe.

– Elle était seule ?

– Je n'ai vu qu'elle, mais elle m'a dit qu'elle était accompagnée par son cousin Max et une dénommée Anna. J'imagine que c'est cette fille qui vous a renseigné sur elle, ensuite.

– Pourquoi imaginez-vous ça ?

– Une délinquante avec une puce de contrôle greffée dans l'avant-bras, c'est le bon profil pour une indic, non ?

– Je vais vous demander d'identifier Koridwen sur ces photos. Prenez votre temps, c'est important.

Erell Le Goff contemple longuement chaque cliché.

– Oui, c'est elle, finit-elle par déclarer. Sans aucun doute possible. Où ont-elles été prises ?

– Il y a quelques jours, à Gentilly, près d'un point de contrôle.

– Pourquoi la recherchez-vous ?

– Elle pourrait nous conduire à une terroriste.

– Qu'est-ce qui vous fait dire ça ?

– Disons que la route de Koridwen a potentiellement croisé à deux reprises celle de notre suspecte.

– Potentiellement… Cela signifie que vous n'êtes sûr de rien. Vous avez d'autres éléments qui la mettraient en cause ?

– Oui, nous savons que les deux jeunes filles correspondaient avant la catastrophe *via* le forum d'un jeu en ligne, en utilisant des pseudonymes.

– Comme des centaines d'autres adolescents, j'imagine.

– Oui, sans doute.

– Vous n'avez donc aucun élément concret incriminant directement Koridwen. Alors, pourquoi perdez-vous votre temps à enquêter sur elle ?

– J'ai la conviction que cette jeune fille est très dangereuse.

– Et sur quoi vous fondez-vous ? Vous ne l'avez jamais rencontrée. Vous ne savez pratiquement rien sur elle, mais vous avez la conviction qu'elle est très dangereuse. Qu'est-ce que vous ne voulez pas dire ?

L'enquêteur baisse la tête et tripote ses stylos. Il semble hésiter à mettre un terme à l'entretien. Erell reprend :

– En fait, vous la connaissez… C'est ça ? Comment la connaissez-vous ?

L'enquêteur se mord la lèvre. Il n'a pas l'habitude de se livrer à des confidences, même devant des proches, mais le regard que pose la vieille dame sur lui semble bienveillant. Et à qui d'autre pourrait-il raconter ça ?

– Depuis plusieurs semaines, j'ai un rêve très précis qui revient. C'est une scène dans laquelle Koridwen Le Guennec apparaît à chaque fois.

– Décrivez-moi cette scène.

– La caserne est attaquée en plein jour par un groupe d'adolescents armés. Ils viennent tenter de libérer des camarades emprisonnés. Ils se déploient, sauf elle qui reste en retrait pour monter la garde. Pendant quelques secondes, je l'ai dans mon viseur mais j'hésite à tirer. Je vois son regard déterminé juste avant qu'elle n'épaule son fusil. Je devrais essayer de l'atteindre aux bras ou aux jambes pour la rendre inoffensive mais je n'appuie pas sur la détente. Alors, elle fait feu sur un soldat qui meurt d'une balle en pleine tête. Ensuite, je ferme les yeux quelques secondes et, lorsque je les rouvre, elle a disparu.

– Quand avez-vous su que la fille de votre vision était Koridwen de Menesguen ?

– J'ai découvert sa photo, il y a deux jours, dans un dossier sur les adolescents qui vivent hors des R-Points à Gentilly et cachent sans doute les terroristes dangereux que nous recherchons. Je l'ai reconnue tout de suite. J'aimerais comprendre comment elle peut apparaître dans ma vision depuis bientôt un mois alors que je ne l'ai jamais rencontrée et que je n'avais jamais vu sa photo avant. Et savoir quel sens je peux donner à cette vision…

– C'est-à-dire ?

– Est-ce que cela pourrait être… une prémonition ?

– Ah ! Alors, vous auriez un don pour prévoir l'avenir ? Vous seriez donc un peu sorcier, c'est ça ?

– Ne vous moquez pas, j'ai besoin de comprendre. Si c'est une vision du futur, il faudrait que je fasse arrêter Koridwen préventivement pour éviter des morts.

– Votre idée ne tient pas, vous le savez. Le cerveau ne peut se représenter que ce qu'il a déjà enregistré. Cette vision appartient sans aucun doute à votre passé. Ce que vous voyez est peut-être un souvenir.

– Comment ça, un souvenir ? La caserne n'a jamais été attaquée par des adolescents. Et Koridwen est installée en banlieue parisienne depuis le 20 novembre.

Le silence s'installe durant quelques secondes. La vieille dame réfléchit. Elle ne semble pas pressée de partir. L'enquêteur lui jette des regards embarrassés. Elle reprend, un petit sourire au coin des lèvres :

– Je croyais que j'avais été convoquée pour un interrogatoire, mais il s'avère que je suis plutôt là pour vous donner une consultation. Rassurez-vous, je vous l'ai déjà précisé, ce sera gratuit.

L'homme lève les deux mains en l'air comme s'il voulait se rendre.

– C'est vrai, je l'avoue, j'aurais bien besoin de vos lumières.

– Comment voulez-vous que je vous éclaire sur ce type de mystère ? Je ne suis qu'une paysanne douée de quelques compétences en herboristerie.

– J'ai cru voir dans vos yeux que ces mystères ne vous étaient pas totalement étrangers. Je me trompe ?

– Vous êtes prêt à tout entendre ?

– Bien sûr.

– Dans les légendes celtiques et celles d'autres civilisations bien plus anciennes, on rencontre des héros condamnés à revivre plusieurs fois, voire indéfiniment, une période de leur vie. La plupart du temps, ils ne gardent aucun souvenir du passage précédent, mais parfois un visage, une voix, une image s'accrochent à leur mémoire et hantent leurs rêves. Vous êtes peut-être pris dans le même piège que l'un de ces héros.

Le militaire baisse la tête. D'un geste bref de la main, il indique à Erell que la discussion est close. La vieille dame prend son temps pour se lever et enfiler son manteau. Elle ajoute en se dirigeant vers la porte :

– N'y pensez pas trop, quand même. Après tout, ce ne sont que des histoires racontées par une vieille paysanne.

STÉPHANE

CE NE SONT QUE DES LÉGENDES

Bretagne, sept ans avant U4

Au bout d'un chemin de terre, dans une clairière bordée de bouleaux et de chênes, une maison en pierre et au toit d'ardoises exhale paisiblement de la fumée blanche par sa cheminée. Là vit une famille de quatre : le père, la mère, une petite fille et un bébé garçon. La fillette sort de la maison, aux fenêtres comme des yeux, par la porte comme une bouche. Ses jambes fines qui émergent du short bleu se posent fermement sur le sol, ses bras vêtus de manches courtes sont les poids d'un balancier, sa démarche ne connaît pas l'hésitation. Elle ne porte pas de cape rouge ni de panier, pourtant elle va bien faire une course : elle doit rapporter de la poudre de lait pour son petit frère.

Le village n'est pas très loin : à dix minutes à pied pour un adulte, quinze pour un enfant, douze pour cette fillette. Dès qu'elle pénètre dans la rue principale, on a beau la connaître depuis sa naissance, tous les regards se tournent vers elle. « On dirait une enfant déjà vieille », dit l'un. « Cela ne l'empêche pas d'être jolie », ajoute l'autre. « Et d'être autant enfant qu'une autre enfant », murmure encore quelqu'un. Elle pénètre dans la pharmacie pour demander la poudre de la bonne marque et, en attendant qu'on la serve, surprend son reflet dans un miroir, entre les rangées d'huiles essentielles et les tensiomètres à bras. Elle hausse les sourcils, toujours surprise. C'est qu'elle n'est pas de ces fillettes coquettes qui aiment se mirer souvent et si elle porte les cheveux longs, c'est uniquement parce qu'ils poussent sans qu'elle y prête attention et qu'elle ne pense jamais à les faire couper. Par conséquent, peu habituée à les voir, leur couleur d'argent l'étonne à chaque fois autant que ceux qu'elle croise. Gris aussi sont ses sourcils, ainsi que les iris de ses yeux. Rien d'étonnant pourtant : elle tient tout cela de son père.

Elle saisit le sac en plastique que lui tend la pharmacienne, paie, range la monnaie dans la poche de son short en jean, puis s'en va. Elle sait déjà quel chemin elle va emprunter pour le retour : son préféré, celui qui traverse la lande du Yeun-Elez. Elle aime ces paysages tourmentés et venteux, autant que sa mère qui est née ici et que sa grand-mère qui vit dans une jolie maison à 50 kilomètres de là, près de Morlaix. Seul son père se morfond en ces lieux, et trouve le temps long et morne lorsqu'il est en congé. La fillette baisse légèrement la tête en songeant que, de toute façon, il est rarement là ; il part très souvent en mission à l'étranger pour son travail de médecin humanitaire…

Dans la rue, soudain, quelqu'un lui attrape le bras, la faisant sursauter de peur.

– Toi, rends tout de suite ce que tu as volé !

C'est l'épicière. La vieille et laide épicière, qui l'a toujours inquiétée à cause de ses yeux noirs minuscules enfoncés au creux d'un océan de rides profondes.

– Mais j'ai rien volé !

– Tu mens. J'ai eu le temps de voir une petite main prendre un sachet de bonbons sur mon étal avant de disparaître.

– Fouillez-moi, vous verrez que je n'ai pas de bonbons sur moi.

– Tu les auras donnés à un complice qui s'est enfui. Les mauvaises graines comme toi, ça a l'imagination du diable !

– Quoi ?

– Je vais appeler le prêtre savant de la légende, qui viendra transformer en chien noir l'âme mauvaise qui te hante, susurre la commerçante d'une voix terrible. Ainsi, tu ne nous importuneras plus !

– Lâchez-moi !

Elle se débat mais les doigts vieux et tordus autour de son bras sont encore pleins de force.

– Céleste, lâche-la, crie le boulanger.

Tous les commerçants sont sortis, alertés par les cris de la fillette.

– Tu lui fais peur, espèce de sorcière ! gronde la pharmacienne.

La petite fille parvient à se détacher et détale sans

attendre son reste. Elle a le temps d'entendre l'épicière cracher :

– Cette petite est hantée par un revenant qui n'a pas trouvé le repos, depuis si longtemps que ça lui a grisé les cheveux !

L'enfant est déjà sur la lande, non loin d'une tourbière où, la nuit, des feux follets dansent au-dessus du sol. Elle court, court et court encore, jusqu'à la petite maison dont la façade ressemble à un visage rassurant de dessin animé. Son petit frère pleure lorsqu'elle arrive. Elle entend sa mère qui tente de le calmer en lui chantant une berceuse. La fillette cherche son père dans toutes les pièces. Lorsqu'elle rejoint la chambre du bébé, elle demande :

– Papa ?

Sa mère lui répond :

– Parti. Il y a une demi-heure à peine. Une urgence, comme d'habitude…

– Il n'est pas là ?

– Je viens de te le dire, ma chérie. Tu as le lait ?

« Qui va nous protéger ? » a envie de hurler l'enfant. Sa mère est pleine de ressources, habile et forte, mais elle ne sait pas manier le fusil qui est au grenier, alors que son père, lui, aime aller chasser parfois. Mais que craint-elle au juste ? Pourquoi auraient-elles besoin de se défendre, sa mère et elle ? Alors qu'elle lui tend le sachet de la pharmacie, la petite fille demande :

– Maman, tu connais l'histoire du chien noir ?

– Oh, ma chérie, n'écoute pas ces balivernes ! Ce ne sont que des légendes.

– Raconte-moi quand même.

La jeune femme soupire tout en berçant le bébé d'une main et en préparant un biberon de l'autre, avec cette adresse propre aux femmes qui ont l'habitude de tout faire seules.

– Bien. Alors écoute : on dit que les âmes des personnes qui ne sont pas allées directement au ciel hantent certains individus, les rendant mauvais. Pour libérer un possédé, le prêtre du village doit faire passer l'âme mauvaise dans le corps d'un chien noir. Puis il doit aller nu-pieds dans le marais, pour y jeter la bête hurlante dans le trou du Youdic, considéré dans la tradition bretonne comme la porte des enfers. Tu connais cet endroit, ma Stéphane, c'est tout près d'ici. Certains disent y entendre parfois des hurlements. D'autres prétendent y voir rôder l'Ankou, le fameux faucheur de vies. Et d'autres encore murmurent que si le chien noir ne se laisse pas attraper durant de longues années, son pelage vire au gris à cause de l'âge. Ce sont les âmes les plus malignes et retorses qui vivent aussi longtemps. Ce ne sont que des légendes !

La mère n'aurait pas raconté tout cela en présence du père. En tant que médecin, cartésien et rationnel, il déteste ces histoires. Lorsqu'il les entend, il ne peut s'empêcher de marmonner :

– Il existe assez d'horreurs dans la vie réelle sans chercher à se faire encore peur avec ces sornettes !

« Que croire ? » se demande la fillette sans pouvoir trancher.

La nuit tombe bientôt. L'enfant a un poème à apprendre pour l'école. Cela s'intitule « C'est le premier matin du monde », de Charles Van Lerberghe. Allongée sur son lit, déjà en pyjama, elle récite :

C'est le premier matin du monde.
Comme une fleur confuse exhalée de la nuit,
Au souffle nouveau qui se lève des ondes,
Un jardin bleu s'épanouit...

– C'est joli, la coupe sa mère qui apparaît dans l'embrasure de la porte.

L'enfant lui trouve un air fatigué. Elle tend les bras pour que sa mère s'y niche et l'enlace.

– Nathan dort ? demande-t-elle.

– Comme un bébé ! rigole la jeune femme.

Elle se détache pour regarder sa fille dans ses yeux gris.

– On est fortes, toutes les deux, tu le sais, n'est-ce pas ?

L'enfant opine gravement.

– On n'a besoin de personne, poursuit la mère. Et rien ne nous fait peur. Ni les loups des contes ni les vrais méchants... Fais voir la suite de ton poème.

Elle lit à haute voix :

Tout s'y confond encore et tout s'y mêle,
Frissons de feuilles, chants d'oiseaux,
Glissements d'ailes,
Sources qui sourdent, voix des airs, voix des eaux,

Murmure immense,
Et qui pourtant est du silence.

Après un sourire, elle embrasse la petite sur la joue et sort de la chambre. La nuit s'épaissit. Le sommeil happe la maisonnée.

Les rêves surviennent. Les murmures immenses. Les glissements d'ailes. Un visage inconnu se penche sur la fillette. Un visage aimant, à la peau mate. Un jeune garçon aux grands yeux veloutés. Il murmure : « Stéphane… Écoute dans ton sommeil le silence de ce matin extraordinaire. Le premier matin de ce nouveau monde. » Elle ressent un bien-être immense, presque aussi grand que lorsque son père la serre dans ses bras. Le garçon lui prend la main et répète : « Stéphane, Stéphane… » Il veut l'emmener avec lui. Il émane de lui une chaleur bienfaisante. Elle veut le suivre.

C'est alors qu'une bête à la gueule béante saute sur sa poitrine, faisant couler sa salive sur son visage. « Stéphane, rugit à son tour la bête noire, mi-chien, mi-loup, ne les laisse pas m'emmener, ne les laisse pas me jeter au travers des portes de l'enfer ! Stéphane, je fais partie de toi, ne les laisse pas faire. Je suis toi, tu es moi, regarde-toi dans ce miroir et tu sauras ! » La petite fille se trouve soudain dans la pharmacie, devant le même miroir que durant l'après-midi. Mais le reflet qu'elle y voit est celui d'un vieux loup au pelage gris et au regard orange. Babines retroussées, muscles bandés, il se ramasse sur lui-même et s'apprête à bondir.

Elle pousse un cri.

– Là, là, lui fait sa mère, à son chevet. Ce n'était qu'un cauchemar. Oh, ma petite fille, je suis là, tu ne crains rien.

– Le chien noir, c'était moi, pleure l'enfant. Même que c'était un loup!

– Tu n'as rien d'un chien, ni même d'un loup, Stéphane.

– Il va m'arriver quelque chose de terrible!

– Mais qu'est-ce que tu vas chercher? Et puis je serai toujours là pour te protéger.

– Papa aussi?

– Papa... Il revient toujours, tu le sais bien, il revient pour te protéger aussi.

– Même quand je serai grande?

– Même quand tu seras grande.

– Grande comme toi?

– Grande comme moi.

À moitié rassurée, l'enfant se rendort contre sa mère, restée avec elle dans le petit lit.

Le lendemain, elle retourne au village pour se rendre à l'école, tout en récitant le poème dans sa tête. Sur le chemin, elle doit obligatoirement passer devant l'épicerie. Elle ralentit le pas, se demandant si elle ne doit pas au contraire accélérer. L'entrée du magasin est sombre, on ne voit pas à l'intérieur, sauf... deux lueurs orange? Le cœur de la fillette rate une pulsation. Elle est prête à courir quand la vieille épicière apparaît sur le seuil. Ses yeux sont noirs, pas orange. Mais derrière elle, n'est-ce pas un rugissement ? L'enfant prend ses jambes à son cou et court sans s'arrêter jusqu'à l'école. Sophie, petite blonde au visage d'ange, la regarde arriver dans la cour, hors d'haleine.

– Qu'est-ce que tu as ? T'as vu un fantôme ou quoi ?

– Non… J'avais juste peur d'être en retard.

Sophie hausse les épaules et enchaîne sur un autre sujet d'importance :

– T'as pas oublié de faire signer le bulletin scolaire ? La maîtresse a dit que c'était aujourd'hui le dernier délai.

La fillette aux cheveux gris porte la main à ses lèvres.

– Mince. J'ai encore oublié de demander à mon père de signer.

– Parce que pour une fois il était là ?

– Ben oui. Pourquoi ? Qu'est-ce que tu veux dire ?

– Juste qu'il est pas souvent là… alors qu'il a un bébé et tout.

– Il a un travail important. Il ne peut pas faire autrement.

– Le père de Hugo disait aussi qu'il travaillait… alors qu'en fait il allait voir une autre femme…

– Quoi ?

L'insinuation met une seconde entière à être décodée dans le cerveau de la fillette. Mais, lorsqu'elle en comprend toute la portée, c'est comme si un volcan prenait la place à la fois de son cœur et de son esprit. La rage s'empare d'elle tout entière avec une puissance et une rapidité jusqu'alors inégalées. Elle serre les poings et regarde soudain Sophie avec une telle sauvagerie qu'elle a le temps de voir la terreur passer dans ses yeux. Puis elle ne voit plus rien, ne pense plus, ne sent plus, elle sait juste qu'elle n'a aucun moyen de réfréner l'élan qui la fait se jeter sur elle. Elle ne peut que libérer ce qui tournoie et brûle dans toute son âme. C'est une tempête rugissante qui la soulève presque au-dessus du sol.

Combien de temps se passe-t-il avant qu'un adulte la soulève réellement, en la saisissant sous les épaules ? Elle continue de battre l'air de ses bras durant un instant, avant de reprendre possession d'elle-même.

– Calme-toi, Stéphane ! crie la maîtresse. Regarde dans quel état tu as mis Sophie !

Sophie gît à terre et sanglote. Ses cheveux sont collés sur ses joues avec un mélange de morve, de terre et de larmes. Chaque centimètre de sa peau nue est lacéré par au moins un coup d'ongle ou de dent. La victime, entre deux pleurs, parvient à articuler :

– On… on… on aurait dit une… une bête sauvage !

Devant le portail en bois de la cour, Céleste la vieille épicière jette un regard désormais teinté de crainte vers Stéphane Certaldo, la petite fille aux yeux et cheveux gris, comme le pelage de certains loups âgés.

Vincent Villeminot

NICOLAS

LE PONT

La veille de l'épidémie, leur prof d'espagnol leur avait raconté les rites de la semaine sainte à Séville. Elle leur avait fait visiter, en touristes, l'église de San Antonio Abad, d'où partaient les processions. Ils avaient ricané tous les trois, avec Marc et Antoine, de ces superstitions.

Madame Minguez mourut deux jours plus tard. C'était le 25 octobre, au tout début de la fin de l'humanité. Ensuite, Cécile, Ines, Arnaud, Kevin moururent à leur tour, l'un après l'autre…

Ils restèrent à dix-neuf. Une petite poignée de Français jusqu'alors insouciants, turbulents, lycéens depuis deux mois seulement ; en voyage scolaire « linguistique », hébergés dans une auberge de jeunesse. Enfermés, confinés, interdits de retour, ils attendirent, terrifiés.

Ils voyaient à la télé espagnole des images du virus. Des images terribles d'Europe, d'Asie, d'Afrique et d'Amérique, de New York, de Dehli… De Paris aussi.

—

Nicolas parla plusieurs fois à sa sœur Séverine au téléphone. Le 1er novembre, lors de leur dernière conversation, elle lui confirma qu'il se passait la même chose à Paris, mais qu'en France les jeunes de leur âge ne mouraient pas.

D'autres copains avaient eu les mêmes échos.

—

Il fut le premier à sortir dans la ville pour en avoir le cœur net. Il vit qu'ici les adolescents mouraient. Des corps d'adolescents. Des centaines, des milliers d'adolescents parmi les victimes. Pas davantage épargnés que les autres.

La dernière fois que Nicolas vit des humains vivants, c'était dans la *calle del Silencio*. Ils étaient cinq. Ils s'étaient habillés comme le feraient des membres d'un Ku Klux Klan espagnol : tuniques longues jusqu'aux pieds, cagoules pointues, percées de deux trous pour les yeux. Cagoules et tuniques noires, pour le deuil.

Ils avançaient en chancelant. Ils essayaient de chanter, d'invoquer un miracle. Ils tombèrent au milieu de la rue, un à un, pendant la procession.

S'il était allé soulever leurs cagoules, Nicolas aurait vu le sang qui trempait leurs visages. Mais il n'osa pas.

—

Irun, 23 décembre

C'est à ces morts qu'il pense, aujourd'hui, en cet instant. Il rend les jumelles à Marc.

– Tu les vois ? demande son compagnon.

– Oui.

Nicolas ne peut rien dire de plus. Il a les larmes aux yeux. La dernière fois, c'était il y a deux mois…

Sur le pont, les trois humains qu'ils guettent ne chancellent pas. Ne titubent pas. Ne tombent pas. Deux mois après le début de l'épidémie, ils n'ont, apparemment, pas la fièvre.

—

Dans l'auberge, les jours passaient. Aucun des Français survivants ne déclenchait les fièvres.

Le silence. Ils restaient seuls. Mystérieusement oubliés, sans raison, par l'épidémie.

Avec Marc et Antoine, ils se risquèrent de plus en plus loin dans la ville. Ils cherchaient des survivants, appelaient, ouvraient des portes. Ils virent des centaines de voitures chargées pour fuir. Ils évitèrent des milliers de corps. Ils n'entendaient plus les gyrophares, les sirènes, les cris des premiers jours.

Pourquoi eux ? Pourquoi étaient-ils épargnés ?

Marc proposa de partir le 5 novembre. Certains ne voulaient toujours pas sortir, refusaient l'évidence.

– Il doit bien rester quelqu'un, quelque part… Ils vont venir nous chercher.

– On a cherché dans la moitié de la ville, dit Nicolas. On n'a vu aucun survivant… Mais en France, ma frangine a dit que les ados ne mouraient pas.

Il y eut plusieurs hochements de tête. De toute façon, il n'y avait pas le choix : s'il restait des foyers épargnés, c'était ailleurs. Ailleurs.

C'est Marc encore qui suggéra de prendre l'autoroute européenne 803, tout droit vers le nord, pour ne pas se perdre en chemin et pour éviter les villes. Ils ne savaient pas si la contagion pouvait se déclencher plus tard, si les cadavres provoqueraient d'autres maladies. Mieux valait croiser le moins de corps possible.

– Sur l'autoroute, les morts seront enfermés dans leurs voitures, pas à l'air libre…

Après avoir envisagé le voyage en scooter, ils préférèrent les vélos, parce qu'ils n'auraient jamais eu assez d'essence. Huit cents kilomètres. Nicolas avait trouvé des cartes. Ils dénichèrent un magasin de cycles. Ils oublièrent de prendre des rustines, de quoi réparer les mécaniques. Ils débutaient.

L'avantage, quand ils roulaient, c'est qu'ils étaient trop occupés pour se parler – à oublier les ampoules, à encaisser le vent froid, à garder l'équilibre, avec leurs affaires entassées sur leurs porte-bagages.

Ils n'avaient pas le temps de désespérer. En pédalant, Nicolas pensait à Séverine – toujours vivante ? Peut-être…

Plus tard, ils abandonnèrent tout ce qui n'était pas essentiel.

Ceux qui n'étaient pas chaussés ou vêtus pour ce genre de randonnée morflaient plus que les autres.

—

Dans une station-service, ils trouvèrent une pharmacie. Il fallut forcer le rideau de fer. Mais c'est ce jour-là, alors qu'ils trouvaient enfin de quoi se soigner, que les premiers craquèrent.

Nicolas passa des heures à parler à mi-voix avec Eliott et Maud. À leur répéter qu'en France ils ne seraient plus les seuls. Qu'ils ne pouvaient pas être seuls au monde.

Et maintenant, effectivement, il voit…

Ils s'arrêtaient tous les trois ou quatre kilomètres. Ils avançaient parfois plusieurs kilomètres en poussant les vélos.

Dans les stations de l'autoroute où ils s'alimentaient, en barres chocolatées, en eau minérale, en sandwichs à la date dépassée, en biscuits, dans les rares endroits où ils dégottaient de quoi se laver, il n'y avait que des morts. Couverts de croûtes, de mouches. Seuls les mouches, les oiseaux, les chiens et dix-neuf Français refusaient de mourir.

Ils virent de loin les clochers de Salamanque, les remparts de Zamora. Vides. Mortes, apparemment, dans leurs jumelles. Pas un mouvement, pas un bruit, sinon ceux de quelques meutes de chiens devenus charognards.

Il y avait, aux abords des villes, davantage de voitures abandonnées. Marc voulait qu'on s'en serve – qu'on en vide quatre ou cinq de leurs corps. Il disait qu'on pourrait essayer de conduire. Avec Antoine, ils tentèrent le coup un matin. Mais ils ne parvinrent pas à sortir le premier mort, il était trop liquide, trop décomposé pour se laisser faire. L'odeur du cadavre ne les quitta pas, pendant les deux jours suivants.

—

Chaque soir, ils bivouaquaient près d'une aire d'autoroute, où les réserves d'eau minérale leur permettaient de durer une journée de plus. Ils faisaient des feux quand ils trouvaient du bois. Autour de ces feux, ils inventèrent des explications, des systèmes pour comprendre ce qui leur arrivait... Ils se demandèrent si c'était une ruse de l'espèce ; une bizarrerie de la nature ; un truc darwinien. Une élection. Un signe mystique.

Nicolas, lui, répétait la même chose :

– Séverine est vivante.

—

Le silence qu'ils entendaient sur l'autoroute, en traversant les paysages déserts, seulement troublé par les cris des rapaces et par le vent de plus en plus froid, leur disait que c'était fou, mais qu'ils devaient s'habituer, qu'il n'y aurait plus personne, jamais. Certains d'entre eux pleuraient en marchant. Certains étaient brusquement saisis de crises de sanglots, d'hystérie.

Ahmed chantonnait toute la journée la même rengaine, une histoire triste qui se terminait mal, en hésitant toujours sur les paroles du dernier couplet. C'était comme si retrouver les paroles exactes de cette fin tragique était devenu la chose la plus importante du monde. Maud, de plus en plus, se mit à parler seule, un délire où il était question d'une faute qu'ils devraient tous payer, et de ses parents. Un matin, elle ne dormait plus avec eux – elle était partie. Son copain, Eliott, dit que c'était sûrement mieux ainsi.

Devant eux, la bande de bitume de l'autoroute était droite, interminable, au milieu de déserts de pierres. Autoponts, tronçons.

Vers la fin, pendant deux jours, Nicolas pensa qu'il n'y aurait jamais de bout – qu'ils continueraient d'avancer pendant des mois, des années, en direction du nord, le soleil se levant à leur droite, se couchant à leur gauche. Pendant deux jours, il fut hypnotisé par cette idée : une route interminable dans un pays entièrement vide. Il pensa qu'il devenait fou.

Ils devenaient tous fous.

—

Là, maintenant, Nicolas en pleure.

J'avais raison. J'avais raison…

Si ceux-là sont vivants, Séverine est vivante, murmure-t-il pour lui-même.

Il voudrait le crier. Il voudrait que Marc et Antoine l'entendent, et aussi les trois silhouettes, sur le pont. D'ici, il pourrait se lever, les appeler, il doit être à portée de voix. Mais il murmure.

Sait-il encore crier ?

—

Les souvenirs remontent, affluent. C'est comme si maintenant, maintenant seulement, il pouvait en souffrir. Comme s'il s'accordait enfin le droit de prêter le flanc à la fatigue, à la peur, panique...

Quatre jours après la disparition de Maud, l'interminable ligne droite se termina. Ils aperçurent la mer, au nord. Gijon. Ils trouvèrent de quoi manger pour quelques semaines.

Sur la plage, il y avait des cabanons où s'abriter, et le vent chassait la puanteur des cadavres. Les chiens errants gardaient leurs distances.

C'est là qu'ils laissèrent les quinze autres, ceux qui ne voulaient plus faire un pas, à bout de forces. Seuls Marc et Antoine continuèrent avec Nicolas, vers la France, pour savoir.

Ils promirent qu'ils enverraient des secours s'ils en trouvaient ; qu'ils reviendraient.

—

Nicolas est allongé sur le bitume, à trente mètres du

pont international au-dessus de la Bidassoa, qui sépare Irun l'Espagnole et Hendaye la Française. Il reprend les jumelles à Marc, regarde de nouveau. Les deux filles et le militaire, il les distingue parfaitement. Elles portent des gilets jaunes et des armes courtes, des bonnets à cause de l'hiver ; le soldat est casqué, il a un fusil. Ils fument, tous les trois.

Qu'attendent-ils ?

Nicolas s'appuie sur un coude, se relève. Il devrait rire, au lieu de chialer.

– Attends ! ordonne Antoine.

Son ami a sorti de sa poche le flingue qu'il a pris sur un flic mort, dans Séville.

– Qu'est-ce que tu fais ?

– On ne sait rien de ce qui s'est passé ici. Si ça se trouve, on n'est pas... les bienvenus.

– Les filles aussi sont armées, ajoute Marc.

– Mais ce sont... des humains.

Des humains. Vivants. Nicolas se redresse. Il lève les mains au-dessus de sa tête.

– Qu'est-ce que tu fous ? proteste Antoine.

– J'y vais...

Il met le pied sur la route. Vingt mètres. Il s'engage sur le pont, le pont de la frontière, le pont vers l'humanité. Les mains levées très haut.

Là-bas, il y a un cri. Une des filles en gilet jaune le désigne.

Un coup d'œil en arrière : Marc et Antoine le suivent.

De l'autre côté du fleuve, d'autres silhouettes s'agglutinent, les montrent du doigt à leur tour. Combien sont-ils, ici, les survivants ? Des dizaines, des centaines ?

Il voudrait courir vers eux, les serrer dans ses bras. Il a envie de baisser les mains, crier, chanter, rire, pleurer de soulagement.

Mais s'il fait un geste de trop, s'il accélère le pas, le militaire le prendra-t-il pour un ennemi ? Le tuera-t-il ? Ce serait vraiment trop con.

Alors, il prend son temps. Il respire l'air glacé. Il entend leurs voix crier vers lui, l'appeler.

Il goûte chaque seconde qui l'amène vers eux, du côté de la vie.

(Journal de Maïa) « *Le 19 décembre. Un nouveau dessin d'Alicia, qui est en pleine forme aujourd'hui…* »

U4.Stéphane
U4.Yannis

Florence Hinckel

FRANÇOIS

LES INADAPTÉS

21 décembre

Une rafale de mitraillette vrille mes tympans. La lumière crue des projecteurs m'éblouit. Les sommations au mégaphone me paralysent. J'ai les bras levés. Pourvu qu'ils voient mes bras levés ! Et combien je suis inoffensif ! Mais une douleur vive me transperce le cœur. J'y pose mes doigts. Un liquide gluant. Du sang. Mon sang. Panique, douleur et tristesse se mêlent. C'est donc ainsi que ça finit. Tout finit. Un voile se pose sur mes yeux et sur mon âme. Le néant m'engloutit.

Je me réveille en sursaut au moment précis où je meurs dans mon rêve. Mais ce n'est pas moi qui suis mort. C'est Marco. Et c'était il y a onze jours à peine.

Moi, je suis dans un lit d'hôpital sans être malade. Bien en sécurité et au chaud dans un bâtiment de la Salpêtrière transformée en R-Point. Comme chaque matin, j'ai une pensée pour mon ami Yannis. Je l'ai vu pour la dernière fois il y a huit jours et il me manque déjà. Où est-il ? Qu'est-il devenu ? Est-il encore vivant ? S'est-il enfin rendu compte que Stéphane était en train de tomber amoureuse de lui ? Il plane tellement parfois que, si ça se trouve, il a laissé passer sa chance. Mais peut-être pas.

Je sais que sa vie sentimentale est beaucoup moins importante que sa vie tout court, mais je préfère l'imaginer amoureux plutôt que mort. Ça m'aide à tenir. C'était ma façon de tenir, déjà, avant la catastrophe. J'ai toujours aimé les histoires d'amour dans les livres… sans en avoir jamais vécu une seule.

Orgueil et préjugés de Jane Austen, *Le Diable au corps* de Raymond Radiguet, *Le Blé en herbe* de Colette, *L'Amant de lady Chatterley* de D.H. Lawrence… Des heures de tourments et de délices.

Guide pratique du potager productif en ville : c'est le titre du premier bouquin de la pile que je pose sur une table, deux heures plus tard. À ranger dans la section « Agriculture » de la bibliothèque que nous avons pour mission de constituer, Soléa et moi. Une pièce qui servait autrefois de bureau administratif nous a été allouée. De multiples étagères y font office de rayonnages.

Soléa tient des cahiers où elle note les titres, les noms d'auteur et les sections dans lesquelles nous classons les bouquins. Quand on doit trouver un ouvrage demandé par l'une ou l'autre section de la Salpêtrière (*Comment construire un chauffage au fioul*; *Tout savoir sur les toilettes sèches*; *Vivre en communauté*; *Les cinq étapes du deuil*...), Soléa soupire invariablement en compulsant ses registres :

– Qu'est-ce que j'aimerais avoir un tableau Excel ! Quand même, ils pourraient nous permettre d'utiliser l'énergie pour au moins un ordinateur...

Je regarde ses mèches brunes caresser le papier pendant qu'elle écrit. J'observe ses doigts fins tracer des lettres rondes. Je détaille son visage : elle n'est pas à proprement parler jolie. Son teint est trop pâle, ses lèvres sont trop étroites, et son nez est trop long. D'autre part, ses paupières clignent trop vite, par moments, dans un tic nerveux. Mais elle a un sourire jocondien et un regard trouble et intrigant. Comme elle lève la tête, je suis paniqué à l'idée que ses yeux noisette se posent sur moi, alors j'ouvre *Survivre en milieu hostile* et je fais semblant de lire. J'y arriverais mieux si c'était plus intéressant.

– Pas question de lire des romans ! avait prévenu le type au brassard jaune lors de la réunion d'intégration au R-point à laquelle j'ai assisté à ma sortie du cachot.

Une dizaine de « primo-arrivants » m'entouraient, installés sur des chaises en plastique, caressant leur bras à intervalle régulier : fraîchement pucés, comme je l'ai été moi-même juste après mon arrestation. Le brassard jaune nous avait expliqué qu'ici chacun devait se rendre utile, sans oisiveté possible. Parmi les rôles et missions à pourvoir, il venait de mentionner l'élaboration d'une nouvelle bibliothèque. Comment ? En écumant les bibliothèques parisiennes pour y dénicher les ouvrages techniques les plus intéressants pour notre vie ici... disons plutôt notre survie.

Une fille noire, un grand garçon assez baraqué, Soléa et moi avons levé la main pour postuler. Voilà comment je suis devenu l'un des nouveaux moteurs de recherche du R-Point...

Soléa laisse son regard se perdre par la fenêtre.

– Tu as vu, dit-elle, il neige. C'est bientôt Noël...

– Tu crois qu'on va fêter ça, au R-Point ? Genre guirlandes illuminées, chants populaires et petits cadeaux ?

– Mais bien sûr ! Et peut-être que j'aurai enfin le téléphone portable dernier cri dont je rêve depuis des mois !

Je m'approche de la fenêtre pour y observer les flocons, puis je murmure :

– J'aimerais fêter Noël chez moi... Même si...

– Tu habitais où ?

– À Saint-Cyr-au-Mont-d'Or, pas loin de Lyon.

– C'est pas vrai ?!

– Si, pourquoi ?

– Je passais toutes mes vacances à Lyon. C'est là que vivaient mes grands-parents. J'adore le parc de la Tête d'Or.

– Je connais parfaitement... Ça a un peu changé depuis le virus, tu sais.

Elle soupire :

– Ils devraient permettre à ceux qui le souhaitent de retourner chez eux quelques jours, ne serait-ce que pour y retrouver des souvenirs...

– Tu sais que tu peux quitter le R-point, si tu veux ? Des convois sont en cours de préparation, pour repeupler les campagnes.

– Je sais, répond-elle, j'ai entendu des filles en parler. Elles sont volontaires pour partir en Bretagne, elles partent demain. Mais ce n'est pas comme retourner chez soi, et puis je ne connais rien à la campagne !

Se reconstruire une vie, ailleurs… En un flash me vient la vision d'Elissa, de sa petite maison avec toutes ses installations autonomes. Mais moi aussi je me sens inapte à la vie agricole…

Le regard de Soléa s'illumine alors que je retourne près des piles de livres.

– Et si tu y allais ? chuchote-t-elle en battant des paupières de manière incontrôlée.

– Où ça ?

– Chez toi ! Pour Noël.

Des images chaleureuses dansent tout doucement dans ma tête…

La porte de la pièce s'ouvre brutalement et on sursaute tous les deux. Furtivement, je crains qu'il ne s'agisse d'un brassard jaune, qui nous aurait entendus. Délit de désir de fuite ! Mais nous nous détendons en voyant avancer Isa, une fille à frange châtaine et lunettes rondes. C'est déjà une habituée de notre bibliothèque toute neuve. En tant que membre de la section des soignants, elle est venue trois fois pour demander des livres médicaux. Elle s'adresse à Soléa :

– Salut. Est-ce que vous avez de nouveaux bouquins sur la formation des sages-femmes ?

Soléa plisse les yeux pour réfléchir, mais je réponds à sa place :

– Je crois qu'on a un livre qui pourrait t'intéresser. Depuis que tu m'en as demandé, on veille à en rapporter de chacune de nos expéditions.

Tandis que Soléa se replonge dans ses registres, je me déplace dans les rayons jusqu'à trouver l'ouvrage auquel je pense, que j'ai rangé la veille : *Mémento de la sage-femme*. Tout en le dénichant, je songe au moment où l'on me demandera des bouquins de Françoise Dolto sur l'éducation des mômes. Tout ce qui arrive est si bizarre… Des enfants qui naissent dans ce monde ? Un monde où l'on a à peine le temps de rêver à l'amour ? Ça me terrifie, l'espace d'un instant.

Je tends le livre à Isa, mais elle ne réagit pas. Elle semble absorbée dans la contemplation… de mon sac à dos qui gît par terre contre le pied d'une table, juste devant elle.

Un roman « interdit » en dépasse ! Il y a deux jours, lors de ma dernière sortie avec Paul-le-baraqué, à la médiathèque Jean-Pierre-Melville du 13e arrondissement, je n'ai pas pu résister. Sans qu'il me voie, j'ai fourré dans mon sac à dos un roman qui s'appelle *Belle du Seigneur*, d'Albert Cohen, et un autre intitulé *L'Amour aux temps du choléra*, de Gabriel García Márquez. « Si on pouvait s'aimer aux temps du choléra, il y a de l'espoir aux temps d'U4 », m'étais-je dit… Je fais un bond pour me placer entre Isa et mon sac, afin qu'elle ne puisse plus voir *Belle du seigneur*. Elle est obligée de me regarder, maintenant, et elle prend le livre de médecine en me remerciant d'un air indéchiffrable. Après qu'elle a tourné les talons, je me précipite sur le bouquin pour l'enfouir au tréfonds de mon sac et je me redresse prestement. Soléa choisit ce moment pour lever les yeux vers moi.

– Qu'est-ce que tu as ? Tu es tout rouge.

– Rien. Ou plutôt si… Je repense à ce que tu as dit tout à l'heure. Retourner chez moi ? Avec la puce que j'ai dans le bras, je ne pourrais pas faire dix mètres sans qu'on me cueille illico. Et toi, pourquoi ne retournerais-tu pas chez toi ?

– J'habitais un appartement du 11e, mais des pilleurs ont tout saccagé. Ils ont brûlé mes affaires pour se réchauffer. Il n'y a plus rien. Mais… j'aimerais bien fêter Noël dans une vraie maison.

Les battements de mon cœur s'accélèrent alors que je sens monter en moi une folie. Cette folie, c'est de répondre, comme si je me jetais du haut d'une falaise :

– Viens avec moi. Viens fêter Noël chez moi. On part juste quelques jours et on revient ici, après. C'est risqué, mais on peut le tenter. J'ai déjà fait le trajet dans l'autre sens !

Qu'est-ce qui m'a pris ? Elle va répondre un truc comme : « Super, j'en parle à Paul ! Il sera ravi de venir avec nous. » Mais elle plante son regard dans le mien. J'y vois une flamme de défi, de joie et d'encore autre chose que je n'arrive pas à nommer. Elle répond gravement :

– OK.

Je pense à la réplique culte d'Augustus Waters et Hazel Grace Lancaster dans *Nos étoiles contraires*, mais elle ne l'a sans doute pas fait exprès.

Les ciseaux et le scotch qu'on utilise pour rafistoler les ouvrages ; du papier aluminium déniché dans la cuisine… Hop, dans mon sac. Je trouve les cartes et les plans nécessaires pour planifier le parcours avec minutie, et ensuite je me demande : « Qu'aurait emporté Yannis ? » Je me remémore ce qui nous a été utile durant notre périple de Lyon à Paris et je m'équipe efficacement, je crois. Je prélèverai ce qui manque dans des magasins ou des habitations au-dehors. Et je cache *Belle du Seigneur* sous mon matelas. Je le lirai à mon retour. Mais je ne peux pas m'empêcher d'emporter *L'Amour au temps du choléra*, qui m'intrigue trop.

22 décembre

Soléa et moi quittons le R-Point en toute sécurité, sur nos vélos, munis de notre ordre de mission qui devrait nous protéger dans tout Paris. Nous nous sommes encore mieux couverts que d'habitude, passant nos doudounes par-dessus deux pulls. Le bonnet de Soléa est en laine blanche avec un pompon, seule une mèche noire en dépasse, et son regard brille d'excitation, comme si on allait à la fête foraine.

Nous ne nous rendons pas à la bibliothèque François-Mitterrand, comme c'était prévu. Dès que nous trouvons un endroit calme et désert, nous scotchons une bande de papier aluminium sur nos bras pour brouiller le signal de la puce, puis nous repartons sous la neige qui tombe à gros flocons, vers le sud de la ville.

Environ cent mètres avant le barrage de Gentilly, je me mets à trembler de tous mes membres. C'est là que j'ai été arrêté… et que Marco est mort. C'est là que chaque nuit, dans mes cauchemars, je meurs à mon tour. Je me suis promis de ne plus jamais prendre ce genre de risque. Mais qu'est-ce que je fous là ?

Pourquoi tu t'arrêtes ? demande Soléa.

– Je… je ne sais pas comment on va passer ce barrage.

Je me tourne vers elle, et son air décidé me bouleverse. Elle n'a pas peur ! Elle a plutôt l'air de réfléchir posément à une solution. Je ne peux pas la décevoir. Il me faut trouver du courage très profondément en moi. Je lui souris et déclare :

– En fait, si, je sais comment faire. D'abord, ôte l'aluminium sur ta puce.

Je prie pour que, durant un instant, le militaire assis devant l'écran chargé de la surveillance des puces hors des R-Points pique un petit somme ou bien ait furieusement envie d'aller boire un café ou d'aller aux toilettes. Puis je me souviens de la lecture d'un tome de *Cherub* : la réactivation du même type de signal GPS prenait une minute environ. J'enlève aussi le morceau d'aluminium scotché sur mon bras.

– Suis-moi, dis-je.

Je m'élance sur mon vélo, au-devant des trois militaires bardés d'armes, plantés devant un tank. Ils vont lever leurs fusils, les pointer sur Soléa, tirer, et le cauchemar va recommencer. C'est seulement à ce moment-là que je réalise qu'on n'a même pas essayé de se procurer la moindre petite arme… En faisant mon sac, j'ai oublié de me poser la question : « Qu'aurait emporté Stéphane ?! »

Pourtant, je m'approche d'un soldat avec une assurance feinte. Puis je lui tends notre ordre de mission, en expliquant :

– La bibliothèque qu'on doit visiter se situe sur la commune de Gentilly.

Soléa intervient, avec son plus beau sourire :

– C'est la médiathèque de la ville, elle contient un rayonnage spécial sur la survie.

L'homme s'empare du papier, le lit, nous dévisage l'un après l'autre, puis fait signe à l'un de ses collègues d'effectuer une palpation de sécurité. Finalement, heureusement que nous ne sommes pas armés ! Comme prévu, le militaire remonte aussi nos manches. Le coup des bouts d'alu est connu. Il hoche la tête après sa fouille, et celui qui semble être le chef conclut :

– C'est bon. Allez-y.

Plusieurs mètres plus loin, Soléa me souffle :

– Bien joué ! C'est vrai que l'ordre de mission ne spécifie jamais le nom de la bibliothèque ni sa localisation…

Toujours cette lueur dans son regard !

Je recommence à respirer normalement alors qu'on s'engage sur l'autoroute A6, après avoir replacé nos bandes d'aluminium sur nos bras.

Le jour décline et tant mieux, nous serons moins visibles enveloppés par la nuit. Une sensation de liberté mêlée de joie m'étreint, à tel point que je fais des zigzags sur la route, puis je roule en lâchant le guidon. Soléa rit, puis m'imite... On se rend vite compte qu'on ne sera pas chez moi pour Noël, à ce rythme, alors on échange nos vélos contre un scooter, que l'on trouve dans le garage d'une maison aux abords de Villejuif.

C'est une belle nuit d'encre pure, dans laquelle le phare de notre engin découpe un rond jaune.

23 décembre

Il nous faut plus de quatre heures pour arriver à Sceaux, dans l'Yonne, près d'Avallon et Sauvigny-le-Bois. Nous avons effectué de fréquents arrêts pour nous reposer et changer de conducteur, et aussi pour trouver du carburant. Notre enthousiasme s'est émoussé avec la fatigue et le froid. Nos yeux se ferment tout seuls. Nous dénichons une maison vide où passer le restant de la nuit, puis la journée suivante, car il serait trop dangereux de circuler de jour. Des rôdeurs crient et tapent sur les volets, ce qui nous terrifie. Ensuite ce sont des chiens qui hurlent à la mort. On se rassure mutuellement, en se racontant des histoires.

À la tombée de la nuit, on remonte sur le scooter.

Lorsque nous passons à proximité de chez Elissa, la

tentation est grande de lui rendre visite. Mais je sais qu'elle est surveillée par l'armée, et ce serait un trop grand risque à faire prendre à Soléa et à Elissa elle-même.

24 décembre

– On y est, déclare Soléa. On a réussi.

Elle pointe un index conquérant en direction du panneau qui indique l'entrée de Saint-Cyr-au-Mont-d'Or. Il doit être à peu près une heure du matin. Je suis fier de nous deux. On a bien croisé plusieurs ados sur notre trajet, mais aucun n'était agressif. Tout a été tellement plus facile qu'avec Yannis, Stéphane et Marco ! Tous ces meurtres… Avec Soléa, tout est simple et léger. Et puis surtout, nous ne sommes pas poursuivis pour terrorisme, comme Yannis et Stéphane.

Je stoppe le moteur à l'orée de la ville.

– C'est par où, chez toi ? demande-t-elle.

– On va faire un détour, je réponds avec un sourire en coin.

On a d'abord des emplettes à faire. Pour cela, rien de mieux qu'une grande surface. Je redémarre pour m'arrêter sur le parking du Carrefour que fréquentaient mes parents. J'éteins le phare du scooter et allume une lampe torche. Il est facile d'entrer dans le magasin : l'une des vitres, non protégée par un rideau métallique, a été cassée. J'espère qu'il reste des produits dans les rayons…

Les biens de première nécessité ont été pillés, mais on n'a aucun mal à trouver le superflu. Je suis quand même hyper-déçu parce qu'on ne trouve que des décorations de Halloween et aucune de Noël. Tant pis ! On bourre un grand sac de sport de toutes les décorations qui nous plaisent, même les plus kitsch. On se sert aussi en chocolats et en boissons. Je déniche des boîtes de conserve alléchantes. De quoi confectionner un festin. Et on flâne dans le rayon des jouets. On y trouve plein de boîtes de jeux qui nous faisaient rêver quand on était petits.

– Inutile de se charger, fait Soléa, qui a sans doute autant envie que moi de se servir.

Mais alors qu'elle flâne dans le rayon d'à côté, je cherche quand même quelque chose à lui offrir pour Noël. C'est un vrai casse-tête, mais je finis par trouver quelque chose. J'espère que ça va lui plaire !

– J'ai super sommeil, avoue Soléa en me rejoignant.

J'ai rangé son cadeau juste à temps dans mon sac.

– Suis-moi.

Je prononce ces deux mots, « suis-moi », avec un plaisir jusque-là inconnu. Je l'entraîne hors du magasin, pour pénétrer dans un autre juste à côté : Ikea, aux rideaux de fer tordus et aux vitres également brisées. On s'y promène comme si c'était chez nous. L'endroit est désert. Je suppose que tous les ados des abords de Lyon ont été emmenés au R-Point de la Tête d'Or. Ils ne rigolent pas trop par ici. Je tremble en pensant à ce qui nous arriverait si des militaires nous trouvaient. Mais je secoue la tête pour chasser cette angoisse.

– J’ai toujours rêvé de prendre tout ce que je voulais dans ce genre de magasin ! lui confié-je.

– On va faire mieux que ça, dit-elle avec malice.

On se rend dans l’emplacement réservé aux meubles pour chambres, et on essaie tous les lits en riant et en sautant dessus. Puis on récolte tout un tas de couvertures pour ne pas avoir froid et on se cale dans deux lits mitoyens. J’éteins la lampe torche. Tout est noir.

– Je crois bien que je n’ai jamais dormi sur un matelas aussi confortable ! s’écrie-t-elle avant de lâcher un long bâillement satisfait.

Je bâille aussi, puis après un silence je murmure :

– Parle-moi un peu de toi… De ta vie d’avant.

Est-ce bien moi qui ai osé prononcer cette phrase ? Elle n’a pas l’air de s’en offusquer.

– Moi ? Ça t’intéresse vraiment ?

Elle réfléchit une seconde avant de se lancer :

– D’accord. Eh bien… on se moquait de moi parce que j’avais toujours le nez fourré dans un bouquin. On me surnommait l’intello, la lèche-cul, la coincée, enfin tu vois.

– Je vois.

– Tu sais, je tenais même un blog pour partager mes avis de lecture !

– T’étais une blogueuse ?

– Oui ! Je faisais partie de toutes les communautés de lecteurs possibles et imaginables. C’était hyper sympa. Parfois on se rencontrait même en vrai, entre nous. On n’était quasiment que des filles, mais ce n’était pas grave.

Pour ma part, c’est la première fois que je rencontre

en vrai quelqu'un qui aime lire autant que moi. Elle évoque avec passion ses derniers coups de cœur de lecture. On en a plusieurs en commun ! On discute de ces livres durant un temps infini, avec un plaisir fou. Quand je m'écarte de mes lectures pour parler un peu de moi, j'ai conscience de ne pas être très passionnant, alors je parle d'un autre roman, puis je lui lis le début de *L'Amour aux temps du choléra.* Cette nuit-là est peut-être bien la plus belle de ma vie. Le sommeil nous happe sans qu'on s'en rende compte…

Au petit matin, pour être plus discrets, on troque de nouveau le scooter contre des vélos, trouvés au Decathlon d'à côté. On est très chargés mais on arrive quand même à rouler, tant bien que mal, en direction de chez moi.

Plus on approche, plus je pense à Yannis et Stéphane. Sont-ils déjà proches de la plus vieille horloge de Paris pour le rendez-vous d'aujourd'hui ? Je connais assez bien Yannis pour savoir qu'il aura envie d'aller sauver le maximum de ses amis Experts. Il faudrait que le ciel lui tombe sur la tête pour qu'il fasse un autre choix… Yannis, fais attention à toi. Toi, tu es si loin de chez toi. Moi, j'arrive chez moi.

Ma maison…

Les sépultures dans le jardin. Mes parents et mon grand frère.

Je savais déjà que l'endroit avait été pillé. Je l'avais vu

avant de prendre la route avec Yannis, Stéphane et Marco. Et ça m'avait crevé le cœur. Mais cette fois-ci, avec Soléa, l'espoir parvient à dépasser la tristesse et l'accablement.

– Au boulot ! lance-t-elle.

Grand nettoyage. On jette ce qui est cassé, on lave, on nettoie, on redresse... On s'arrête de temps en temps pour savourer un chocolat, et quand on plonge en même temps la main dans la boîte, on éclate de rire. Bien sûr, il est impossible de réparer mon piano qui a été gravement amoché ni de nettoyer les murs couverts de graffitis, il nous faudrait tout repeindre, mais on parvient à donner une apparence acceptable à mon ancien foyer. Lorsque tout est propre, on décore. J'ai retrouvé le carton de Noël rangé au fin fond d'un placard au premier étage, où les pilleurs n'ont pas fait trop de dégâts. On fixe des guirlandes de toutes les couleurs sur les murs et les meubles. On pose des boules dorées dans chaque recoin ainsi que des figurines de père Noël ou de lutins.

– Le piano pourrait remplacer le sapin, suggère Soléa.

Je cours chercher des charentaises que je place sous mon tabouret de piano. Ça la fait rire.

Puis le soir arrive. J'allume des bougies et nous dressons la table. Au menu : crabe, crevettes, cacahouètes, petits légumes en conserve, biscottes...

– Hé, regarde ce que j'ai pris dans le magasin, s'exclame Soléa en brandissant une bouteille de champagne.

– Cool !

Tandis qu'elle fait sauter le bouchon, je me torture

mentalement : « Est-ce que je lui offre son cadeau ? Et si elle ne l'aime pas ? Et si elle trouve ce geste ridicule ? »

Entre deux gorgées de champagne, la flamme de son regard dont j'ignore la source danse encore plus fort. Puis elle sort de sous la table une boîte enveloppée de papier cadeau.

– Joyeux Noël, me souhaite-t-elle du bout des lèvres.

C'est prouvé : elle est mille fois plus courageuse que moi. Je saisis, remercie, rougis sans doute et déballe le cadeau.

– Un kaléidoscope ! J'ai toujours adoré les kaléidoscopes !

Je colle mon œil contre le tube en carton que je fais tourner pour que les formes changent. Les paillettes mouvantes et multicolores semblent avoir une vie propre. Je lui tends l'objet pour qu'elle essaie à son tour, puis j'ose :

– Moi aussi j'ai quelque chose pour toi.

Cette fois, je suis sûr de moi. Sûr que ça va lui plaire. Quand elle découvre le souffleur à bulles, sa réaction me décomplexe totalement.

– C'est un de mes plus beaux cadeaux de Noël ! s'exclame-t-elle.

– Arrête, ça m'étonnerait.

– Non, je t'assure.

Je ne la crois pas mais ça n'a aucune importance. On sent bien qu'on devrait au moins se faire la bise pour se remercier, mais aucun de nous deux n'a le courage d'amorcer ce geste. À la place, on fait des bulles de savon, qu'on regarde flotter dans les airs, puis éclater sur le rebord d'un meuble. Les bulles de champagne, quant à elles, éclatent dans mon cerveau.

– Au fait, dit Soléa comme si elle venait de se réveiller, tu ne m'as pas montré ta chambre...

– Oh ! c'est vrai.

– Je veux la voir !

– T'es sûre ?

Ma chambre ? Mon bastion. Ma tour d'ivoire. Le seul endroit où j'étais tranquille dans ma vie d'avant, hors du temps, hors du monde, où je pouvais lire, et lire, et lire encore... Seuls de rares copains y avaient pénétré, et encore la dernière visite devait remonter à au moins deux ans. Mais une fille ! Jamais une fille n'est entrée là. Et ça me paraît tout à fait impensable que ça arrive.

– Tu sais, dis-je, c'est peut-être pas la peine. On est bien, ici, non ?

– De quoi as-tu peur ? Tu dissimules quoi, là-dedans ? Une passion pour les vampires ? Des posters de femmes nues ? Ou, au contraire, des portraits de Violetta !

– Je t'assure, rien de tout ça, mais...

J'essaie de me raisonner. Après tout, pourquoi est-ce que j'ai si peur ? C'est complètement irrationnel, je le sens bien...

– Allez, supplie-t-elle.

Résigné, j'ajoute :

– D'accord, viens.

Dans une seconde elle saura qui je suis vraiment. Je réfléchis à toute vitesse, repassant mentalement chaque recoin de mon antre dans ma tête : quel détail pourrait la rebuter ?

Un peu tremblant, j'ouvre la porte, et la laisse passer devant. Elle avance jusqu'au centre de la pièce et reste muette en tournant doucement sur elle-même. Puis elle s'écrie :

– Tous ces livres ! Ta chambre en est remplie ! Il y en a même sur et sous ton lit.

– Je t'avais dit que j'aimais lire.

– Oui, mais à ce point… je n'avais pas réalisé.

Je la laisse parcourir les titres et je m'attends à l'entendre pouffer devant certains romans particulièrement romantiques. Mais elle ne pouffe pas. Elle va de l'un à l'autre. Elle feuillette un ouvrage avant de le poser et d'en prendre un nouveau.

– Ce sont vraiment tes livres ?

– Oui…

– Tu les as tous lus ?

– J'avoue, il y en a un ou deux que je n'ai pas finis…

– Ça alors !

– On redescend ? Il reste des chocolats.

Mais elle ne bouge pas, comme hypnotisée.

– C'est complètement fou…

Moi, j'ai déjà la main sur la poignée de la porte.

– Je désespérais vraiment de trouver un garçon qui ait comme moi besoin de vivre dans une cabane tapissée entièrement de bouquins…

Elle me regarde, toujours avec cette lueur dans les yeux, si indéchiffrable jusque-là.

– Et un garçon si… si… si bien que toi.

Comme un coup dans le plexus. Ça y est, je sais ce que signifie cette lueur ! Je lui plais. Depuis le début, je lui plais ! En dépit d'un doute sérieux sur les qualités qu'elle pourrait me trouver, cette découverte extraordinaire fait chauffer mes joues. Son regard me transperce avec une telle intensité que je ne peux pas me tromper. Si elle a lu les mêmes bouquins que moi, je sais ce qu'elle attend.

Alors je fais un pas, je rabats l'une de ses mèches noires derrière son oreille, j'ai peur et en même temps tout son être paraît m'encourager, je sens l'atmosphère palpiter autour de nous, je me penche vers elle et… je l'embrasse.

Je l'embrasse ! Cette douceur, cette intensité, cette vie qui pulse… C'est encore meilleur que dans tous mes romans. C'est un feu d'artifice. J'ai l'impression que ce n'est pas moi, ou bien que je suis dans un film. Soléa est tout ce qui existe au monde durant cet instant.

Quand le baiser prend fin, je redeviens moi seul, mais elle reste dans mes bras. J'ai peur qu'elle trouve que les battements de mon cœur sont trop forts et trop rapides. Peur qu'elle se rende compte combien je transpire, aussi. Ou qu'elle se moque de mes bras qui tremblent autour d'elle. Je sens moi-même son cœur battre aussi fort et vite que le mien. Elle frissonne puis chuchote :

– On va rester ici pour lire exactement ce qu'on veut, quand on veut. Pour devenir ce qu'on veut. Pour créer une bibliothèque qui ne contiendra pas que des ouvrages pratiques !

Tous les livres autour de nous paraissent me hurler

la seule réponse raisonnable, si l'on se place du côté de la vie, et les romans sont toujours du côté de la vie. « D'accord », devrais-je répondre ! Mais un bruit grandissant me tire peu à peu hors de ma bulle de bonheur. Des pales d'hélicoptères tournoient non loin…

L'image de Marco qui s'écroule se heurte au goût du baiser que j'ai encore sur les lèvres. La sécurité contre l'amour… Jusque-là, nous avons eu de la chance, elle et moi, mais demain ? La puce dans mon bras me brûle. Et un doute me transperce de façon fulgurante : était-il bien malin de disparaître pile le jour du rendez-vous des Experts de WOT ? L'armée ne va-t-elle pas de nouveau croire que je suis un terroriste ?….

Je frémis tout en essayant de n'en rien montrer. J'ai envie de lever les mains et de me rendre, comme le jour où Marco… Mais Soléa me demande, avec un sourire espiègle :

- OK ?

Je me sens dans la peau d'Augustus Waters durant un centième de seconde. Je réponds illico :

- OK.

Si délicieux centième de seconde !

PAUL

LA DISTANCE IDÉALE POUR LE TIR

Marseille, 21 décembre

La distance idéale pour ce genre de tir, selon lui, c'est cinq cents mètres. Avec un fusil de précision, le projectile atteint la cible plus vite que le son – elle n'a pas le temps d'esquisser un geste, la cible, de tenter la moindre esquive qui pourrait fausser le résultat. L'effet de surprise et de saisissement fonctionne à plein.

Pas besoin d'utiliser un silencieux. Paul n'en dispose pas, de toute façon.

La balle chemisée pénètre dans la boîte crânienne, deux centimètres environ au-dessus de l'intersection des sourcils. Elle éteint les fonctions vitales en touchant le lobe frontal.

La vitesse prise par la munition suffirait sans doute à créer un impact mortel, même sans qu'elle touche un point névralgique, même avec un calibre modeste comme la cartouche 7.08 Rem.

Le .22 Long Rifle, en revanche, est exclu à cette distance.

L'autre avantage, à cinq cents mètres, c'est que Paul a largement le temps de fuir, ensuite. Si d'aventure les compagnons de sa victime ont repéré l'endroit sur lequel il s'était perché pour tirer, il dispose d'au moins deux cents secondes pour déguerpir.

Il les décompte dans sa tête, en général. Lentement. 200. 199. 198… Mais c'est assez facile de disparaître en trois minutes dans le *no man's land* qu'est devenue Marseille. Il y a des centaines d'immeubles aux cages d'escalier vides, aux portes forcées sur des appartements ouverts. Des chambres désertes, des placards sombres et accueillants, parfaits pour se planquer.

Le seul ennui, ce sont les cadavres. Personne ne s'occupe plus de brûler les morts, depuis près de deux mois. Ça pue.

Pour pimenter la fuite, Paul ne repère jamais son itinéraire de repli.

Cela a failli lui jouer un tour le 12 décembre. Quand il a dégringolé l'escalier de secours de l'immeuble sur lequel il s'était posté, il est tombé en pleine bacchanale – des « casquettes rouges » qui fêtaient Dieu sait quoi et qui l'ont vu passer devant « elles », son fusil en main. « Elles » l'ont poursuivi pendant une demi-heure. Il n'a dû finalement son salut qu'à une cave ouverte et au fait qu'« elles » avaient déjà beaucoup bu.

Sans doute le psychologue qui a suivi Paul, avant l'épidémie, penserait que cette façon d'agir est une forme de pulsion suicidaire. Sans doute. En attendant, le psychologue est mort, comme tous les adultes et la plupart des jeunes que Paul connaissait. Alors, qui est le suicidaire, finalement ? Le seul qui ait survécu ? Vraiment ?

—

L'inconvénient en revanche, à cinq cents mètres, c'est le mistral.

Une bourrasque violente, de nord-ouest à nord, peut fausser la visée avec un calibre léger. Mais ce n'est pas rédhibitoire : c'était déjà le cas au tir de compétition à trois cents mètres, en « match anglais » ou en « double trap ». Il faut juste en tenir compte.

Ce soir, il n'y a pas de vent.

Tant mieux car ce soir, il tirera à très longue distance.

—

Paul est au pied des escaliers.

Il passe devant le tank de l'armée américaine, vestige de la Seconde Guerre mondiale que les casquettes rouges ont essayé de faire redémarrer en novembre. En pure perte. Qu'est-ce qu'ils imaginaient, ces voyous ? Qu'il suffisait de mettre en contact les fils du démarreur, comme sur une vieille bagnole ? Que la mairie avait laissé pendant des décennies un véhicule de guerre à la merci du premier *car-jacker* venu ? De frustration, les crétins à casquettes rouges ont incendié le blindé avec leurs bouteilles d'essence. Il a brûlé aux trois quarts.

Un peu plus haut, dans le virage, une cabine téléphonique est restée là elle aussi, on ne sait pas bien pourquoi. Un oubli de la mairie. C'est à peu près à cet endroit que Paul a embrassé Vic. Pour la première fois, la dernière également. C'était... inattendu. Organique. Agréable.

Techniquement, c'est d'ailleurs plutôt elle qui l'a embrassé. Il l'avait emmenée voir la ville – ce n'était pas prudent, mais elle le lui avait demandé avec insistance. Et elle l'a embrassé ce soir-là, le 18 novembre, leur dernier jour à Marseille.

Les dents de Paul grincent un peu.

Il ne doit pas penser à Vic. Parfois, quand il songe à elle, une sueur glacée commence à perler sur son front, il a les mains moites ; parfois même, les larmes lui montent aux yeux, et il perd en précision.

Il ne pense qu'à elle, il accomplit tout ça, les tirs et le reste, pour elle, mais elle ne doit pas le distraire.

Sinon, il va commettre d'autres erreurs.

L'erreur qu'il a commise le 18 novembre est d'avoir accepté de monter à la « Bonne-Mère », la basilique, avec Vic. Marseille était presque déserte, déjà. Ne restaient que les pillards, qui commençaient à se battre entre eux, et leurs proies, trop terrorisées pour trouver la force de se barrer. Des faibles. Des lâches. Dans une jungle.

Seuls les plus forts survivent, dans une jungle...

Paul est fort. Il l'était déjà. Mais pas Vic. C'est ce qui lui plaisait chez elle, sa vulnérabilité.

—

Il respire un peu trop fort. Mais il est arrivé.

Il s'installe, cale le trépied de la Remington 700, vérifie la stabilité, essuie ses mains sur son pantalon. Il se recoiffe. L'air de décembre le fait frissonner. Il nettoie le sol puis s'allonge – en position du tireur couché.

De la basilique, la distance à vol d'oiseau qui le sépare du Vieux-Port est d'environ un kilomètre. Peut-être un peu plus. À cette distance, la lunette de visée est indispensable.

Dans l'optique, il voit parfaitement le Vieux-Port.

Comme il l'a espéré, « elles » sont une bonne vingtaine autour des feux, sur les quais. Les « casquettes rouges ».

« Elles » auront plusieurs dizaines de mètres à parcourir, en tous sens, avant de pouvoir échapper à son tir.

—

– C'est ta fête, ce soir… dit-il à Vic. Ils fêtent le solstice, et je leur apporte ton cadeau.

Vic.

Victoria.

Sans l'épidémie, sans doute Paul n'aurait-il jamais eu l'occasion de lui parler. Elle était la fille la plus belle de son lycée, l'une des plus populaires de ce fait. Sans l'épidémie, il aurait simplement continué d'être un fantôme à ses yeux. Les garçons auraient continué à se foutre de sa gueule – de son caractère méticuleux, organisé presque à l'excès, de sa façon de s'empourprer et de bégayer dès qu'on lui adressait la parole, de ses boutons de polo fermés, de ses pantalons blancs à pince repassés soigneusement sur le pli, de sa manie de s'essuyer les mains.

Il aime que les choses soient paramétrées, efficaces ; comme elles doivent l'être. Voilà tout.

Sans l'épidémie, il aurait continué l'entraînement au tir de compétition six fois par semaine (pas le samedi). Il aurait préparé les jeux Olympiques pour lesquels il était présélectionné. À dix-sept ans, c'était exceptionnel. Ses condisciples ne s'en rendaient pas compte, ils se moquaient de sa capacité à oublier qu'on le regardait et qu'il était entouré. « Asocial », disait son psy.

C'est ce qui l'a sauvé, cette nuit-là. Le 2 novembre. Son extrême organisation. Sa prudence et son efficacité. Son absence d'empathie, aussi.

Quand des jeunes gens coiffés de casquettes rouges ont attaqué et pillé l'internat de filles et de garçons du lycée L., Paul ne s'est occupé que de Victoria. C'est ce qu'il convient de faire, dans ce cas – se focaliser sur un seul objectif. Ne pas se laisser distraire par les scènes autour de soi. Déterminer un itinéraire de fuite.

S'il ne l'avait pas sauvée, Vic serait certainement morte et aurait été violée, comme les autres filles.

—

Son doigt frôle la queue de détente. Le fusil pivote sur son trépied.

Ça y est. Paul en a accroché un dans sa lunette. Avec leurs casquettes rouges, ils constituent des cibles idéales, de jour comme de nuit. Ce sera facile, grâce à leur manie de faire des feux.

Le 2 novembre aussi, ils ont fait des feux. Partout. Ils ont incendié le lycée L. pendant que Paul sauvait Victoria.

Quand Paul et Victoria se sont retournés, après avoir couru longtemps, ils ont vu les flammes derrière eux.

Victoria a pleuré, beaucoup.

Paul l'a cachée dans une villa déserte du quartier de Longchamp. Il lui a assuré qu'il retournerait au lycée le lendemain voir s'il restait des survivants. C'était un mensonge. Il ne voulait pas gâcher la chance que la vie lui offrait de se retrouver seul avec Vic – de lui « sauver la vie » pendant des jours, des semaines même. Ç'aurait été stupide.

Le 3 novembre, au lieu d'aller au lycée, il est allé au club chercher des armes de tir à longue distance. Il est revenu en prétendant qu'il n'avait trouvé personne dans les cendres du lycée L. C'était vraisemblable.

Au club, il avait pris la Remington 700.

Il a expliqué à Victoria que, dans l'équipe préolympique, il tirait le plus souvent au .22, à cinquante mètres. Elle l'écoutait, hochait la tête. Il a bien vu dans ses yeux que ça ne l'intéressait pas.

Il lui a dit, ensuite, qu'elle devait rester enfermée dans la maison. Qu'elle ne devait pas sortir. Il a vu que cette donnée l'intéressait, en revanche, et qu'elle la troublait.

Tous les jours suivants, il est sorti. Il visitait les

maisons environnantes et même les villas du Roucas Blanc. Il rapportait à Vic des produits de luxe, des parfums de marque, des beaux vêtements. Contrairement à ce qu'il pensait, cela ne semblait pas lui faire plaisir – cela l'inquiétait un peu. Elle disait qu'elle ne voulait pas de cadeaux, qu'elle voulait s'en aller. Il lui recommandait de n'en rien faire. Il fermait à clé la porte de la maison, chaque matin, quand il partait, pour que personne ne risque de pénétrer dans leur refuge pour lui faire du mal.

Cela aussi paraissait oppresser Vic.

Lui, au début, était incapable de parler trop longtemps – il bégayait et rougissait tellement. Mais ensuite, les choses s'étaient arrangées.

—

Paul visualise son tir. Il simule l'infime rotation de l'arme sur son pied qu'il exécutera après le premier tir, pour toucher une deuxième cible située à une vingtaine de mètres de la première. Il faut leur donner le sentiment qu'elles sont sous un feu croisé. Il faut qu'elles mettent du temps à repérer les angles morts, afin de les garder le plus longtemps possible dans la zone de tir, comme des souris prises au piège.

—

Avant sa mort, Vic semblait chaque jour un peu plus impressionnée par sa détermination, sa capacité à résoudre un par un les problèmes qui se posaient : l'eau, les vivres, les munitions. Se chauffer. Se laver. Ou bien le feignait-elle ? Ne l'avait-elle embrassé le 18 novembre que pour le remercier de l'emmener à Nice, à Lyon, à Paris ?

Était-elle tombée amoureuse ?

Il avait entendu que l'armée allait protéger ces villes. Il l'avait répété à Vic, pour la faire patienter, et c'était une mauvaise idée : elle n'avait eu que ça en tête, dès lors. Partir. Ils savaient l'un comme l'autre que personne ne s'occuperait de Marseille, faute de troupes suffisantes pour un chaos de cette ampleur.

Le 18 novembre, quand ils étaient montés vers la basilique, Vic croyait dur comme fer qu'ils allaient quitter Marseille le lendemain matin – elle voulait voir la ville une dernière fois.

L'aurait-il aidée à fuir, aurait-il fui avec elle, réellement ? Aurait-il suivi plutôt son intuition : la garder enfermée sous sa protection pour toujours ? Il ne sait pas. « Chez eux », elle aurait eu besoin de lui…

Il tire une première fois.

Headshot.

Une deuxième fois.

—

Shot on target.

– Cinquante-sept, Vic… Cinquante-huit…

La dernière fois qu'il est venu sur cette butte, il y en

avait six, des casquettes rouges, cachées derrière une cabane à outils.

Paul aurait peut-être pu sauver Victoria, cette nuit-là, mais il aurait fallu qu'il se sacrifie.

Il ne l'a pas fait.

Il a choisi la solution la moins aléatoire, celle qui épargnait une vie – la sienne.

Il a fui.

Il a entendu les cris de Vic, longtemps, longtemps.

Il lui semble parfois qu'il les entend encore.

Ses dents grincent.

Il s'en est voulu d'avoir fui. Il sait bien que l'amour exige parfois d'agir de façon irraisonnée, de privilégier l'être aimé au détriment de soi-même. Il sait bien aussi que si Victoria avait rejoint un lieu sécurisé par l'armée, partout ailleurs qu'à Marseille, cette ville que Paul déteste, elle l'aurait quitté.

Mais s'il lui avait sauvé la vie une seconde fois, ce soir-là ? Aurait-elle fini par se convaincre ?

Le levier de la carabine fait sauter les douilles, Paul recharge, à l'aveugle, sans perdre une seconde.

Une troisième fois.

Headshot.

Il décompte à voix haute. Il en a tué cinquante-six, en un mois.

Cinquante-neuf, désormais.

– Soixante, Vic…

Ce soir, il va s'en faire au moins vingt, le temps qu'« elles » remontent la colline depuis le Vieux-Port.

« Elles » sont partout en ville. « Elles » vont en profiter, puisque cette fois il ne bougera pas. « Elles » vont cerner la colline, s'approcher, dos courbé, transpirant à l'idée de sa lunette de visée, de ses balles. « Elles » crieront, lanceront des ordres, dans le désordre.

Paul les verra converger, comme des rats, vers lui.

Il a trois autres armes, moins précises, pour la courte distance.

Il les attendra. Il a deux armes de poing, pour le tir à bout portant. Il a toute la nuit, la plus longue de l'année ; il est calme.

Carole Trébor

U4.Jules

CÉDRIC ET ISA

UNE LETTRE PAR PHALANGE

R-Point de la Salpêtrière, nuit du 24 décembre

Le faisceau de la lampe électrique frappait la table, couverte de ses ustensiles du Parfait Tatoueur. D'un doigt, Cédric traça quelques mots sur le rectangle de lumière comme s'il écrivait sur du papier. Il répéta dans l'air les cursives et les déliés, en vérifiant s'il avait tout ce qu'il fallait pour la séance : la vaseline, la crème cicatrisante, le Bepanthen, l'Homéoplasmine, le spray d'eau savonneuse, les pots d'encre de Chine et d'encre de tatoueur (qui bleuissait moins avec le temps) et ses collections d'aiguilles jetables. Chacun de ces objets lui était familier, la précision de leur emplacement structurait son espace intime de tatoueur. La disposition de son matériel tenait du rituel depuis qu'il avait commencé à tatouer. Il avait récupéré son vieux dermographe la veille, avait vérifié son fonctionnement en le branchant au bloc électrogène et s'était lancé un défi en cette nuit spéciale, réutiliser son outil pour la première fois depuis la catastrophe.

Il faisait doux dans le bâtiment autrefois réservé aux malades atteints de troubles neurologiques. Il sourit à Isa… Elle leur avait obtenu une chambre pour eux, une vraie gageure au R-Point de la Salpêtrière qui privilégiait les dortoirs, plus faciles à gérer en termes de température et d'organisation. Ils s'étaient procuré leur propre groupe électrogène pour alimenter un petit radiateur électrique. Malik, son copain chauffeur routier, responsable des approvisionnements en farine, les avait aidés à le transporter jusqu'à leur chambre. Sa première semaine de travail à la boulangerie se déroulait bien, Cédric n'était pas mauvais pour pétrir la pâte à pain et comprenait vite les instructions de ses formateurs, qui venaient eux-mêmes tout juste d'obtenir leur CAP de boulanger.

En cette soirée du 24 décembre, Cédric et Isa se fichaient complètement de Noël, une seule pensée les obsédait : leurs amis étaient à la Conciergerie et risquaient de se faire massacrer. Et cette idée était insupportable. Jules, Jérôme, Vincent… Ils se répétaient leurs prénoms en boucle, auraient voulu être près d'eux. Même Cédric le souhaitait, malgré les ambiguïtés de sa séparation avec la communauté, malgré la suspicion du Chef dont le souvenir lui glaçait encore l'échine.

Alors il se prépara à agir, à faire ce qu'il savait faire.

Devant lui, Isa ôta son tee-shirt.

Il lui avait déjà tatoué les noms de ses morts sur le poignet droit, elle désirait maintenant qu'il lui pique une phrase de Georges Perec, lue dans un magazine abandonné à l'ancien point presse de l'hôpital : *Vivre, c'est passer d'un espace à un autre, en essayant le plus possible de ne pas se cogner...* Et elle lui avait demandé la veille s'il se sentait capable de lui ajouter un éléphant, le premier animal qu'il tatouerait, l'incarnation de la mémoire du monde et de la force.

Il regarda l'épaule nue de son amie, offerte. Son visage était sérieux, elle ne souriait plus jamais depuis la mort de Pierre ; ses yeux étaient dissimulés derrière les verres épais de ses lunettes ; ses lèvres gercées étaient serrées et elle était aussi concentrée que lorsqu'elle s'exerçait à tirer au pistolet. Il choisit une aiguille pas trop épaisse, une tige de quinze centimètres de long, dont le bout comportait cinq petites pointes soudées les unes aux autres. Il crocheta l'aiguille au dermographe. Elle voulait de l'encre noire.

– Tu es prête ? lui demanda-t-il doucement.

Elle hocha la tête.

Il désinfecta consciencieusement le haut de son bras, mit de la vaseline avec des abaisse-langues en bois qu'il avait trouvés en pharmacie.

Une fois branché, le dermographe vibra entre ses doigts ; il n'était plus habitué à ce tremblement ni à ce poids. Il avait oublié à quel point cet outil était peu ergonomique mais il le retrouva avec jubilation.

La texture de la peau d'Isa était très fine, extensible, il devait y être attentif. Il tendit la peau entre son pouce et son index de la main gauche, se pencha vers le corps. Seules comptaient la précision, la lenteur de son geste pour ne pas déraper, ne rien accrocher, ne pas bloquer l'aiguille. Il oublia tout le reste. L'unique chose qui le dérangea, ce fut la légère odeur de sang qui s'éleva lorsqu'il commença à la piquer.

Il nettoya le sang mêlé d'encre au fur et à mesure avec son spray, releva l'aiguille, la replongea dans l'encrier.

– Ça va, tu n'as pas trop mal ? s'inquiéta-t-il en vaporisant pour rafraîchir la plaie et en rajoutant de la vaseline.

– Un peu, c'est comme une épilation, grimaça-t-elle.

Mais elle serra les dents. Elle ne serait pas douillette, hors de question. Elle essaya de chasser la peur qui l'oppressait inutilement. Elle vivait depuis la mort de Pierre avec un besoin urgent de changer de peau. Ce tatouage était une étape de sa métamorphose. Elle ne voulait plus nourrir son esprit de belles phrases, elle en avait trouvé une qui lui suffirait. Chercher un sens dans des livres de philosophie, s'approprier les morales des romans, rêver le monde à travers des poèmes et se rassurer avec les mots des autres ne l'intéressaient plus. Non, ce qui la motivait, c'était d'agir. Seuls les faits importeraient désormais. Les discours, elle avait décidé de s'en balancer.

Si elle n'était pas avec Jules, Jérôme et Vincent cette nuit, c'était uniquement parce qu'elle devait se préserver pour Séverine. C'était sa mission. Le Chef lui avait confié le sort de son amie enceinte et elle lui avait promis d'y consacrer toute son énergie. Séverine allait devenir mère. Elle se souvint du moment où elle avait tenu sa propre mère dans ses bras quand U4 l'avait emportée, ce moment était si irréel qu'elle avait fait comme dans les films, elle lui avait fermé les yeux. Et puis, le 2 décembre, il y avait eu la mort de Pierre, qui avait charrié toutes les autres. Pendant quelques instants vertigineux, elle avait eu la certitude que plus rien ne la retenait à terre, qu'elle pouvait se laisser emporter par un torrent de cadavres. Elle s'était occupée des plus fragiles pour ne pas sombrer, elle s'était oubliée dans la vie des autres : Cédric avait besoin d'elle ; des drogués avaient besoin d'elle, elle aimait s'occuper d'eux, les libérer de leur addiction, faire renaître Pierre de chaque sauvetage.

Mais tout avait changé la semaine précédente, quand elle avait appris la grossesse de son amie. Séverine et Jérôme ne l'avaient révélé à personne d'autre qu'à elle dans la communauté. Il faudrait qu'elle l'annonce à Cédric, il avait le droit de connaître la vérité. Mais elle n'avait rien osé lui dire jusqu'à maintenant, et lui n'avait plus jamais abordé avec elle ni ses sentiments pour Séverine ni les causes de son départ de la communauté. Elle était sûre qu'il avait souffert de la méfiance de Jérôme envers lui… Elle-même avait rassuré le Chef et le Soldat sur l'intégrité de Cédric, jamais il ne les aurait dénoncés, seule sa jalousie expliquait son retrait. Le pauvre, voilà que la fille qu'il aimait attendait maintenant un enfant de son rival… Elle observa son visage fin, concentré, transfiguré comme celui d'un musicien en plein concert.

Sa promesse à Jérôme était devenue une priorité au détriment de TOUTES les autres missions humanitaires. Il était temps qu'elle se décide à ne pas sauver tous les drogués, à ne pas tendre de bouée à tous les égarés. Elle devait maintenant cibler son objectif : elle avait intégré une section d'apprentis soignants dans le but d'acquérir les bons réflexes pour aider Séverine pendant sa grossesse et son accouchement. Dès qu'elle serait prête, elle rejoindrait la tribu de ceux qui l'avaient sauvée au début de la pandémie. Son nouveau défi était, pour l'heure, de réussir à convaincre leur formateur, un médecin faisant partie des rares adultes ayant survécu à U4, d'axer son enseignement sur le métier de sage-femme…

– Faut que je fasse gaffe, si je vais trop profond, le trait sera trop large, ça fera des taches, c'est moche, bougonna Cédric plutôt pour lui-même.

Il avait des fourmis dans la main à force de piquer. Il se rappela le jour où Antoine, son ami boulanger, avait remarqué un de ses tatouages. C'était peu de temps après ses débuts à la boulangerie, le 17 décembre. Il s'était dessiné une étoile formée de deux triangles, un truc simple, et le prénom de sa mère… Antoine lui avait demandé s'il était capable de lui en faire un et, dans ses yeux, Cédric avait lu un désir viscéral. C'était si rare de voir cette envie, joyeuse, enfantine, dans les yeux des ados du R-Point qu'il avait dit oui. Puis Antoine en avait parlé à tous ses potes et il leur avait dit oui aussi. En une semaine, il avait tatoué, de sa main, plus d'une dizaine de personnes et quatre fois plus de prénoms.

Chacun voulait avoir les noms de ses morts gravés dans sa chair.

Il notait scrupuleusement dans un carnet les prénoms à tatouer. La liste s'allongeait chaque jour. Il reproduisait aussi le style de lettrage qu'il avait utilisé pour chacun de ces mots. Il se sentait ainsi lui-même respectueux des morts des autres, lié à tous ceux et celles dont il gravait les noms. Il se souvint de l'image qu'aimait Séverine, celle du puzzle, des pièces qui s'assemblaient et dont la place avait un sens. Il apprenait vite à s'adapter aux différences de peaux, élastiques, fines, dures. Il était doué.

Parfois quelqu'un réclamait une phrase, et plus rarement un dessin, une forme, un symbole, une étoile, un soleil, un croissant de lune, une main, un cœur, une fleur…

Il sourit, il avait commencé à tatouer il y avait plus d'un an, dès ses seize ans. Les cursives et les lettres n'étaient pas son fort. S'il avait su qu'il se spécialiserait un jour dans la typographie, il aurait été perplexe. Le tatouage au début, pour lui, c'était le prolongement naturel de sa passion pour le dessin, il voulait tester d'autres médiums et il trouvait ça beau. Il avait galéré pendant un an, tenté des essais maladroits, des lettres penchées, inégales. Leurs contours trop épais et discontinus parcheminaient encore son corps.

L'aiguille dansait sur la peau d'Isa, au rythme de son pouls. Il tatouait comme son frère mixait aux platines.

– Ta peau est comme du papier irrégulier, murmura-t-il, et elle boit l'encre comme du papier buvard.

Isa ne dit rien, les yeux fermés, elle s'imprégnait de l'étrange odeur de sang. Elle réfléchissait à ce R-Point, ce microcosme de ce qu'il y avait de pire dans l'ancien monde. Les vrais chefs décidaient tout sans consulter personne. Le responsable de l'état-major était un putain de dictateur… Et Philippe Sarlande, l'ancien président de la République… Elle soupira, il n'avait aucune crédibilité, le gars.

Les militaires ne révélaient rien de leurs stratégies, conservaient l'information pour eux, se plaisaient à diviser pour mieux régner et déléguaient des petits pouvoirs à des petits chefs. Les responsables des sections spéciales, avec leurs brassards fluo et leurs chiens dressés, elle les comparait à des majordomes. Ils étaient plus respectueux de l'ordre que leurs propres dirigeants. Et puis il y avait tous les autres, les suiveurs et les faux-culs moralisateurs.

Dans ce magma, elle tombait parfois sur des visages qui racontaient d'autres histoires, mais elle avait décidé depuis quelques jours de ne plus s'y attarder, de ne pas se disperser.

Leurs regards indéchiffrables, mystérieux, émouvants, honnêtes, rongés, tendres, lumineux, volontaires la happaient parfois. Or son challenge était de ne plus plonger ses yeux dans les leurs, ils seraient forcément abyssaux, ils l'engloutiraient. Elle avait besoin de se focaliser sur son principal objectif et il s'appelait Séverine. Elle avait deux mois pour apprendre les rudiments de la pratique des sages-femmes, c'était peu, il lui fallait être efficace.

Trois jours auparavant, elle avait failli succomber à la tentation d'empathie avec ce petit blond aux traits de rongeur qui travaillait à la bibliothèque du R-Point. Il lui avait chuchoté son prénom comme s'il était surveillé par quelque instance supérieure. « François… » avait-il susurré en levant vers elle ses grands yeux marron apeurés qui lui bouffaient le visage. Sa maigreur, son teint maladif, son air de moineau traqué par une horde de pigeons avaient bien failli avoir raison de ses résolutions d'égoïsme. Elle devrait écrire sur un panneau *Fermeture du bureau d'entraide* et brandir devant elle une banderole *Blocage de la solidarité universelle.*

L'aiguille creusa brutalement une zone plus sensible, sans doute plus proche d'un nerf, elle se crispa mais ne broncha pas.

Elle ne devait plus les aimer. Ni ces visages ni ces personnes. Il était impératif qu'elle se débarrasse peu à peu de tout ce qui la rattachait à la Salpêtrière. Un détail surgit dans sa mémoire : le maigrichon lisait un roman d'amour, *Belle du Seigneur*, ça l'avait frappée qu'il aime les histoires d'amour mais elle n'avait pas cillé, rien montré, il ne fallait pas qu'il espère se faire une nouvelle amie. Elle était indisponible. La veille, elle était retournée chercher un ouvrage sur les pratiques des sages-femmes à la bibliothèque, le blondinet n'était pas là. Tant mieux. Elle préférerait ne plus revoir ce bibliothécaire qui donnait l'impression de vouloir se cacher dans un trou de souris. De toute façon, il dégoulinait de trouille, ce gars-là.

Non, ne surtout pas emprunter le chemin glissant de la curiosité, encore moins celui de la compassion. Oublier le rongeur qui aimait les histoires d'amour. On aurait dit le titre d'un conte pour enfants, elle imaginerait un jour son histoire et la raconterait à Alicia quand elle rejoindrait ses amis. Cette idée lui plaisait et l'éloignait de la réalité de ce bibliothécaire fantomatique et de la pitié qu'il lui inspirait.

Elle voulait partir dans deux ou trois mois maximum sans regret, sans mission inachevée, sans deuil d'amitié. Elle en avait soupé, des deuils. Et, se connaissant, si elle rencontrait d'ici là quelqu'un, si elle engageait un lien, elle voudrait l'aider, elle se noierait dans une de ses opérations de sauvetage.

Pas de noyade.

Elle sursauta quand le ronronnement de l'appareil s'arrêta et que la voix de Cédric retentit :

– Ça va ? Je ne te fais pas mal ?

Elle remua la tête négativement sans dire un mot, absorbée par ses pensées.

Il sentit qu'elle lui faisait totalement confiance et recommença à la piquer. Le respect de chaque grain de la peau de son amie lui apparut soudain comme la promesse d'une mémoire apaisée. Son cœur s'emballa, gonflé d'un étrange bonheur. Tatouer était bien plus qu'un bel ornement, c'était creuser le sillon du souvenir, souhaiter la bienvenue aux disparus, leur donner une place parmi les vivants, ancrer la mémoire par l'écorchure. La mémoire des orphelins d'une partie du monde, les rescapés d'U4.

Il continua à s'adapter aux surprises de la peau d'Isa. Il se sentait à sa place comme il ne l'avait jamais été. Il contourna une zone osseuse, effleura une partie grasse, évita un vaisseau… En gravant les pupilles de l'éléphant, il se sentit comme un passeur, qui offrait une chance aux vivants d'accueillir le souvenir de leurs morts dans leur chair. Leurs yeux avaient vu trop d'horreurs, ils avaient besoin d'histoires à inventer, de paix avec le passé. Il tatouerait tous les ados de la Salpêtrière s'il le fallait.

26 décembre, 9 heures du matin

Cédric s'agitait sous la table en essayant de démêler les fils reliés à leur petit groupe électrogène portatif noir et jaune. En se relevant trop brusquement, il se cogna le crâne et fit tomber ses esquisses et ses croquis de typographie qui traînaient sur le plateau et s'éparpillèrent sur le carrelage. Il se frotta le cuir chevelu en maugréant avant de les ramasser. Allongée sur son lit, sous un impressionnant tas de couvertures, Isa l'observait. Elle poussa un soupir agacé, elle ne savait pas plus que lui ce qui s'était passé la nuit du 24 décembre. Elle avait déjà fouillé trois fois la boîte aux lettres secrète mise en place par Vincent dans un ancien four crématoire de l'hôpital. En vain.

Une inquiétude sournoise flottait dans leur chambre, s'insinuant dans leurs esprits tourmentés. Cette absence de nouvelles n'était pas normale. Le Soldat avait toujours prévenu Isa des aléas de la communauté. Quelque chose clochait. Imaginer le pire leur tordait le ventre, à tous les deux. Leur espoir reposait maintenant sur le fourgon à farine qui allait partir incessamment en mission d'approvisionnement dans Paris. Cédric en était, il en profiterait pour passer à l'appartement de la rue de

Tolbiac, la dernière planque de la communauté. L'un d'entre eux avait peut-être laissé un message.

Le Tatoueur enfila son manteau et se tourna vers Isa.

– Tu devrais venir avec moi, Malik est sympa, ça ne lui posera pas de problème que tu sortes du R-Point avec nous.

– Oui, mais sous quel prétexte ? Ma formation de soignante ne m'autorise pas à quitter comme je veux la Salpêtrière...

Elle réfléchit quelques instants avant de se lever d'un bond :

– À moins de prétexter que nous avons besoin d'un médicament en rupture de stock !... Oui, ça devrait le faire ! On part quand ?

– À 10 heures. Dans dix minutes.

– Allons-y !

Cédric était si fébrile qu'il manqua de chuter en se prenant les pieds dans les fils électriques qui encombraient les escaliers. Et leur immeuble lui apparut soudain comme une jungle ; menacé par d'énormes nids de guêpes au design de lustres des années quatre-vingt, zigzaguant entre les lianes de plastique, il évita les sachets de mort-aux-rats, qui ressemblaient trop à des amas d'œufs de serpent rose fluo, et parvint jusqu'au rocher dominant la vallée : le bloc électrogène du rez-de-chaussée, relié aux radiateurs électriques des dortoirs, produisait le même vacarme qu'un barrage hydraulique sur un lac de montagne.

Affolé par l'imminence d'une rupture, il attrapa la main d'Isa et courut jusqu'à la porte.

Fuyant le déversement imminent des eaux furieuses, il la guida vers la zone du R-Point mitoyenne de la gare d'Austerlitz. Mais dehors, c'était *Jurassic Park* : il crut voir des ptérodactyles s'envoler de la pelouse réservée à l'atterrissage des hélicoptères. Il détourna le regard, accéléra vers son but, mais son attention fut happée par un groupe d'hommes préhistoriques en tenue de camouflage. Se couvrant de sciure de bois, ils semblaient se préparer au combat au cours d'un étrange rituel archaïque.

– Tiens, on dirait bien que les responsables de l'entretien des toilettes sèches ne sont pas trop motivés par leur mission ! T'as vu comme ils chahutent ? rigola Isa en lui désignant les adolescents qui se balançaient des bouts de bois à la figure.

Plus Cédric était inquiet, plus sa vision du monde environnant s'altérait. Dans un bref éclair de lucidité, il réalisa qu'il était la proie de légères hallucinations et se força à se reconnecter au réel.

– Le camion à farine est stationné près de la gare dans un coin réservé au transport de marchandises, expliqua-t-il à Isa avec le plus grand sérieux.

– Il est bien à l'écart. Rien ne doit perturber les passages des blindés militaires, ironisa-t-elle aussitôt, toujours hostile à l'état-major.

– Pas seulement les blindés, rétorqua-t-il, agacé par les réactions rebelles et prévisibles d'Isa. On ne doit pas non plus déranger la mise en place du pompage de l'eau de la Seine, destinée à être filtrée.

Et il lui lança un regard éloquent qu'elle ne décrypta

sans doute pas : ce système de filtrage permettait aux habitants du R-Point de prendre une douche rapide tous les trois-quatre jours. Hum, son amie ne s'était pas lavée depuis trop longtemps, elle avait largement dépassé le délai d'hygiène minimal. Et son odeur de sueur commençait parfois à le déranger sérieusement dans leur chambre. Mais comment lui faire comprendre ça ?...

Malik les attendait devant le fourgon. Massif, il était négligemment adossé à la portière et les accueillit d'un mouvement de tête à peine perceptible. Donnant l'impression d'économiser chacun de ses mouvements, il avait la mollesse de certains costauds embarrassés par leur propre corps. Mais, au volant, c'était un as de la précision, de la vitesse et de l'agilité. Il avait passé son CAP de chauffeur routier l'année précédente et c'était un excellent conducteur. Il rêvait d'accompagner une mission spéciale en province et avait postulé pour emmener un groupe de jeunes, encadrés de quelques soldats, dans le Sud. Il avait envie de « bouffer de la route », comme il disait.

– Salut Malik, Isa profite de notre expédition pour aller chercher des médicaments dont sa section a besoin.

– Salut Cédric, Isa. Pas de problème, installez-vous. On décolle !

– Je te propose qu'on se fasse les boulangeries du quartier chinois, on n'a pas encore récupéré les stocks de farine dans ce coin.

Cédric s'installa au milieu à l'avant, il y avait trois sièges.

– Ça me va, approuva Malik en appuyant sur l'accélérateur.

Ils remontèrent le boulevard de l'Hôpital vers la place d'Italie.

Tandis qu'ils approchaient de la rue de Tolbiac, des décharges d'adrénaline percutèrent la poitrine contractée de Cédric quand il vit des panneaux de circulation couverts du sigle *Peace and Love*. Plus un seul sens interdit, aucune interdiction de stationner. Merde, ça le reprenait, l'appréhension d'un drame. Les sourcils froncés, les lèvres serrées, les yeux plissés, Isa ne décrocha pas un mot du trajet. À l'intersection entre le boulevard de Choisy et la rue de Tolbiac, elle demanda à Malik de la déposer et leur donna rendez-vous une heure plus tard.

– Fais gaffe, lui murmura-t-il lorsqu'elle sauta du camion.

– T'inquiète, j'ai ce qu'il faut pour me défendre, lui répondit-elle avec un clin d'œil.

Il la regarda s'éloigner en rasant les murs. De dos, dans son treillis et ses Dr. Martens, il aurait pu la prendre pour un mec, sa démarche de guerrière n'avait plus rien à voir avec celle de l'ancienne Bibliothécaire de la communauté. Un instant, il eut un nouveau flash et se crut dans *Hunger Games*.

– Une vraie badass, ta pote, remarqua Malik, fin observateur.

Il n'aurait su mieux dire…

—

Ils attendaient Isa depuis quinze minutes, et ce n'était plus des décharges d'adrénaline qui secouaient le cœur de Cédric, c'étaient des rafales de mitraillette dont il entendit même les crépitements menaçants. Il devina qu'il s'agissait d'hallucinations auditives, il n'en avait jamais eu, il sentit la sueur couvrir ses mains et son front, ses jambes étaient agitées de légers tremblements. Que faisait Isa ?

Malik lui donna un coup de coude :

– La voilà, mec !

Elle semblait marcher au ralenti, cette démarche n'augurait rien de bon. Blafarde, elle les rejoignit à l'intérieur du camion. Cédric vit des traces de larmes sur ses joues sales. Il eut l'impression qu'il allait mourir sur le coup, il ne voulait rien entendre. Séverine, Jules, Jérôme… Malik jeta un coup d'œil à Isa.

– Tu as trouvé les médicaments dont tu avais besoin ?…

Incapable de parler, elle hocha simplement la tête. Au bout de quelques minutes, Cédric arrêta de la fixer, comprenant qu'elle n'ouvrirait pas la bouche. Il n'osa pas saisir sa main, tant elle semblait loin de lui, enfermée dans sa tour, inaccessible. Et merde, il soupira et regarda la rue, les sigles *Peace and Love* s'embrouillaient sur les panneaux, formant des figures incompréhensibles, qui disparaissaient aussi vite qu'elles apparaissaient. Il cligna des yeux.

Il lui fallait attendre d'être au R-Point, d'avoir déchargé les sacs de farine avant d'apprendre ce qu'il n'avait pas forcément envie de savoir.

—

Il nettoya ses mains couvertes de farine au jet d'eau. Isa fumait en silence sur un banc. Sa formation commençait dans une heure, ce qui leur laissait juste le temps de parler. Il s'assit près d'elle, elle lui tendit sa cigarette qu'il déclina, il n'avait aucune intention de tirer une seule taffe.

– J'ai… j'ai pas que des bonnes nouvelles, souffla-t-elle.

– Je m'en doutais, murmura-t-il entre ses dents.

– Séverine va bien. Jules, Katia, Vincent, Alicia, ça va aussi…

Il lut dans le regard intense de son amie qu'elle avait l'espoir de l'avoir soulagé du pire, de la perte de celle qui, pensait-elle, avait causé son départ de la communauté. Mais elle se trompait tellement. Il inspira, son cœur était de plus en plus comprimé dans un étau d'acier. Il eut peur que le métal ne transperce sa chair, ne déchiquette son blouson, il s'imagina transformé en statue de fer.

– Mais Jérôme…

La voix d'Isa s'étrangla dans un sanglot, elle ne put finir sa phrase. Jérôme ? Il sentit vaguement qu'Isa l'enlaçait, l'obligeait à se blottir contre elle, le berçait.

Jérôme…

Jérôme dont il était amoureux depuis toujours.

Jérôme, son plus grand mensonge.

– Jérôme… gémit-il, la tête contre la poitrine d'Isa.

Bientôt, il tatouerait ses phalanges des quatre lettres C-H-E-F… Il se graverait une lettre par doigt, sur sa main droite, celle qui manierait infiniment le dermographe.

De la main gauche, son geste serait moins précis, il imagina une typographie qu'il réussirait à reproduire, les cursives volèrent devant ses yeux, il repensa aux panneaux de circulation, à la richesse inouïe des formes, il serra le poing, ouvrit sa paume, le vent la caressa, y déposa des milliers de majuscules et de minuscules de tous les âges.

Vincent Villeminot

YANNIS

NAISSANCE DES FANTÔMES

Kabylie, sept ans avant U4

Il ne savait pas que la mer pouvait être si bleue.

Peut-être ne l'est-elle pas davantage que chez lui, sur les plages de Marseille, mais une fois traversée, la Méditerranée paraît presque indigo, ici – peut-être par contraste, parce que Alger est blanche, d'un blanc de zinc, poussiéreux, vibrant sous le soleil.

Ils débarquent de l'immense ferry aux relents de fuel. La foule se presse au bas de la passerelle. Il voit son père chercher un visage…

—

Le désordre sur les quais, les appels, dans une langue qu'il ne comprend pas – tout lui semble différent.

Vapeurs d'essence, cris, moteurs qui hurlent.

Ils montent dans la Dacia de l'oncle Anir, qui l'a étreint en le tenant aux épaules, d'émotion. C'est un homme moins grand mais plus charpenté que son père, plus épais, et il semble appartenir à un autre siècle, dans son costume mal coupé, avec sa moustache poivre et sel – Yannis trouve qu'il ressemble aux vieux Algériens que son père salue poliment devant la supérette, à Marseille.

—

Il va de surprise en surprise.

Les rues sont cahoteuses. Les voitures, russes, chinoises, des modèles inconnus ou anciens, brinquebalent autour d'eux. Les immeubles semblent vétustes, souvent inachevés dans les banlieues qu'ils traversent. Impression de pauvreté différente de celle qu'il connaît dans les quartiers nord. Des paraboles partout, des fils électriques qui pendent, des ornières…

L'oncle Anir, à côté duquel son père s'est installé, se retourne vers lui, lui pose parfois des questions, en donnant de grands coups de volant qui leur font faire des embardées.

La mère de Yannis, assise à côté de lui sur la banquette arrière, se tait, sourit modestement, berce Camila.

—

La route cesse d'être droite, sinue dans le djebel, vers le sud-est.

Deux heures à longer les vignes sur des coteaux qu'il imaginait pelés, entre des pierres, puis à traverser les vallées qu'on devine agricoles, couvertes d'une herbe rase, d'un vert presque de gris. Yannis pensait que ce serait le pays du désert – des dunes de sable jaune, des files de chameaux, des hommes bleus peut-être, l'aventure… Le désert, ici, ce n'est que ce silence et l'absence d'autres voitures à croiser sur la route. Les villages presque vides quand on les traverse. Les fils électriques et téléphoniques qui se balancent mollement, les maisons sans toit, les décharges à ciel ouvert. Impression de crasse, de poussière.

Les oliviers plus rares, les amandiers tout de même en fleurs, c'est le printemps. Le village de ses parents, enfin. Un village minuscule, pour lequel il éprouve immédiatement une déception vive, presque une honte. C'est la première fois qu'il le voit. Il lui paraît impossible d'imaginer que toutes ses origines, ses oncles, tantes, ses grands-parents et les parents de leurs parents, tout son sang tient dans un endroit si modeste.

En imagination, il confondait Bagdad la magnifique, Babylone la sublime, Alger la mystérieuse, et le *bled*.

—

Cohue des retrouvailles, rires, embrassades. Il y a des cousins, des cousins de cousins, partout.

Il se sent exclu parce que tous se *reconnaissent*, que nul ne le *connaît*. On le regarde, on le dévisage, on le compare ; on le félicite d'être déjà si grand, d'être le fils de ses parents.

Sa mère rayonne, semble heureuse.

Les femmes ont surtout des yeux et des mots pour Camila, un bébé encore.

La toute jeune sœur de son père, sa tante Lehna, dix-sept ans à peine, s'amuse de son air ébahi :

– J'avais moins que ton âge quand ton père est parti… J'avais sept ans.

– Et toi, tu vas partir aussi, un jour ?

– Oui, bien sûr. Quand j'aurai trouvé un mari pour m'emmener.

Elle rit. Elle rira tout le long du séjour de Yannis, une gaîté, enfantine, sans nuages – tout le temps. Il la trouve très jeune et incroyablement belle, dans sa robe longue, cheveux noués sous le foulard, dans ses yeux provocants.

—

On va derrière la ferme de pierre, dans le champ familial – son père, son oncle et lui, les « trois hommes de la maison ». Il y a un arbre, un cyprès tordu, presque noir, sous lequel son grand-père est enterré. C'est un simple carré, le cimetière est trop loin. La terre ressemble à du sable. Ils viennent pour ce mort, brutalement disparu, qu'ils ne verront pas.

Yannis avait imaginé son grand-père allongé dans un cercueil ouvert, entouré de fleurs, nimbé d'une musique d'orgue, comme dans ce film qu'il avait regardé un soir alors que ses parents n'étaient pas là – pas rentrés ou ressortis, il ne sait plus. Mais non, il n'y a rien, sinon la terre fraîchement remuée.

Un tertre. Quelques pierres.

– Je ne connais pas le visage de mon grand-père,

dit-il, pour s'excuser de ne pas pleurer ; parce qu'il voit son père le faire pour la première fois.

—

De retour à la maison, on lui montre les miroirs recouverts d'un drap, en signe de deuil. On lui montre *la* photo du grand-père. Il n'y en a qu'une seule. On la sort d'un coffre en bois, sous des linges pliés, elle est glissée dans un livre qui sent le moisi, le vieux cuir.

Cela lui semble incroyable, désolant, cet unique morceau de papier – en lieu et place des milliers de photos numériques qu'il y a dans les téléphones de ses parents.

C'est une photo ancienne. Son grand-père est un homme grand, maigre, comme l'est son père et comme on lui promet qu'il sera. Il porte une moustache, il pose en tenue traditionnelle, un fusil à la main, à côté de deux autres hommes dont l'un, dans son costume sombre, se tient un peu en avant – pourquoi lui évoque-t-il l'instituteur ?

L'homme en costume tient un livre, il n'a pas d'arme.

La photo dans la main, Yannis songe : « Et si je la perdais ? Si elle s'envolait ? Alors, il n'y aurait plus rien, plus une seule trace de mon grand-père, son visage aurait disparu pour toujours… Voilé comme les miroirs. » Le cliché sépia lui brûle les doigts, il le rend, il voudrait le voir vite regagner sa place dans la boîte en bois, glissé dans les pages du livre.

– Pourquoi n'ont-ils pas attendu que nous arrivions pour l'enterrer ? demande-t-il.

– C'était trop long, dit son père. Le voyage dure trop longtemps, Yannis.

– Et si on ne l'avait pas enterré le jour même, son âme aurait erré.

Lehna a répondu en souriant. Plaisante-t-elle ?

– Je suis trop grand pour croire aux fantômes.

– Oh, je ne te parle pas des fantômes, Yannis, mais des démons, des djinns. Mais puisque tu es trop grand…

Elle n'en dit pas plus et hausse les épaules.

—

Au bled, les jardins ne sont pas suspendus. Les toits ne sont pas d'or, de lapis et de pierres. Les maisons ne sont pas de marbre et, si elles ont la fraîcheur des cours et des patios, ouverts à tous vents, il n'y a pas ces fontaines d'eau parfumée à la fleur d'oranger, ni les moucharabieh des histoires de sa mère…

Les animaux ne sont pas ceux du zoo du calife – ni rares, ni précieux. Ce sont quelques vaches maigres et musculeuses, têtues ; des moutons hirsutes aux têtes noires, dont les laines s'emmêlent de débris d'épineux ; des agneaux vacillants.

Yannis n'imaginait pas que sa famille vivait de bergeries, d'olives, d'amandes, de plantes grattées sur le sol de pierre et de troupeaux emmenés chercher l'herbe là où ils la trouvent. L'eau n'est même pas courante au robinet. Les toilettes, dehors, sont un trou.

Yannis n'avait jamais vu de troupeaux non plus.

Les mouches sont partout.

« Pauvres… Nous étions pauvres. Mes parents n'avaient rien, avant de partir », songe-t-il, ébahi.

En a-t-il honte ? En est-il surpris ? Est-il fier, du coup, de ses parents qui ont pris le bateau vers la France sans esprit de retour, émigration, pour venir à Marseille travailler d'arrache-pied ?

Il ne sait pas.

Sa grand-mère l'effraye un peu, c'est une vieille femme en noir, dont il comprend mal les rares paroles, elle mâchonne un étrange français émaillé de mots arabes, maladroit, dans une bouche presque sans dents, sinon les deux en or. Elle porte les tatouages berbères, comme deux larmes d'encre bleue sur les joues, d'autres motifs sur le menton. Elle a des yeux si noirs. Sans cesse elle le touche, lui caresse les cheveux, les joues, comme si elle n'arrivait pas à se convaincre qu'elle voit, qu'elle frôle, qu'elle étreint son petit-fils.

Cela gêne Yannis.

Mais il l'aime, pourtant, il l'aime du premier élan, sans doute ni réserve. Il l'aime parce qu'elle est la mère de son père, la femme de l'homme au fusil sur la photo ; parce que son visage rit et se ride lorsqu'elle le regarde ; parce que quand elle le cherche et l'appelle, « Yannis ! », à travers la maison, on dirait un cri de chamelier ; parce qu'elle parle peu, si peu, mais tout le monde écoute alors, hoche la tête.

Elle est la reine mère de ce pauvre domaine, la princesse des cailloux et des troupeaux maigres, la gérante de ce si peu, qui est chez lui. Ses origines.

L'oncle Anir lui dit, une troisième fois, à quel point

il lui rappelle son père au même âge. Yannis commence à se repérer. Anir, c'est l'aîné – le père de Yannis est le second, et Lehna est la benjamine, la dernière de cinq.

Quand ils sont seuls, elle lui ébouriffe les cheveux. Se peut-il qu'elle et son frère ne se soient pas vus pendant dix ans, comme elle le répète ?

Il n'imagine pas que Camila et lui puissent être séparés un jour, mais il est un enfant, il n'imagine pas la vie, encore…

—

Il est l'heure de se coucher. Dans la pièce à côté, le père de Yannis, en bras de chemise, discute avec son frère et sa sœur, assez haut, sous le regard approbateur de leur mère et dans une langue qu'il ne connaît pas. Les deux hommes sortent de temps en temps, pour fumer.

Yannis entend la voix de sa mère chanter à Camila une berceuse dont il connaît les mots, les sonorités, mais pas le sens – et qui est peut-être son plus vieux souvenir :

– *Mama, mama gaya, bahdy chouailla, gayba halawouillettes…*

—

Dans son sommeil, le vieillard qui vient le visiter a le visage du jeune homme en tenue traditionnelle, sur la photo du coffre de bois. Il s'appuie sur son fusil comme sur une canne.

– Grand-père ?

Le vieillard répond à Yannis mais Yannis n'entend rien. Il se réveille en sueur, hors de lui-même, sans savoir pourquoi.

Se rendort.

Son grand-père revient. Trois fois, encore.

Un fantôme ? Un démon ?

Au matin, Yannis se lève dans une clarté d'avant le jour. Il n'a pas l'habitude de partager la chambre avec des cousins, presque des inconnus. Dans la pièce sans fenêtres, il fait un peu froid.

Ses parents dorment à côté, avec sa sœur.

Dehors, une brume flotte sur les champs, elle disparaîtra avec la première chaleur. Des oiseaux volent en sifflant dans l'air, vers les contreforts du djebel.

Ce sont des faucons, lui a dit son père, la veille.

Il s'assoit sur la marche du perron.

Lehna, qui vaque déjà au jardin, le rejoint quelques instants après :

– Tu dors mal, petit Français ?

– J'ai vu mon grand-père.

Un sourire de mélancolie attriste un instant le visage de la jeune fille. Elle n'a pas encore mis son voile, ce matin – il n'est pas vraiment un homme, pour elle.

– Tu as de la chance. Moi, je ne le vois plus…

– Il ne me parlait pas…

– Non. Bien sûr. Tu ne peux pas l'entendre.

– Tu disais qu'il y avait des fantômes, des démons ?

– Oui. Mais ton grand-père n'en est pas un, on l'a enterré comme il convient… Son âme a trouvé le repos.

Seulement, la nuit, quand ton âme sort de ton corps, on dit qu'elle peut s'élever… Elle peut rejoindre celles des morts et converser sans un mot avec elles, même avec l'âme du Prophète. Tu connais le Prophète ?

Il hoche la tête. Bien sûr…

– Tu as reçu une grande consolation, Yannis… En revanche, si tu vois un mort revenir le jour, méfie-toi, c'est peut-être un djinn ou un démon… Le jour, ils s'amusent à prendre le visage des morts. Et la nuit, ils tourmentent l'âme de ceux qui n'ont pas reçu de sépulture.

– Et… et les fantômes ?

Elle roule des yeux.

– Ils errent sans repos, petit Français. Tu peux les voir aussi, même les entendre, mais il ne faut le souhaiter à personne… Oh, regarde !

Elle montre un passereau qui vient de se poser et pioche quelques grains par terre, le dos gris clair, le ventre blanc.

– C'est une sittelle kabyle, il n'y en a presque plus chez nous. Tu as vraiment de la chance, *ya bey*…

Elle rit. Elle est belle, ce faisant, d'une beauté sauvage, indomptable, moins sage que celle de sa mère. Voit-elle comment il la regarde, de ses yeux de garçonnet ?

– Quand mes cheveux seront aussi gris que la sittelle, si je ne suis pas mariée, tu viendras me chercher, pour m'emmener chez toi ?

Yannis se doute qu'elle n'a pas le droit de lui dire une chose pareille… Il se demande si elle est sérieuse. Il ne sait pas si les neveux peuvent épouser les tantes. Il aimerait bien, mais il n'ose pas répondre.

—

Plus tard dans la matinée, dans la Dacia de l'oncle, ils vont voir l'autre grand-mère qui habite une ferme un peu plus cossue, à dix minutes à peine. Elle ne touche pas Yannis. Elle ne le regarde pas. Le jeune garçon sent bien qu'il est une pierre d'achoppement entre sa mère et la mère de sa mère.

Sans mots encore, il comprend que la grand-mère endeuillée est fière de son fils, quand l'autre reproche à sa fille d'être partie. Il ne peut supposer les histoires de famille, les mésalliances, les échecs. Il ne peut que ressentir, se renfrogner : il refuse qu'on reproche quoi que ce soit à sa mère.

Ils reviennent à la maison de Lehna.

Plus tard encore dans la journée, arrivent les cousins de Normandie. Ils ont pris l'avion, eux, pas le ferry. Yannis ignorait qu'il avait autant de famille. Il ignore pourquoi ils ne se voient jamais, en France…

Mais ils apprennent à se connaître, tous les quatre, les petits *immigri* ; ils s'apprivoisent. Ils jouent avec les cousins d'ici, dont le compte et les liens se perdent… Ils restent une semaine, avec les oncles, les tantes, toute la parentèle qui rend visite – avec Lehna qui parfois prend Yannis à part pour l'emmener voir les montagnes alentour.

Il ne rêve plus de son grand-père.

Quand ils repartent, il remarque que son père porte à son poignet une montre qu'il ne lui connaissait pas – il se demande pourquoi il l'a reçue, lui, et ce qu'ont eu les autres frères et sœurs, en héritage de leur père. Il n'ose pas demander, pas tout de suite. Ils montent sur le bateau. Il oubliera de poser les questions à son père, à sa mère.

Il oubliera la sittelle et même son nom d'oiseau.

Il racontera tout le reste à son ami Hervé, qui garde son chien le temps de son absence. Il va retrouver ses jouets, l'eau courante au robinet. De temps en temps, désormais, aux vacances scolaires, il reverra les cousins de Normandie; mais pas la tante Lehna.

Il n'oubliera pas sa question, le pacte secret entre eux.

Parfois, ils se parlent au téléphone. À chaque fois, il lui demande, sérieux comme si c'était un jeu:

– Tante Lehna, maintenant, as-tu les cheveux gris?

Yves Grevet

SARAH, ADÈLE, ZOÉ, COLINE ET LOLA

EN ROUTE VERS LE FAR WEST

Sarah

Nous sommes dix-neuf ados dans ce camion militaire, installés sur deux bancs qui se font face, avec nos bagages à nos pieds. Une majorité de filles, et tous heureux de quitter Paris. Emmitouflés dans nos manteaux, des couvertures sur les épaules, nous avons quand même froid. Le vent s'engouffre sous la bâche kaki. Nous sommes serrées toutes les cinq, comme au premier jour, Zoé, Adèle, Lola, Coline et moi.

Il est 5 heures du matin. Nous sommes stationnés sur le boulevard juste en face de l'entrée principale, depuis le milieu de la nuit. Nous attendons les autres véhicules de transport de troupes qui participeront au convoi. L'ambiance est silencieuse et les visages sont fermés. La tension est palpable. Je pense que ça ira mieux quand nous aurons mis de la distance entre ce lieu et nous. Le ronronnement puissant de camions qui passent au ralenti près de nous réveille tout le monde. Quatre filles et un garçon grimpent dans notre véhicule et vont s'asseoir vers le fond. Une adolescente avec des tresses prend place à côté de Lola.

Ça y est, nous sommes au complet, nous allons enfin partir. Nous quittons avec soulagement cette prison qu'était devenue pour nous le R-Point de la Salpêtrière, qu'on surnommait entre nous la « Salpétass ». Les mines s'éclairent. Certains sourient carrément, d'autres se prennent dans les bras et se congratulent. Pourtant l'endroit n'est pas repoussant à première vue, avec ses bâtiments entourés d'espaces verts et sa jolie chapelle. On nous garantissait la sécurité vis-à-vis de l'extérieur, mais le vrai péril se trouvait entre ses murs. C'est bizarre comme les choses ont vite évolué. Ces garçons, au départ, n'étaient pas différents de ceux que nous fréquentions dans nos lycées. Alors comment expliquer que le fait de manipuler les armes les ait transformés en brutes autoritaires et dépravées ?

« L'effet de groupe, avait avancé une fille qui en connaissait certains. Ils ne veulent pas se différencier des autres par peur d'être stigmatisés. Ce sont des lâches qui n'osent pas s'opposer. » « L'alcool, surtout l'alcool, affirmait une autre. On leur en fait boire pour désinhiber leur peur avant les combats et quand ils reviennent pour qu'ils ne gardent pas la mémoire des horreurs dont ils ont été les acteurs ou les témoins. » Moi, je pense que les militaires avaient leur part de responsabilité en n'intervenant pas en cas de dérapages. Et pourquoi n'ont-ils pas dès le départ fait confiance à des filles pour participer aux forces armées ? Pourquoi a-t-on relégué celles-ci directement aux soins des blessés et aux tâches ménagères ? J'ai la conviction que ce système machiste leur convenait parce qu'il était semblable à celui qu'ils avaient toujours connu au sein de l'armée. La vie était devenue compliquée pour nous qui refusions de nous afficher en couple, avec un « protecteur ». On ne se baladait jamais seules et on devait se barricader la nuit.

Nous partons en Bretagne pour fonder dans quelques mois une communauté paysanne. Nous n'avons pas choisi notre destination par hasard. Nous avons toutes l'espoir de retrouver un jour notre héroïne, notre Koridwen, celle qui sait se servir d'une arme, combattre à mains nues, fabriquer des potions, faire mettre bas des vaches, conduire un tracteur, et la liste ne doit pas s'arrêter là. Nous allons dans un premier temps suivre une formation générale dans les environs de Rennes. Je ne l'ai pas dit aux autres, j'ai du mal à m'imaginer agricultrice. J'ai suivi le mouvement car je ne voulais en aucun cas être séparée de celles que je considère maintenant comme mes sœurs. Que penseraient mes parents qui étaient profs à l'université de l'orientation professionnelle de leur fille ? Eux qui me voyaient suivre leurs traces, ou faire du journalisme, ou même devenir artiste.

J'ai peur des animaux depuis que je suis toute petite, des chiens, des chats et même des pigeons. Je ne vois pas comment on peut se faire obéir d'une vache ou d'un cochon. Et l'idée de tuer un être vivant me révulse. Nous avons eu beaucoup de discussions entre nous, et deux camps se dessinent. Lola et Zoé partagent mes appréhensions et s'imaginent plutôt pratiquer le maraîchage. Pour le coup, me faire respecter par des carottes ou des salades me paraît plus à ma portée. Coline et Adèle tiennent à l'idée d'une ferme traditionnelle avec vaches, cochons, poules et lapins, et aussi des cultures de céréales et un potager à usage privé.

– Il faut, martèle Adèle, qu'on puisse être entièrement autonomes, autosuffisantes, qu'on ne dépende jamais des autres, qu'on puisse même, en cas de nécessité, vivre totalement isolées.

Personne n'ose la contredire. On sait toutes d'où lui vient cette conviction. Notre copine a particulièrement souffert au R-Point. Au départ, c'était la plus motivée et elle avait décidé de faire confiance aux autres résidents. Elle pensait même avoir tissé des liens avec certains. Elle s'était en particulier rapprochée d'un gars prénommé Brice, qui s'est avéré être un parfait salaud. Un soir, il l'a entraînée dans un véritable piège. Heureusement pour elle, une sirène a retenti juste avant que son supplice ne commence, et tous les gars alcoolisés et excités sont partis s'équiper pour affronter une urgence. À part nous, personne dans le R-Point n'a pris sa défense, et le militaire auprès duquel elle s'est plainte l'a traitée d'allumeuse irresponsable.

Le camion a pris de la vitesse, et son moteur est particulièrement bruyant. La discussion ne sera possible qu'avec les voisins proches. Nous arrivons sur le périphérique. Nous regardons les phares des camions qui nous suivent dans la nuit. Malgré le bourdonnement ambiant, on entend des chants et des rires qui émanent de certains. Pourvu que tous ces gens ne soient pas trop déçus dans quelques mois.

L'ombre du stade Charléty se dessine sur la droite, en face c'est Gentilly où habite Koridwen.

– Tu crois qu'elle est encore dans le coin? me demande Adèle.

– Oui, je réponds sans avoir à demander de qui elle parle. Si ça se trouve, elle nous regarde passer.

– À cette heure, ajoute ma copine, j'espère qu'elle dort bien au chaud chez elle. Et qu'elle a un plan pour ne pas rester toute seule à Noël.

Noël… Dans un tel chaos, ce mot paraît déplacé. Il appartient à une époque révolue, à un temps où il y avait des enfants pour y croire. Chez moi, on ne célébrait cette fête que pour que je ne me sente pas trop différente de mes camarades de classe. D'ailleurs, depuis la cinquième, mes parents avaient arrêté de se forcer et ne m'offraient même plus de cadeaux. Je l'avais admis sans poser de questions. J'avais grandi et j'étais en âge de comprendre.

Une fille s'est approchée depuis l'avant du véhicule pour prendre des photos avec son téléphone. Je lance un regard à Adèle qui sourit comme moi. Ces objets technologiques devenus inopérants sont remisés tout au fond de nos sacs en attendant des jours meilleurs, s'ils reviennent. Un réseau sera-t-il rétabli un jour? Y a-t-il encore des endroits dans le monde où les gens utilisent des téléphones ou les fabriquent? Je n'en suis pas certaine. La fille s'est assise par terre et continue à scruter l'horizon. Son visage me dit quelque chose. Ses grands yeux clairs, sa chevelure blonde et frisée retenue par un épais bandeau. Je crois l'avoir servie une fois au réfectoire. Il y avait tellement de gens que c'est difficile d'en être certaine. Pourtant le sourire qu'elle me lance m'incite à penser qu'on s'est déjà croisées. J'engage la conversation :

– Tu t'en sers encore ? Comment tu as fait pour le recharger après deux mois sans électricité ? Tu avais des relations haut placées au sein du R-Point ?

– Non, j'allais en cachette à la gare d'Austerlitz, juste à côté. Je le rechargeais sur les bornes à pédales. On était un petit groupe à se retrouver là-bas pratiquement toutes les nuits. Certains venaient écouter de la musique, d'autres regarder des films sur leur tablette. On n'embêtait personne. C'était cool : chacun dans sa bulle mais ensemble aussi. Quand les militaires ont découvert ce qu'ils appelaient « notre trafic », ils ont saboté l'installation pour nous faire passer l'envie de quitter clandestinement le R-Point. La vraie raison, c'est que ces mecs-là ne veulent pas que nous puissions nous passer d'eux.

– Et comment tu vas faire maintenant ?

– J'ai plusieurs batteries externes bien pleines. Pour les prochaines semaines, ça devrait tenir. Ensuite, j'espère que je pourrai me brancher sur un groupe électrogène ou une éolienne.

– Pourquoi tu fais des photos ?

– Nous vivons un moment incroyable de l'histoire de l'humanité. J'ai tout de suite compris qu'il fallait fixer ces instants et garder des traces pour les transmettre aux générations futures. C'est à nous de le faire. Sinon, ce sont les autorités qui en auront l'exclusivité, et on sait de quels mensonges elles sont capables.

Je reste un moment sans voix, impressionnée par son discours. Quand la plupart des gens ne songent qu'à survivre au jour le jour, elle mobilise son énergie pour des aspirations plus hautes, pour un idéal.

– Tu me trouves bizarre, c'est ça ? reprend-elle.

– Non, mais c'est tellement loin de moi. Je trouve ça bien de penser aux autres, à l'avenir aussi. C'est comme une mission.

– Au début, c'était très personnel. J'ai photographié dans mon appartement tout ce que je laissais derrière moi, les murs, les meubles, les vêtements, les objets de mes petits frères et ceux de mes parents. J'avais peur d'oublier. Le soir, je les faisais défiler et je pleurais. Et ça me faisait du bien. Ensuite, j'ai relevé la tête et j'ai commencé à regarder autour de moi. Il y a plein de cons au R-Point, pourtant je reste persuadée que les gens sont globalement plutôt généreux et bienveillants. J'ai trouvé beaucoup de solidarité avant de rejoindre la Salpêtrière. Tu t'appelles comment ?

– Sarah.

– Moi, c'est Solveig. Et tu faisais quoi en dehors de ton service au réfectoire ?

– Pas grand-chose, dis-je contente qu'elle m'ait remarquée pendant mon service. Je restais avec mes copines, on se consolait de nos malheurs, on essayait d'imaginer des plans pour l'avenir. On bouquinait aussi, en cachette, dans le dortoir, des livres qu'on empruntait à d'autres filles. À vrai dire, on s'emmerdait un peu.

Et toi, tu pars toute seule en Bretagne ? Tu n'es pas avec un petit copain ? Ou peut-être que tu vas en retrouver un là-bas ?

– Ça ne risque pas ! Je ne suis pas du genre à avoir un petit copain.

– Moi non plus, dis-je, catégorique. Mais alors, pas du tout !

Elle me sourit franchement et me fait signe de me rapprocher. Puis elle me chuchote à l'oreille :

– Moi, je suis plutôt du genre à avoir une petite copine.

J'aurais du mal à l'expliquer mais cette révélation n'est pas une surprise. Elle se recule pour guetter ma réaction. Sans doute a-t-elle peur que je la rejette ou, pire, que je me moque d'elle devant les autres. Je connais trop cette angoisse pour l'avoir vécue plusieurs fois. Je la fixe et articule sans produire de son : « Moi aussi. »

Hilare, elle lève ses mains que je viens claquer avec les miennes. Nous scellons une victoire ou, peut-être encore mieux, un pacte. En route pour de nouvelles aventures !

Adèle

Sarah rigole. Visiblement, elle vient de se faire une nouvelle copine. Sa joie me fait plaisir. Elle est au diapason de l'euphorie collective qui semble régner dans le convoi. J'essaie de ne pas trop le montrer mais je ne suis pas du tout dans le même état d'esprit. Comment s'imaginer que tout puisse s'arranger du seul fait qu'on change de lieu ? Là où nous allons, ce ne sera pas le paradis, il n'est pas de ce monde. Les gens là-bas ne seront pas différents de ceux que nous venons de quitter. Il y aura des bons et des méchants, des victimes et des prédateurs. Il ne faut pas s'attendre à des miracles. Venant des hommes, ils sont rares.

Je me sens vieille, à ruminer dans mon coin au milieu de ces visages détendus, voire radieux pour certains. Ces derniers temps, j'ai l'impression d'avoir vécu un concentré de vie et d'y avoir beaucoup et brutalement changé de rôle.

Début octobre, j'étais encore Adèle, la petite sœur choyée d'une famille nombreuse et aisée. J'étais entourée, protégée. Je n'avais pour ambition que de faire plaisir à mes parents en étant bonne en hypokhâgne et douée en violon. Nous allions tous les dimanches à l'église pour remercier Dieu de cette vie si facile.

Fin octobre, le monde s'est écroulé. Toute ma famille a disparu en quelques jours. Je suis restée prostrée, pendant au moins une semaine. Je me sentais régresser, redevenir un nourrisson geignard, incapable de s'alimenter et de se laver.

Début novembre, heureusement, un matin, une force m'a poussée à m'habiller pour sortir chercher de la nourriture. C'est ce jour-là que j'ai rencontré, merci mon Dieu, Zoé, Sarah, Coline et Lola. Étant la plus âgée, j'ai endossé malgré moi le rôle de la grande sœur un peu maternante. Les autres se sont accordées pour me laisser diriger notre petite communauté. Ont suivi quelques semaines assez heureuses, malgré le chagrin. Nous nous sommes organisées, soutenues et avons recréé une sorte de famille. Nous étions toutes pleines de douceur, d'attention et d'empathie. Nous parvenions même, parfois, à rire. Un soir, avec Koridwen, nous avons dansé comme des gamines pendant des soirées pyjama d'autrefois. Mais la violence omniprésente à l'extérieur nous effrayait. Nous assistions depuis nos fenêtres à des bagarres sanglantes entre bandes. Une nuit, des rafales de mitraillette ont fait exploser les vitres d'un immeuble tout proche, des meutes de chiens affamés agressaient des humains partis chercher du ravitaillement. Et puis, le pire, nous n'arrivions pas à oublier la fois où, lors de l'unique sortie nocturne du groupe, invité par des amis des jumelles dans les couloirs du métro, Zoé avait disparu. Pendant plusieurs jours, nous l'avions crue morte. Assez vite après, nous avons décidé de nous mettre sous la protection de l'armée.

En décembre, nous avons donc rejoint un R-Point. Nous avons accepté de devenir l'un des nombreux rouages d'une organisation où nous ne contrôlions plus rien. Je me suis alors transformée en servante, moi la fille de bourgeois, j'ai nettoyé la vaisselle et servi à table. L'ambiance était exécrable et le travail dur, mais j'ai pris sur moi. On me l'avait répété, il faut être patiente dans la vie. L'existence est faite de hauts et de bas que l'on doit accepter. Et puis, au milieu des difficultés, j'ai rencontré un garçon qui semblait sincère. Et, malgré les avertissements de mes nouvelles sœurs que j'ai refusé d'entendre, je me suis laissé embobiner. C'est si plaisant de se sentir aimée, protégée, considérée. C'était ma première fois. Je me suis mise à rêver. J'en étais presque venue à envisager une relation durable, comme celle qu'avaient construite mes parents. Et puis sont arrivés la trahison, la panique, l'incapacité de réagir, la peur de mourir ainsi qu'un sentiment de honte et de dégoût. Mais je m'en suis sortie miraculeusement, grâce à Dieu. C'est sans doute une épreuve qu'il a mise sur mon chemin. J'ai su en tirer une leçon. Maintenant je sais que le Mal peut se cacher sous les traits de n'importe qui, que je dois apprendre à me méfier. En disant cela, je me surprends à glisser un doigt dans ma botte pour vérifier que ma lame est toujours là. La prochaine fois, j'espère que je serai capable de faire face.

Que serai-je en janvier et dans les mois qui vont suivre ? Je me rêve en paysanne partageant une vie simple avec mes amies. Surtout, j'ai envie d'un peu de paix et de tranquillité.

Noël… J'ai parlé de Noël avec Sarah. Pendant quelques minutes, j'ai revu la magnifique fête que c'était chaque année pour nous dans le manoir familial de Normandie. Tous mes frères et sœurs étaient là, certains avec leurs enfants. Le grand sapin couvert de boules rouges. Et les membres de la famille qui se rendaient à pied, juste éclairés par des lampes torches, à l'église du village. Et les paroissiens qui se souriaient et priaient ensemble. Cette joie qui nous remplissait et nous fortifiait.

J'essaie de faire le vide en moi, d'oublier pour quelques

minutes où je suis. Je me retrouve entourée des miens dans le silence de la prière, les mains levées vers le Ciel.

Zoé

Adèle prie. Je ne vais pas la déranger. Nous franchissons l'ancien péage de Saint-Arnoult, étrangement désert. Je me souviens des longues queues de voitures lors des grands départs vers la Côte atlantique. Mon père pestait, à chaque fois, sur le choix de la file qu'il avait choisie. « Comme par hasard », la sienne avançait toujours moins vite que celles des autres. Impassible, le nez plongé dans son roman, ma mère ne faisait pas de commentaires et se contentait de lui envoyer des baisers à distance. Moi, le casque vissé sur les oreilles, je somnolais à moitié. J'allais retrouver mes petites cousines près de La Rochelle dans la maison de ma grand-mère. Mes parents ne restaient que quelques jours sur place. Ensuite, je jouais à la baby-sitter bénévole pendant la journée. Le soir, Mamy m'autorisait à rejoindre les jeunes du village que je connaissais depuis l'enfance mais avec lesquels, les années passant, j'avais de moins en moins de choses à partager. Je m'ennuyais tranquillement en rêvant au retour. C'est si loin, tout ça.

Depuis, il y a eu l'épidémie et puis je suis morte. Oui, morte. J'étais enfermée dans un cercueil vertical, sans boire et sans manger. J'avais perdu toute notion du temps et de l'espace. Je m'étais résignée à laisser la vie s'échapper. Durant les rares moments de conscience, je n'avais qu'une idée en tête : me rendormir pour que le temps achève son travail et que mon corps cède enfin. Je ne désirais plus rien, sauf rejoindre le néant. Et puis le miracle s'est produit. Koridwen et Max ont surgi du noir. Ils m'ont extirpée des profondeurs de la terre et rendue à la lumière, à la vie. Comment ne pas voir en eux deux anges tombés du Ciel ? Je sais, je me mets à parler comme Adèle, alors que je ne crois en rien.

Depuis cette nouvelle naissance, je suis une Zoé différente qui essaie de profiter au maximum du sursis qui lui a été accordé. Alors, j'essaie de faire face aux épreuves. J'agis, je me bats pour ne rien regretter. Par exemple, ce connard de Brice qui a piégé Adèle, je lui ai fait payer sa lâcheté. J'ai versé dans son potage tout le laxatif que nous avait préparé notre fée bretonne. Il a été bon pour une hospitalisation en urgence pendant trois jours. Et, alors qu'il commençait à peine à se remettre, je me suis offert le plaisir d'aller le narguer. Heureusement, je ne donne pas seulement dans la vengeance. Je montre à mes amies que je les aime. Je les fais rire quand elles sont déprimées. J'essaie aussi d'aller vers les autres pour ne pas rater quelqu'un avec qui je pourrais passer un moment enrichissant. Mais je suis souvent déçue. Les gens sont tristes et ne pensent qu'à eux.

Le camion ralentit puis s'arrête. Les autres véhicules font de même. Les chants et les rires se calment progressivement. Un gars qui a passé sa tête à l'extérieur nous fait un rapport en direct :

– Un camion est en panne… Son capot est ouvert… Ils font descendre les passagers avec leurs sacs… Ils vont les répartir… On va en récupérer deux… Il va falloir faire de la place.

Comme prévu, trente secondes plus tard, deux gars grimpent et s'installent sur leur sac dans un espace qui vient d'être libéré. Ils sont assis à trois mètres de moi et me tournent le dos. L'un des deux est coiffé d'une casquette en jean élimé et porte des lunettes de soleil. Je ne sais pas pourquoi j'éprouve le besoin de le fixer. Il se gratte la nuque et expose durant quelques secondes une parcelle de sa peau. Je sursaute et sens une fièvre soudaine m'envahir jusqu'à faire apparaître, malgré le froid, des gouttes de sueur sur mes tempes. J'ai reconnu la tache de vin en forme de trèfle dans son cou. C'est lui… c'est le fou… qui a voulu m'enterrer vivante dans un souterrain du RER. Je m'efforce de respirer profondément pour endiguer l'angoisse qui s'empare de moi. Je ne dois pas avoir peur… Je ne dois pas avoir peur. Je me parle doucement : « Zoé, tu ne peux plus avoir peur maintenant. Tu ne risques plus rien puisque tu es déjà morte. »

Coline

Zoé fait son yoga. Je l'entends réguler sa respiration. J'ai somnolé pendant une grande partie du trajet. Le ronronnement du moteur, les tressautements du véhicule et l'odeur du gasoil ont sur moi un effet soporifique. Ma jumelle, Lola, me prête le creux de son épaule en guise d'oreiller. Elle m'a protégée d'une couverture épaisse et entourée de ses bras. Je sais que, pour elle, le voyage est une véritable épreuve car, depuis l'enfance, elle a tendance à vomir pendant les trajets un peu longs. Heureusement, elle semble détendue. Je l'entends discuter avec sa voisine. C'est une de ces filles qui venaient d'un autre R-Point et qui ont rejoint le camion à la dernière minute. Je garde les yeux clos et j'essaie de ne pas trop bouger pour profiter encore un peu de ma position confortable. Mais Lola ne tarde pas à s'apercevoir de mon réveil. J'imagine que son corps est engourdi et qu'elle crève d'envie de s'étirer.

– Alors, ma Coco, déclare-t-elle, tu as bien dormi. Je t'envie ! Nous sommes déjà aux trois quarts du parcours. On va bientôt dépasser Laval. On s'est arrêtés à la hauteur du Mans pour accueillir des voyageurs dont le camion était tombé en panne. Voilà, j'ai fini mon rapport.

– Tu n'avais pas parlé de petit-déjeuner avec croissants chauds et pains au chocolat ?

– Si tu voyais ça dans ton rêve, je te conseille de te rendormir pour en profiter pleinement. Mais, cette fois-ci, appuie-toi sur cette chère Zoé.

– Non, je préfère toi. Tu es plus moelleuse.

– C'est ça, dis que je suis grosse !

– Mais non, tu es parfaite, ma Lola.

Je me redresse. Ma sœur reprend sa discussion avec sa voisine :

– C'est juste ma sœur Coline qui se réveille, explique-t-elle. Alors, sinon…

Je souris discrètement à la fille avant de me détourner. Je ne veux pas m'imposer dans leur échange. Je déteste quand ma sœur le fait.

Avec ma jumelle, ça a été compliqué ces derniers temps. Pour la première fois, je me suis demandé si le moment n'était pas venu de nous séparer. Mais je n'ai pas franchi le pas. Je crois que je n'en suis pas encore capable. Lola, elle, je ne sais même pas si elle y a cru une seconde lorsque j'ai évoqué cette possibilité.

J'ai rencontré Enzo au R-Point quelques jours après notre arrivée. Il était affecté à la surveillance une nuit sur deux. La première fois qu'on a discuté, j'étais installée sur les marches de l'entrée du bâtiment des filles. Il n'était pas loin de 3 heures et je venais de faire un horrible cauchemar. Je n'ai d'abord vu que la lueur minuscule de sa cigarette qui se rapprochait lentement. Il m'a dit à voix basse :

– Tu vas attraper froid. Tu ferais mieux de rentrer.

– Non, ça va. Je n'arrive pas à dormir. Tu montes la garde tout seul ?

– Oui… Enfin non. Mon pote ne va pas tarder. Il est parti voir quelqu'un.

– Sa copine ?

– Je crois. T'es nouvelle ? Tu ne travailles pas à la cantine des fois ?

J'ai imaginé qu'il m'avait repérée au réfectoire. J'avoue que de mon côté je n'avais pas prêté attention à lui. De fil en aiguille, nous avons sympathisé. Une semaine plus tard, nous nous sommes embrassés. Tous les soirs, vers 23 heures ou minuit, j'essayais de descendre pour discuter avec lui. Quand, ces derniers jours, le projet de départ en Bretagne s'est concrétisé, je n'ai pas eu le courage de le lui annoncer. Nous venions juste de nous promettre d'essayer de vivre ensemble le plus longtemps possible. Hier soir, j'ai fait discrètement passer une lettre par un de ses copains, dans laquelle je lui expliquais que je ne pouvais abandonner ma sœur mais que, s'il voulait me rejoindre, j'en serais ravie. À l'heure qu'il est, sa garde doit être finie. J'espère qu'il a trouvé le sommeil malgré tout.

Lola

Coline pense. Et je sais à qui. Pas à moi. Mais à son prétendu premier amour qu'elle a laissé derrière elle pour ne pas me quitter, moi, sa jumelle. Elle en a pleuré quelques nuits, mais elle a pris la bonne décision. Ce garçon un peu balourd, assez moche en plus, n'était pas du tout fait pour ma sœur. Elle mérite bien mieux qu'un « gars gentil » qui ne pense qu'à bouffer. D'ailleurs, je suis certaine qu'il ne l'a draguée que parce qu'elle bossait à la cantine et pouvait lui rapporter des trucs à manger durant ses gardes. Elle l'oubliera très vite. Ça m'a rappelé une crise que nous avons eue en CM2, quand je me suis rapprochée d'une fille nommée Éléonore. Au cours d'une dispute, j'ai dit à ma sœur que c'était ma copine que j'aurais voulu avoir comme sœur et pas elle. Sur le moment, elle a fait mine d'encaisser mon coup bas, mais la nuit qui a suivi elle a eu des convulsions très spectaculaires qui ont nécessité l'intervention du SAMU. Elle est ensuite tombée dans une sorte de léthargie. Tout est miraculeusement rentré dans l'ordre quand elle a appris que je m'étais engueulée avec Éléonore. Un jour viendra où nous allons nous quitter. Je le sais. C'est normal. Il faudra bien construire nos vies séparément. Mais c'est vrai que, pour l'instant, ça me paraît totalement inimaginable. C'est le seul membre de ma famille encore en vie, elle remplace un peu tous les autres, et je ne peux me retrouver toute seule si brusquement.

Je suis assise à côté d'une fille passionnante, une aventurière discrète comme Koridwen, qui a résisté longtemps avant de rejoindre finalement un R-Point. Elle vivait dans un pavillon en banlieue avec ses frères. Elle a eu l'occasion de se servir d'une arme quand des voyous ont attaqué sa maison, mais elle pense ne jamais avoir tué quelqu'un.

– Aujourd'hui, je me dis que c'est une chance d'être une mauvaise tireuse. Au moins, je n'ai pas de sang sur les mains.

Pour fuir la violence dans laquelle ses frères étaient impliqués, elle a essayé de partir chez des cousins à Orléans. Elle n'est pas arrivée jusque là-bas car la voiture qui la transportait a été la cible de snipers de l'armée qui surveillaient les entrées et sorties de la région parisienne. Elle est la seule à avoir survécu.

– Tu sais, je me suis demandé si j'étais morte moi

aussi et j'ai même souhaité que ce soit le cas. Et puis j'ai compris que j'étais recouverte par les corps de mes compagnons de voyage qui s'étaient couchés sur moi quand je m'étais plaquée au sol. Ils étaient lourds et humides. J'ai réalisé que c'était leur sang qui me coulait dessus mais que je n'avais rien. J'ai alors senti l'odeur de l'essence envahir l'habitacle en même temps que des cris de haine. J'ai compris que les militaires allaient faire brûler la voiture et que ce serait notre dernière sépulture. Alors, dans un réflexe de survie, j'ai essayé de me dégager de la masse des cadavres qui me clouaient sous leur poids et j'ai hurlé, hurlé plusieurs minutes. J'ai entendu que les gars se disputaient pour savoir si je méritais d'échapper à l'horreur : « C'est de la racaille ! Ça s'élimine comme la vermine ! » a crié l'un d'eux.

Heureusement, celui qui voulait me sauver gueulait plus fort que les autres. Deux militaires m'ont extirpée violemment du véhicule juste avant que les autres n'y mettent le feu. Après, j'ai été interrogée pendant des heures parce qu'ils voulaient savoir si j'étais impliquée dans les trafics de mes frères. Ensuite, ils m'ont pucée et transférée au centre de tri de Charléty où je suis restée enfermée pendant plus d'une semaine. C'est là que j'ai pu demander à partir en Bretagne pour travailler dans une ferme.

– Pourquoi la Bretagne ?

– En fait, je n'y suis jamais allée. Il paraît que c'est très beau. Et toi et tes copines, vous avez envie de devenir paysannes ?

– Nous, on voulait surtout quitter le R-Point. La Bretagne, c'est parce qu'on connaît quelqu'un là-bas qui a une ferme et on aimerait bien aller chez elle, après notre formation. Tu pourrais venir avec nous si tu veux ?

– C'est-à-dire que j'ai un plan moi aussi. On m'a donné une adresse.

Je suis un peu déçue, mais la vie nous permettra peut-être de nous retrouver plus tard. Après un court silence, elle reprend :

– Si j'ai bien compris, on va être formés par des élèves de lycées agricoles. Ils nous expliqueront les rudiments du métier pendant six mois. J'ai entendu qu'on serait par groupes de dix. Visiblement, on nous permet de les constituer nous-mêmes.

– Nous sommes déjà cinq, et même six avec la nouvelle copine de Sarah. Si tu veux te joindre à nous, mes copines seront d'accord.

– Avec plaisir. Merci, Lola.

Nous avons quitté la voie rapide pour entrer dans l'agglomération de Rennes. Le camion roule au pas. Nous stoppons dans une grande cour rectangulaire entourée sur trois côtés de hauts bâtiments anciens. Nous sautons du véhicule avec nos bagages. J'entends derrière moi, un cri étouffé. C'est un des deux gars montés pendant le trajet, celui avec une casquette et des lunettes de soleil. Il a posé un genou à terre et sa bouche est tordue par la douleur. Il retire la main qu'il avait plaquée sur sa cuisse. Elle est couverte de sang.

– Que se passe-t-il ici ? hurle un militaire qui s'est rapproché.

– Rien, c'est rien, dit le gars. C'est moi… c'est moi qui me suis coupé… tout seul.

Nous gagnons rapidement un grand réfectoire pendant que l'adolescent est sans doute orienté vers l'infirmerie. On nous sert des biscottes, de la confiture et du lait chaud.

– Mais où sont les viennoiseries promises ? demande ma sœur. Appelez-moi un responsable tout de suite !

– Arrête, souffle Adèle, ne nous faisons pas remarquer. Tu sais que les militaires n'ont pas le même sens de l'humour que toi.

Le petit déjeuner se déroule dans le silence, signe que beaucoup d'entre nous étaient affamés. Je croise un échange de regards entre notre « grande sœur » et Zoé. La première semble contrariée alors que l'autre affiche une mine satisfaite en lui passant discrètement un petit objet fin enveloppé dans une serviette en papier. Je parierais qu'il s'agit de la lame d'Adèle. Il faudra que je tire cette histoire au clair un peu plus tard. Un gradé d'une cinquantaine d'années grimpe sur une chaise pour nous donner des informations :

– Nous avons récupéré les listes que vous avez constituées et avons dans la mesure du possible essayé de respecter vos choix. Des lieux et des tuteurs vont vous être attribués pour les six prochains mois. Vous devrez leur obéir comme à un patron. Nous effectuerons des visites régulières pour contrôler que tout se passe bien. À l'issue de cette formation, ceux qui en auront les capacités se verront attribuer une exploitation et pourront former leur propre équipe. Prenez votre sac et suivez-moi dans la cour.

Nous découvrons une quinzaine de tracteurs avec chacun une remorque à l'arrière. Devant les véhicules sont plantés des ados, pour deux tiers des garçons, et une vieille dame, une survivante qui attire tous les regards. J'entends Adèle murmurer :

– Faites qu'on ait la mamie ! Mon Dieu, faites qu'on ait la mamie ! Faites qu'on ait la mamie !

Après un court suspense, nous apprenons que nous avons gagné l'agricultrice à la retraite. La prière de notre amie a peut-être influencé le destin. Trois garçons ont été ajoutés pour compléter notre groupe. Ma sœur semble déjà loucher sur l'un d'eux. Elle se remet encore plus vite que je ne le pensais. Notre patronne nous accueille avec le sourire :

– Je m'appelle Erell. C'est moi qui vous ai choisis. J'ai le sentiment qu'on va bien s'entendre et faire du bon boulot ensemble.

Florence Hinckel

LES SURVIVANTS

+ 4 jours

Marius crève d'envie de s'en griller une ! Mais à bord du *Terrible*, l'un des quatre sous-marins nucléaires français lanceurs d'engin, la cigarette est strictement interdite, pour des raisons de sécurité évidentes. Marius fait partie des cent onze marins du bâtiment, qui viennent d'apprendre la mauvaise nouvelle, de la bouche du commandant. Le jeune homme revoit Hugues de Fontay faisant un effort visible pour dissimuler sa propre nervosité au moment de leur livrer le contenu du dernier message radio de la Force océanique stratégique.

Ils devaient tous débarquer le lendemain à la base de l'île Longue, en face de Brest, avant de rejoindre leurs familles, mais la FOST en a décidé autrement : ils doivent rempiler pour deux mois supplémentaires. Une déception immense s'est abattue sur le contingent mais, chez ces bons militaires, pas même un soupir ne s'est fait entendre.

Le commandant connaît sans doute la raison de cet ordre imprévu, mais Marius sait qu'il ne la leur livrera pas. C'est la procédure normale. Les marins militaires doivent s'exécuter sans poser de questions. C'est d'autant plus difficile qu'aucune communication avec l'extérieur n'est possible, dans ce type de vaisseau, et tout l'équipage est coupé du monde.

Chacun ne peut qu'égrener dans sa tête les hypothèses capables d'engendrer une décision aussi exceptionnelle : hiver nucléaire, guerre électromagnétique, tempête solaire ? Peut-être que, à cause de l'une de ces catastrophes, il ne reste pas suffisamment de militaires pour assurer la relève. Ou bien qu'une urgence les mobilise ailleurs. Ou qu'il est trop dangereux pour eux de rentrer.

Marius, tout en faisant les cent pas dans sa cabine durant la pause, tente de se rassurer en se disant que cette décision signe la volonté hiérarchique de continuer d'assurer la permanence de la dissuasion nucléaire. C'est la preuve que le monde tourne encore.

Ou qu'on veut s'en persuader.

+ 1 mois

Angeni a plus de vingt ans maintenant. Mais elle aime toujours, comme lorsqu'elle était enfant, s'installer sur une racine de palétuvier pour laisser son esprit voguer au rythme du fleuve Oyapock. Le chant du payo-payo l'encourage comme un mantra. Sur l'autre rive, c'est la même forêt amazonienne mais pas le même pays. Le fleuve marque une séparation entre le Brésil et la Guyane française. Son village à elle se situe sur la commune de Camopi, dans la partie la plus haute ; sa tribu fait partie des Indiens wayapi. Ils vivent de chasse, de pêche et de cueillette. Les chefs de famille ne se rendent à la ville de Saint-Georges qu'une fois par mois, pour percevoir le revenu de solidarité active, qu'ils appellent Eressa. Ils dépensent immédiatement cette somme sur place, en achetant un moteur pour leur pirogue, de l'essence et, hélas…, de la bière. Angeni exècre ce revenu qui rend fous les hommes durant plusieurs jours, une fois par mois.

C'est aujourd'hui, le jour du Eressa. Pour une fois, Angeni va accompagner son père et son mari à Saint-Georges. Elle redoute déjà la honte qu'elle éprouvera à les voir cuver l'alcool sous l'auvent des maisons des Blancs. Mais elle a besoin d'y aller, elle veut comprendre pourquoi la maîtresse d'école n'est pas revenue de son week-end depuis presque un mois. D'habitude, cette dernière part le vendredi soir et revient le lundi matin pour passer la semaine dans la maison sur pilotis construite à côté du carbet qui sert d'école. Il est arrivé qu'elle soit malade ou bien que le fleuve soit trop agité pour qu'elle puisse venir jusqu'à eux en pirogue, mais ses absences n'ont jamais duré aussi longtemps. Et Angeni aimerait beaucoup que sa fille de six ans apprenne à lire, pour comprendre les panneaux des Blancs. Alors elle va chercher l'institutrice à Saint-Georges.

Après une heure de trajet, les hommes arrêtent les

moteurs des pirogues, se préparant à accoster dans la ville guyanaise qui fait le lien entre le Brésil et cette zone de France équatoriale. C'est d'abord le silence qui les saisit tous, avant la surprise de voir le quai désert. D'ordinaire, il grouille de touristes, d'enfants du village, de vendeurs de fruits ou de capes contre la pluie – la petite saison des pluies a démarré. Mais aujourd'hui, il n'y a personne.

Angeni et les autres posent pied à terre prudemment.

Ils ne tardent pas à découvrir un premier corps, sur la place de la mairie. Yari, le fils du chef, retourne le cadavre du pied, pour voir son visage. L'homme est mort depuis un certain temps. La chaleur et l'humidité ont fait leur travail de putréfaction, mais ils reconnaissent tout de même le maire de Saint-Georges, à sa chevalière au doigt. Plus loin, ils trouvent les corps de l'épicière, du garde forestier, de trois professeurs du collège, du médecin du dispensaire et de nombreux villageois, adultes ou enfants.

Angeni quitte le groupe et se dirige machinalement vers le logement de l'ami que l'institutrice rejoignait chaque week-end – elle s'y était déjà rendue une fois par curiosité, elle y avait bu du chocolat. Elle met sa main sur sa bouche et son nez. C'est un réflexe peu efficace pour lutter contre la puanteur qui règne dans les rues de terre rouge. Par une fenêtre entrebâillée, elle discerne un corps affalé dans un hamac tendu en travers d'un salon. Il se balance doucement sous l'effet de la brise. Paisiblement. Un ordinateur portable ouvert, une table dressée, la voiture d'un enfant au sol : la vie suspendue. Un iguane surgit au détour d'une ruelle et passe entre les jambes d'Angeni. Elle pousse un cri, et la panique la saisit d'un coup. Elle court jusqu'au quai, le cœur battant à se rompre. Les hommes de son village sont déjà tous là à l'attendre, l'air terrifiés, pressés de partir.

Ils regagnent leurs pirogues sans rien emporter. Le village est maudit. Un sort y a sans doute été jeté. Il ne faut pas qu'un objet ensorcelé pénètre à Camopi. Ils repartent sans mettre en route leurs moteurs, de peur de troubler l'esprit qui a voulu ce silence et ce calme. Ils rament.

Ils ne disent rien.

Cette fois-ci, personne n'a bu de bière.

+ 1 mois et 1 semaine

Boris Actov s'accroche aux poignées du vaisseau pour s'engouffrer dans un couloir aux éclairages rouges. De couloir en couloir, il parvient en flottant jusqu'au module repas. Bridget est en train de siroter un thé dans un gobelet muni d'une paille à sens unique. En le voyant, elle passe rapidement une main sur ses yeux et ses joues, avant de se bricoler un sourire factice. Boris fait comme s'il n'avait rien vu et s'installe en face d'elle. Si on peut utiliser le mot « s'installer » pour quelqu'un qui vit dans l'instabilité de l'impesanteur.

– C'était quand, le dernier message du centre spatial ? demande Bridget doucement.

– Il y a quatre semaines, à peu près.

Il n'ajoute rien. Il pose sa main sur la sienne. Va-t-elle pleurer de nouveau ? Il y a quelques jours, elle n'avait pas réussi à se retenir, lorsqu'elle avait parlé de sa famille à l'équipage. Malgré lui, Boris avait pouffé : il n'avait jamais vu auparavant de larmes voler au lieu de couler.

Il augmente la pression de son étreinte avant de la lâcher, et se dirige vers un hublot.

Boris Actov a réalisé un rêve de gosse : voir la Terre de la station spatiale internationale. Cela fait plusieurs mois qu'il vit ce rêve : c'est sa première mission. La Terre est si belle vue d'ici. Si ronde, si calme, si sereine. D'ici, il est difficile d'imaginer ce qui est arrivé aux humains qui la peuplent. Ce virus fulgurant, tous ces morts… Sur cette ronde et belle planète ? Ça paraît impossible.

Boris ignore si Bridget, lui et les autres vont pouvoir retourner sur Terre, sans l'équipe de la station spatiale pour gérer leur atterrissage, ou bien s'ils vont mourir de faim dans leur bulle. Mais, en ce moment précis, Boris est juste ce gamin fasciné qui ne cesse d'être étonné de voir en vrai l'image du poster affiché dans sa chambre depuis ses huit ans. Mourir ici ne l'effraie pas tant que ça. Moins que de mourir là-bas, sur la surface de la planète bleue, sans avoir conscience de son immensité.

Il sait qu'il s'agit d'un sentiment égoïste, mais il éprouve soudain une profonde fierté, un intense bonheur.

En ce moment précis, Boris est heureux.

+ 5 semaines et demie

Le capitaine Salomon a pris la décision la plus difficile de toute sa carrière. Son navire marchand naviguait dans le Pacifique depuis quinze jours, en approche de San Francisco, lorsque lui sont parvenues les images terrifiantes du continent, *via* la télévision satellite.

– Rentrez vite à Hong Kong ! lui a immédiatement ordonné la compagnie dans un message. Cessez votre route vers San Francisco.

Les consignes étaient strictes : tous les navires devaient retourner à leur point de départ pour éviter la propagation du virus. Mais Ricardo Salomon ne se sentait pas malade, et aucun membre de son équipage ne présentait de symptôme inquiétant. Le capitaine était persuadé que son bateau était parti *avant* que le virus n'arrive à eux.

Alors il a hésité. Il avait toujours été un excellent élément au sein de la compagnie. On le louait pour sa promptitude à exécuter les ordres, pour son efficacité et sa capacité à diriger son équipage. Une main de fer dans un gant de velours. Désobéir n'a jamais fait partie de son système de pensée. *Faire le job*, juste faire le job, même s'il lui est arrivé de maudire ce job… comme ce jour de l'année précédente, lorsqu'il a dû partir en mission en laissant son plus jeune fils fiévreux, avec des maux de tête. Sa femme s'inquiétait mais essayait de n'en rien montrer. Le job avant tout. Son enfant est décédé quinze jours après son départ. Dengue hémorragique. Aurait-il pu le sauver s'il était resté ? La question ne se posait même pas : le job avant tout…

Mais aujourd'hui, allait-il de nouveau sacrifier une ou plusieurs vies, rien que pour ce foutu job ? Aujourd'hui, l'intuition est trop forte. Il a choisi de l'écouter.

Aussi n'a-t-il finalement pas répondu à sa hiérarchie, tout en ralentissant la vitesse au maximum. Il a fait l'inventaire : assez de nourriture et d'eau pour trois mois. À cette vitesse, ils avaient du fioul pour deux mois. Et il a ordonné un nouveau cap : direction les Philippines. Plus précisément Manille, d'où il venait et où il avait laissé sa famille, comme la majorité de l'équipage. Cette fois, il voulait penser d'abord à sa femme et à ses deux autres enfants. Avant le job.

Cela fait cinq semaines, maintenant. Ils sont tous toujours en parfaite santé, quoique las et inquiets. L'ambiance est électrique sur le bateau. De multiples questions vrillent toutes les têtes. Dans trois semaines, ils seront au large de Manille.

Il faudra alors décider d'accoster. Peut-être ce choix les condamnera-t-il tous, si le virus est encore actif. Peut-être découvriront-ils à quoi ressemble vraiment l'enfer. Et s'il n'y a plus de risque et que tout est rétabli, peut-être les accusera-t-on d'avoir volé le bateau. Peu importe ce qui les attend, il faudra accoster.

Le capitaine Ricardo Alvares Salomon regrettera-t-il alors de ne pas avoir juste *fait le job* ?

+ 1 mois et 2 semaines

Il fait jour vingt-quatre heures sur vingt-quatre en cette période de l'année en Terre Adélie, dans l'Antarctique. Marjorie est chercheuse à la station biologique de Roscoff. Elle y est venue pour mener à bien la mission

Polaris : observer les espèces sous-marines afin de déterminer leur potentiel d'adaptation au réchauffement climatique.

Il lui a fallu huit jours de voyage pour arriver ici, en passant par la Tasmanie puis par Hobart. Cela fait un mois et quelques jours qu'elle est arrivée et elle s'apprêtait à repartir, mais...

La nouvelle de l'apocalypse s'est abattue sur le monde, bousculant toutes les priorités. Marjorie ne va plus sur la banquise pour poser et relever des nasses. Elle ne trie plus les animaux capturés. Elle ne les place plus dans des aquariums afin de les étudier, des heures durant. Et elle se fiche bien du réchauffement climatique, désormais.

Ils sont une dizaine sur la base, en comptant le cuisinier et le boulanger-pâtissier. Ces derniers continuent à nourrir l'équipe comme ils peuvent. Ici la pêche est facile et productive. Ils ne risquent pas de mourir de faim. Ils risquent cependant d'être en carence de vitamines à cause du manque de fruits et de légumes frais.

Marjorie ne tient plus en place. Elle ne cesse de penser à sa famille. Son mari et ses deux enfants sont restés à Paris. Ont-ils survécu ? Les informations leur sont parvenues par bribes, et maintenant plus rien. Plus rien sur les ravages de ce virus nommé U4. Ils n'ont pas eu le temps de comprendre si tout le monde mourait, ou si certains étaient épargnés.

Marjorie fait les cent pas sur la banquise étincelante. Le soleil est là, mais ne peut lutter contre le froid brûlant. Elle a pris sa décision. Jusqu'à présent, elle a obéi aux ordres du directeur de la station, qui a jugé qu'il était beaucoup trop dangereux de quitter Roscoff, où le virus n'est pas parvenu. Ailleurs, ils seraient à leur tour contaminés… Pourtant, trois d'entre eux, dont elle fait partie, ont décidé de désobéir et de se rendre à Hobart pour en savoir plus. Le médecin de l'équipe est formel : s'il s'agit d'un virus de type Ebola, U4 n'est plus actif au bout de quinze jours sans corps vivant à attaquer. D'après lui, ils ne risquent plus rien si tous ceux qui devaient en mourir sont morts depuis plus d'un mois. Alors, avec Marjorie et un jeune chercheur, ils ont décidé de quitter la station. Le départ est prévu dans une heure. Marjorie tremble autant de froid que d'appréhension.

En attendant, elle contemple pour la dernière fois les vingt mille couples de manchots dans leurs progressions maladroites. Juste devant elle, un bébé manchot vient se blottir contre ses parents. Elle envie soudain violemment cette famille animale.

Des larmes de rage et d'injustice viennent brouiller sa vision.

+ 14 mois

Au Pérou la tribu des Mashco-Piro, en Papouasie les tribus néo-guinéennes, en Australie les Neuf de Pintupi, en Bolivie le peuple ayoreo, en Colombie les Carabayo, au Brésil les Korubo, sur les îles Andaman les Sentinelles sont tous un peu étonnés de n'avoir pas eu à se défendre contre les tentatives d'approche des hommes blancs depuis plusieurs lunes. Mais cela n'occupe leurs pensées que de façon fugace. Leurs esprits et leurs corps sont vite repris par leurs préoccupations habituelles de vie en groupe, au plus près de la nature.

(Journal de Maïa) *« Le 12 février. Dessin d'Alicia qui vient d'apprendre la grossesse de Séverine :) »*

Carole Trébor

ISA

DOS AU MUR

R-Point de la Salpêtrière, 12 février

Pour occuper ses nuits de garde, en général elle s'exerce, mais là, sa fatigue est trop grande, il n'est que minuit, elle serait presque tentée de lire *L'Écume des jours*, qu'elle trimballe dans son sac depuis des semaines. Cédric lui a affirmé que ce livre parlait d'amour comme aucun autre, qu'il la changerait de ses manuels de sage-femme. Mais les histoires d'amour la débectent. Ses plaies sont encore trop vives, et elle ne veut définitivement pas qu'un bouquin l'aide à les panser. Elle se braque rien qu'à l'idée d'imaginer la tendresse et la justesse des mots de l'auteur, elle n'a aucune envie d'accepter les ambivalences de la réalité, de se sentir proche des héros, de chercher ce qu'il y a de beau dans la moindre nuance, ce qu'il y a de fragile dans la puissance, ce qu'il y a de doux dans les blessures. Au-secours-non-merci-au-revoir Boris Vian : tout, sauf lire ce fichu roman qui « parle si bien d'amour ».

Son regard se pose sur une espèce de Ken à taille humaine, assis sur le bureau, à l'expression si vide qu'elle en avait oublié sa présence. Le mannequin au corps d'athlète, conçu pour la simulation des soins de base, est nu comme Adam, il devrait au moins porter sa tunique d'hospitalisation, le patient réclame un minimum de pudeur, quand même !

Si les malades ne lui réclament pas trop de soins, sa garde sera l'occasion de s'exercer aux injections, son point faible. Alors qu'elle cherche des seringues dans l'armoire, des kits de blessures et de traumatologie lui tombent dessus en vrac, un masque couleur chair aux oreilles arrachées, un autre à l'œil explosé, un troisième avec des contusions, d'autres avec des lacérations, des éraflures, une blessure profonde... Un des membres de leur équipe a dû réaménager cette armoire sans la prévenir, elle a pourtant été nommée responsable de leur section, il aurait fallu l'avertir. Elle extirpe encore de cette boîte de Pandore des bouts de peau en plastique avec une veine dilatée, une blessure du rachis cervical, une éviscération abdominale, une blessure par entrée et sortie de projectiles... Bref, une trentaine de modules (avec fermeture autoagrippante), permettant d'aborder autant de soins qu'il existe de scénarios possibles. Ils prennent maintenant l'air, confortablement installés sur le bureau.

Ces maquettes au naturalisme déstabilisant lui inspirent une fascination morbide, elle a du mal à détacher ses yeux de ce matériel médical ultraréaliste.

Depuis deux mois, leur groupe d'apprentis infirmiers

ne perd pas de temps. Ils suivent très peu de cours théoriques, passent directement à la pratique : désinfecter par voie locale ou orale-panser-piquer-lire-connaître les effets des médicaments-brûlure-coupure-hémorragie-fièvre-vomissements. Heureusement qu'aucun accès d'hypocondrie aiguë ne la guette, sinon cette formation serait pire qu'une mauvaise blague, un affreux cauchemar.

Son seul sport, c'est de plier-déplier les articulations réalistes de la patiente Barbie, de fouiller dans les vagins des mannequins de femmes enceintes pour en extirper des nouveau-nés en plastique.

Si la différence entre ce qu'elle apprend sur ces simulateurs et ce qu'elle vivra en vrai avec Séverine est du même acabit que la différence entre les cibles immobiles de l'entraînement de tir et les ennemis imprévisibles, elle devrait s'en sortir. Et là, il va falloir qu'elle assure, en espérant être aussi douée en pousser-souffler-délivrer qu'en viser-pointer-tirer. Bof, la comparaison…

Un cri retentit d'une des chambres réservées aux malades, un jeune en pyjama surgit à la porte, essoufflé :

– Y a David qui fait une crise de manque !

Elle se lève sans un mot et le suit vers la pièce où sont installés deux anciens camés en cure de désintoxication. Accouchement, désintoxication restent ses deux spécialités. David tremble et sue. Merde, il est vraiment mal. Il faudrait lui donner un substitut, mais il n'y a plus ni méthadone, ni codéine, ni subutex en salle de garde. Rien. Leur service de soignants du R-Point manque encore d'organisation.

– Je reviens, je vais à la pharmacie chercher des médicaments. Tu restes avec lui, s'il te plaît ?

L'autre hoche la tête en signe d'assentiment.

—

Affalée sur sa chaise, Isa regarde sa montre, bientôt 6 heures, la nuit a été agitée. Après la crise de manque de David, on lui a amené trois cas de gastro aiguë et elle n'a eu aucun moment pour elle. Il ne lui reste qu'à attendre la relève du matin. Elle fumerait bien une cigarette, ça caille grave dans cette aile du bâtiment, si mal chauffée qu'elle est obligée de garder son manteau. Les radiateurs électriques pompent beaucoup trop d'énergie, les militaires ont chargé des ados de fabriquer des poêles à bois et à fioul pour chauffer les espaces collectifs. Heureusement, l'infirmerie conserve encore quelques convecteurs reliés à un gros groupe électrogène au rez-de-chaussée, mais ils fonctionnent en mode économique.

Elle se lève et s'approche de la fenêtre : les ténèbres recouvrent encore les voies du métro aérien, fantomatiques à travers la vitre embuée ; les structures de verre des bâtiments modernes luisent plus que les vieux édifices de brique à la lueur des étoiles. Elle détourne les yeux de la coupole de l'église où Pierre a été tué… C'était il y a deux mois et demi, pas une nuit ne passe sans qu'elle revoie la scène, retienne ses putains de larmes, soit horrifiée par l'injustice de cette mort qu'elle ne parvient pas à accepter. Il s'est sacrifié pour Jules.

Elle était tellement, tellement amoureuse de lui. Et ce sentiment lui paraît déjà tellement, tellement abstrait. Beaucoup plus irréel que la putain de mort et la putain d'absence. Les jours où elle a le moral, elle arrive à se convaincre qu'il est mort heureux.

Elle jette un coup d'œil au cahier sur lequel est noté le nom du prochain soignant : c'est Laura qui la remplace. Elle lève les yeux au ciel, déjà agacée. Elle s'entend mal avec cette Laura, belle-énergique-solaire, séduisant tous ceux qui l'approchent, avant de réduire leur QI à celui d'un jambon de Paris. Dont ils prennent aussi la teinte.

– Salut Isa, la nuit s'est bien passée ?

Toujours cette légèreté, ce rire qui ornent la voix chantante de Laura. Insupportable. Ce besoin de plaire lui hérisse les poils, elle lui foutrait des claques pour effacer ce sourire plaqué en permanence sur son visage lisse.

Haussant les épaules sans le moindre désir de faire le moindre effort d'amabilité, Isa a envie de zapper la transmission des dossiers et de s'en griller une avant de rentrer se coucher.

– J'ai tout noté sur le cahier. Faudra faire gaffe avec David, se contente-t-elle de répondre d'un ton sec.

Sous le regard dépité de son enjouée remplaçante, dont le sourire se fige, Isa traverse la salle de garde de l'infirmerie et la salue d'un bref signe de main en franchissant la porte.

À peine dehors, elle s'allume une cigarette. Il fait frais, le soleil n'est pas encore levé, elle regarde le ciel, on voit bien les étoiles à Paris maintenant. La lune éclaire la coupole de l'église de la Salpêtrière d'une lueur grise, qui lui donne l'aspect d'un vaisseau spatial. Elle souffle la fumée et louche pour regarder les volutes circulaires se dissiper.

Elle a commencé à fumer après la mort de Pierre, à croire que ça l'aidait à se sentir plus forte. Cloper, ça aggrave sa voix de gamine attardée.

Il n'y aurait pas Séverine, elle ne serait plus au R-Point aujourd'hui. C'est uniquement pour son amie enceinte qu'elle a intégré la « section des soignants », on dit soignants au lieu de médecins parce que faut-pas-déconner-quand-même-ils-auront-pas-fait- « médecine », ceux de son groupe. Dès qu'elle aura achevé la première partie de son apprentissage de sage-femme, elle se cassera. Son amie peut compter sur elle, elle sera à ses côtés à la fin de sa grossesse et pendant l'accouchement. Bientôt se barrer, elle se répète cette phrase comme une litanie d'autoconviction pour tenir jusqu'au bout de la formation. Elle s'est fixé une date limite pour partir : mi-mars, il sera grand temps de mettre les voiles. Encore un mois.

La proximité obligée avec des ados désespérés, les règles strictes et la manie des militaires de tout contrôler l'étouffent de plus en plus. Sans parler des puces d'identification, des sections, de la division des tâches, des brigades spéciales et de leurs clebs qui gueulent la nuit… Elle se sent plus proche de ceux qui se barrent à la campagne, dans des lieux stratégiques, escortés de quelques militaires désignés. Comme ces filles qu'elle avait rencontrées quand Cédric bossait encore en cuisine. Zoé, Lola et Sarah... Elles étaient sympas, leur convoi officiel se destinait à partir vers la Bretagne fin décembre. Si Isa avait pu, elle aurait quitté le R-Point en même temps qu'elles... Mais sa mission pour Séverine passe avant tout.

Des jappements de chien interrompent sa contemplation silencieuse du ciel. Elle s'apprête à partir, mais ils sont déjà à quelques mètres d'elle.

– Il est pas calmé, après la nuit qu'on a passée! Brave bête, infatigable.

Le chef de la section spéciale, qu'elle reconnaît à son brassard fluo, flatte son pitbull avant de bousculer un pauvre gars titubant.

– Ouaip, c'est un bon chasseur, il a bien bossé.

– Allez, le clodo, avance, connard.

Ils sont trois à se vanter de leur butin, un ado dépenaillé qui semble aussi épuisé que terrifié. En voilà du gibier dur à attraper, quelle gloire! Ils traquent les «parasites», comme ils les appellent. Leur objectif, c'est de les soumettre pour en faire des soldats obéissants. Logique. L'armée fait son boulot. Ils sont maintenant une bonne centaine d'ados au R-Point à faire régner leur petite loi de petits chefs miteux.

– Hey, tu fais quoi, la salope?

Elle ne répond pas, ils la font flipper, putain, elle ne devrait pas avoir peur de ces connards. Mais leurs ricanements débiles et vantards de mâles excités la paniquent. Elle jette sa cigarette et rentre dans le bâtiment, poursuivie par l'écho de leurs insultes:

– Salope, pétasse, gouinasse...

Elle se fait régulièrement traiter de gouine depuis qu'elle a les cheveux très courts et qu'elle porte un treillis. C'est le soir du réveillon qu'une fille du R-Point lui a coupé les cheveux à la garçonne, elle avait déjà le tatouage de Cédric, ce fut la fin de sa métamorphose. Elle en avait trop marre de sa frange droite, qui respirait la pédagogie, de son nez en trompette, qui lui donnait ce côté sosie mal vieilli de Hermione Granger dans le premier épisode de *Harry Potter*. Au secours. Il n'y a que les lunettes qu'elle ait gardées, ça, elle n'a pas le choix.

Pour éviter de se faire insulter ou, pire, tripoter par ces représentants de l'ordre qui se croient tout permis, elle préfère carrément grimper jusqu'à l'infirmerie, lieu protégé où leurs supérieurs leur interdiraient de pointer le bout du nez et de malmener quiconque. Elle se planque dans le couloir, la porte de la salle de garde est entrouverte, c'est alors qu'elle entend des voix. Elle s'approche sur la pointe des pieds. Avec qui Laura bavarde-t-elle ?

– Cette fille, Isa, elle se prend pour qui, sans déconner ? C'est pas parce qu'elle a été nommée référente du groupe qu'elle a le droit de faire sa loi et de nous mater avec son petit air supérieur. Y en a marre qu'elle nous impose sa formation de sage-femme depuis deux mois.

– Oui, t'as raison, Laura, ça serait bien de nous consacrer à d'autres soins.

C'est la voix d'un des rares membres masculins de leur commission de soignants…

– Elle a réussi à embobiner le docteur Silvart mais, la

dernière fois qu'on lui en a parlé, il était d'accord pour accélérer sur l'accouchement et passer à autre chose, confie Laura.

Le cœur d'Isa se serre, elle aime bien leur professeur, c'est l'un des rares médecins qui aient survécu à la pandémie, le premier adulte dont elle ait vu le visage après la découverte du vaccin contre U4. Elle se souvient du jour où elle l'a convaincu de l'urgence de s'occuper des adolescentes enceintes, d'en faire la priorité de leur formation intensive… Elle pensait que les autres filles du groupe étaient solidaires, qu'elles comprenaient l'impératif de cet apprentissage. Manifestement, elle se trompait. Elle tend l'oreille, ils ne parlent plus, des spasmes lui tordent le ventre pendant les quelques minutes de silence qu'un gloussement humide de Laura et un rire rauque du garçon rompent.

– Franchement, pour qui elle se prend ? reprend soudain Laura d'un ton excédé où résonne une note plaintive.

– Si tu veux savoir, entre nous, j'aimerais bien qu'elle parte, renchérit le garçon.

Il est pris au piège, elle l'a embobiné. Il aura suffi d'un baiser mouillé, facile.

– Tu sais quoi… T'es capable de garder un secret ?

L'excitation jubilatoire qu'Isa perçoit dans la voix de Laura la fait frémir d'appréhension.

– Oui, balance, chuchote l'autre d'un ton de conspirateur.

– Je l'ai surprise en train de sortir un flingue de sous son treillis. Cette meuf porte toujours une arme sur elle, je te jure !

– Flippante…

– Et le port d'arme est interdit. On pourrait la prendre sur le fait et prévenir l'administration du R-Point, propose Laura, l'air de rien.

Isa imagine même le sourire plein de miel qui accompagne le propos plein de fiel.

– Tu veux dire… la dénoncer ?…

– Sans rire, elle est dangereuse, non ?

Isa écoute, le cœur battant. L'hésitation du mec la rassure un peu, mais elle sait que Laura ira jusqu'au bout de son projet et mettra en œuvre tous les arguments en son pouvoir pour convaincre les autres de l'absolue nécessité de l'exclure de leur section, donc de la dénoncer. C'est foutu pour elle. Elle ne fera pas le poids face au charme, à la volonté et à la fourberie de Laura.

Elle hésite à pénétrer l'air de rien dans la salle. Un violent sentiment de trahison la tétanise. Même au sein de son groupe, elle se heurte à ces mesquineries, cette hypocrisie qui la débectent. Décidément, il est temps qu'elle parte du R-Point. Elle se débrouillera avec ce qu'elle a appris sur la grossesse. Mais il y a encore Cédric à convaincre, il ne veut pas quitter le R-Point et elle s'inquiète qu'il reste seul à la Salpêtrière, même si sa situation s'est améliorée ces derniers temps. Il a trouvé sa place, il est le Tatoueur, le graveur de mémoire. Les ados ont besoin de lui maintenant, de son savoir-faire, de son talent.

Elle décide de ne pas perturber les deux apprentis perfides et redescend mais, cette fois, elle sort son flingue et elle l'arme. Laura est une fine observatrice, rien à dire. Seuls les fachos des sections spéciales ont droit au port d'armes, elle dissimule donc la sienne sous son pantalon et l'accroche au holster de cheville que lui a offert Vincent. S'il faut s'en servir contre des petits chefs de merde, elle est prête. Aucun problème. Il lui a fallu deux jours pour se faire la main avec un flingue: décharge ton arme-vérifie la chambre-remets-la-dégage ce levier-retire le glissoir... Vincent lui a dit qu'elle était douée aux entraînements de tir dans un terrain vague du 11e arrondissement: « Fais gaffe, des cibles, ça ne bouge pas, c'est trompeur comme exercice. Suis ton instinct, fais abstraction de tout. Agis, arrête de penser. » Ils se sont compris tous les deux. Merci le Soldat. Il lui a fait cadeau de ce pistolet automatique qui ne la quitte jamais.

Il n'y a plus personne devant l'édifice, elle s'engage dans les allées, son flingue à la main, la main dans la poche de son treillis.

Elle longe les bâtiments de brique rouge et fait un détour pour éviter la pelouse où sont parqués les chiens. L'aube nimbe les allées d'une étrange lueur verte. Elle s'apprête à tourner quand un craquement l'alerte. Elle se fige, dos au mur, aux aguets, serre son arme dans sa poche. Un chuchotement suivi d'un grognement lui confirme le danger. Merde, les mecs de la section spéciale l'ont suivie ! Ne pas paniquer. Sauver sa peau. Elle avance dos au mur. Et soudain un des soldats surgit à l'angle de l'allée et se rue sur elle. Elle le pointe de son pistolet:

– Si tu m'approches, je te tue, siffle-t-elle entre ses dents.

Il s'immobilise, stupéfait, les deux autres apparaissent avec leur sale clebs.

– Fais gaffe, meuf, t'as pas le droit d'avoir une arme, tu devrais pas jouer la rebelle, ironise le chef.

Mais elle s'en fout de la menace dans sa voix, en fait, elle est vraiment prête à tirer.

– Je vous conseille plutôt de vous casser vite fait.

Sa mâchoire est contractée, ses lèvres serrées, sa rage ne l'empêche pas de contrôler le moindre de ses muscles. Elle peut les tuer pour sauver sa peau.

– Tu veux jouer à ça avec nous ? Très bien !

Et le soldat se baisse près du pitbull.

– Tu vas te faire bouffer, pauvre fille.

En le voyant détacher la laisse du chien, Isa décide d'agir. Elle vise le molosse et tire. Dans un gémissement atroce, l'animal s'affale sur le sol devant ses maîtres pétrifiés, et elle s'élance en courant de l'autre côté de l'allée.

– On te retrouvera !

– Salope !

– T'as aucune chance de nous échapper !

Elle fonce entre les bâtiments jusqu'à un ancien four crématoire en brique qui leur servait de cachette et de boîte aux lettres pour leurs échanges avec Vincent. Elle ouvre la porte avec la clé qu'elle porte toujours sur elle. Pour se repérer dans cet espace sans fenêtre, il lui faut allumer sa lampe frontale. L'échelle est bien là, contre le mur. Elle la déplace de quelques mètres pour grimper sur une mezzanine, invisible à qui ne la connaît pas. Une fois en haut, elle tire l'échelle jusqu'à elle. Là, personne ne peut la trouver. Cet abri lui laisse quelques minutes de pause pour réfléchir et laisser un mot à Cédric.

Il n'y a qu'un mètre de hauteur entre le plancher et la structure métallique du toit. Elle s'assied donc contre le mur froid, ses jambes tremblent, elle les entoure de ses bras, son front est trempé de sueur sous sa lampe. Elle respire lentement, son sang pulse trop vite et cogne les veines de ses tempes. Inspirer. Souffler.

Cette cachette, il n'y a que Cédric, Vincent et elle qui la connaissent.

Se calmer.

Elle balance son corps replié d'avant en arrière. Elle a failli buter « un des contremaîtres de la Salpêtrière », comme on les surnomme. Un de ces faux héros, qui se prennent pour des défenseurs de l'ordre. Elle est désormais en danger au R-Point, les soldats ont vu son visage, Laura est prête à la dénoncer pour port d'arme illicite. Il va falloir qu'elle s'enlève seule sa puce d'identification, qu'elle se fasse elle-même ce que la spécialiste du virus avait infligé à Jules. La première étape de son évasion sera donc une pharmacie où désinfecter et inciser sa peau avec du matériel de qualité. Sa formation de soignante va décidément lui être utile. Elle comptait demander à Cédric de lui extraire son traceur, le Tatoueur est habile de ses mains et creuser dans la peau ne l'effraye pas.

Elle ne va pas pouvoir lui dire au revoir.

À moins d'attendre ici jusqu'à 9 heures du matin qu'il ait fini la cuisson de la deuxième fournée de pain à la boulangerie de la Salpêtrière ? Non, c'est tentant mais trop risqué, la vigilance des patrouilles va être accrue pendant vingt-quatre heures. Elle n'a plus le choix, elle doit filer par les égouts dont une sortie donne dans ce bâtiment. Il est fort, le Soldat, pour trouver les bonnes planques et les passages secrets.

Sa respiration se régularise, son pouls ralentit, les tremblements de ses jambes s'apaisent. Elle regarde sa montre, il est 7 heures du matin. Il ne faut pas qu'elle tarde. Elle sort un stylo et un calepin de son sac, écrit un mot à Cédric, elle sait qu'il passera à la cachette quand elle aura disparu…

Les égouts l'attendent.

Lorsque ses pieds se posent sur le sol de béton, elle se sent prête à partir. Elle ouvre résolument la trappe et s'apprête à se glisser dans la béance quand des bruits de pas s'élèvent des canalisations souterraines. Elle éteint aussitôt sa lampe frontale, sort son flingue et se dissimule derrière une poutre de métal, d'où elle observe la bouche d'égout. Deux silhouettes puantes s'en extirpent l'une après l'autre après avoir déposé un sac-poubelle devant elles. Le faisceau de leurs lampes frontales dessine le contour fantomatique de leurs corps dans la pénombre.

– Va falloir mettre des habits propres, on pue trop, chuchote l'un, massif, en attrapant des vêtements dans le sac.

– Tu veux pas plutôt attendre la nuit pour sortir d'ici ? propose l'autre.

– Non, j'ai trop mal, il faut qu'on trouve le vaccin tout de suite.

Elle perçoit une pointe de panique dans la voix du colosse, dont la stature de videur de boîte de nuit écrase celle de son comparse. Ce sont des clandestins. Elle fait un pas vers eux, arme pointée en avant.

– Les gars, pas un geste, pas un cri, je suis de votre côté.

– Putain merde ! crie le plus fluet.

– Ta gueule ! lui intime le grand en se tournant vers Isa.

Elle cligne des yeux quand le faisceau lumineux l'aveugle.

– Qu'est-ce que tu veux ? questionne-t-il, tendu.

– Je veux fuir par le passage d'où vous arrivez. Comment le connaissez-vous ?

– Par des amis.

Elle tressaille.

– Quels amis ?

– T'as pas besoin de savoir. Pourquoi tu nous braques ? Baisse ton flingue, ordonne l'autre, plus hargneux.

– Pourquoi je vous ferais confiance ? répond-elle entre ses dents.

– Parce qu'on est tous ici dans la même situation, non ? répond simplement celui qui a l'allure de Monsieur Indestructible.

Il semble serein, fiable, l'autre est plus sur la défensive, il a quelque chose de Benoît Poelvoorde en colère. Le roquet agressif et son maître. Tout en maintenant son flingue braqué vers eux, elle rallume sa lampe frontale pour voir leurs visages.

– Pourquoi vous êtes là ?

– On a besoin d'un vaccin contre la rage, j'ai été mordu par un putain de clebs en arrivant à Paris, répond Monsieur Indestructible.

Elle peut les observer maintenant.

– Je sais où trouver des vaccins contre la rage, Nobivac Rabies. Mais je ne peux pas vous guider jusqu'à la pharmacie, faut que je me barre d'urgence. Voilà ce que je vous propose : je connais les réserves de vaccin dans d'autres endroits de Paris. Je peux vous y emmener, te vacciner même. Mais avant, on repart tous les trois et vous m'accompagnez dans une pharmacie, faut que je m'enlève ma puce d'identification.

Les deux garçons se consultent du regard, indécis.

– Je saurai te vacciner, répète-t-elle d'une voix qu'elle souhaite distante, austère, digne d'un grand médecin.

– T'es infirmière ou quoi ?

– En quelque sorte… Je faisais partie d'une section de soignants au R-Point.

– Pourquoi on te ferait confiance ? aboie le nerveux.

– Parce que je fuis le R-Point et que vous y pénétrez clandestinement.

– On vient de loin et on ne veut intégrer aucun R-Point, on…

– Ne lui raconte pas notre vie, éructe le petit.

– Bon, Antoine, on lui fait confiance ou pas ? questionne le colosse d'une voix où perce une pointe d'impatience.

– Écoutez, les gars, vous pouvez me faire confiance, j'en ai vacciné plein, des mecs qui s'étaient fait mordre ou qui s'étaient blessés sur du fer rouillé… Mais je dois enlever mon traceur et vite.

Il la jaugent en silence, puis le grand reprend la parole :

– Écoute, Antoine, on a l'habitude d'improviser, on en a vu d'autres, on devrait faire confiance à cette fille.

– OK, Nicolas. On gère comme ça. Mais dans ce

cas-là, pas de temps à perdre. *Go go go*, répond son copain, blasé, en rouvrant la bouche d'égout.

Elle s'approche d'eux sans oser lâcher son flingue, craignant encore qu'ils ne l'attaquent par surprise. Celui qui semble le plus équilibré des deux, qui s'appelle donc Nicolas, l'attend devant la trappe où s'engage déjà son copain. Elle ne peut s'empêcher de relever le faisceau de lumière vers son visage et tressaille en découvrant ses traits... Cette figure allongée, ce menton volontaire couvert de barbe, ces petits yeux verts, ourlés de longs cils, sous d'épais sourcils, ce nez tordu, ces cheveux blonds...

Elle retient sa respiration, il a le corps de Monsieur Indestructible et le visage d'Owen Wilson, merde, c'est le Nicolas de Séverine ! Elle le reconnaîtrait parmi des milliers, son amie lui a montré tellement de photos qu'elle n'a pas l'ombre d'un doute, elle est en face du petit frère que Séverine espérait revoir chaque jour ! Celui à qui elle a laissé une lettre pour qu'il la rejoigne en Bretagne.

– Dépêchez-vous ! Pourquoi vous restez plantés là ? siffle Antoine entre ses dents, la moitié du corps déjà dans le boyau.

– Nicolas ? murmure-t-elle.

Et tout en elle tremble d'émotion.

– Oui, quoi ?

Il essaye de donner le change, mais son timbre rauque trahit malgré lui une note d'espoir, une faille qui s'ouvre.

– Vous faites quoi, là ? Faut bouger si elle est traquée, la fille ! grogne l'autre en relevant la tête vers eux.

Mais il n'insiste pas, happé par l'expression de la jeune fille. Il n'a pas senti une telle allégresse depuis si longtemps que ça l'aspire et bloque même sa colère.

– Nicolas, je connais ta sœur, je...

Là, le colosse lui agrippe l'avant-bras, serre trop fort, ses yeux brillants la fixent, les muscles de sa mâchoire se contractent, et elle ne saurait dire s'il la tient pour ne pas tomber, lui, ou pour la retenir, elle.

– T'es qui ? Comment tu l'as connue ? souffle-t-il.

– On a des amis communs, j'étais dans sa communauté à Paris, elle est partie avec...

Il lui coupe la parole, il n'a plus rien d'impassible :

– Je sais, j'ai sa lettre sur moi. C'est pour ça qu'on ne veut pas intégrer le R-Point, ce n'est pas seulement parce qu'on ne pourrait plus vivre entre quatre murs, normalement, sans étouffer, parce qu'on ne supporte plus ça, d'être enfermés, parce que ça nous écrase, la promiscuité, les chambres, les portes, les autres...

Merde, il est intarissable, il déborde de mots, il lui parle de tout sauf de Séverine, c'est sa manière d'accuser le coup, de reprendre ses esprits, à cet hypersensible qui habite dans un corps de géant.

– On veut partir en Bretagne, on va retrouver ma sœur. Mais d'abord, il faut que je me soigne, je me suis fait mordre, c'est pour ça qu'on est allés à l'hôpital. J'ai super mal. Je veux pas mourir de la rage, ça serait trop con. Je ne me suis pas fait attaquer par un seul animal sauvage en traversant toute l'Espagne et la France, et j'arrive à peine à Paris, paf, je me fais direct agresser par un chien.

– Bon, Nico, tu la fermes un peu, qu'on se casse ? protesté Antoine, exaspéré.

Isa croise le regard limpide de Nicolas et ses lèvres esquissent un sourire vacillant. Elle s'engouffre dans les égouts, laissant le frère de Séverine fermer la marche.

Des effluves nauséabonds flottent autour d'elle, l'écoulement vaseux gargouille, ses pieds glissent sur les berges couvertes de crasse, elle trébuche sur un cadavre de moineau, des rats ricaneurs se faufilent entre ses jambes, mais son sourire ne la lâche plus. Elle quitte le R-Point.

Et elle est bien entourée. Elle emporte avec elle le bout d'humanité qui va combler le cœur dévasté de Séverine.

(Journal de Maïa) *«Le 1er mars. Arrivée de Nicolas et Isa!»*

Yves Grevet

KORIDWEN

LA SUITE

Lundi 25 mars

Je me sens fatiguée, pourtant j'ai beaucoup dormi.

Je me sens vieille, pourtant je n'ai que quinze ans.

Je me sens marquée par les épreuves, pourtant mon corps n'en garde aucune trace.

D'où vient ce sentiment confus de ne pas être vraiment moi-même ?

Peut-être que si je dormais encore un peu, je pourrais me souvenir et... savoir.

– Kori, tu te bouges un peu, s'il te plaît. Je sais bien que Mademoiselle a dû faire la fête pendant le week-end, mais là, maintenant, il faut que tu te reprennes en main.

– J'arrive, maman.

Je me lève et découvre qu'il est déjà plus de midi. Je ne sais pas à quelle fête elle fait allusion, je suis encore dans le brouillard. Mes souvenirs me reviendront probablement durant la journée.

Je retrouve mes parents autour de la table de la cuisine. Quelques larges tranches de pain, une terrine de cochon maison et une grosse salade verte composent le repas. À la première bouchée, une évidence s'impose : je suis affamée et j'engloutirais bien la Terre entière. Quand je relève la tête, je lis dans les yeux de mon père de l'étonnement, mais il n'en dira rien. Ce serait une perte de temps et de salive. Ma mère, elle, ne tient plus :

– T'as rien bouffé pendant le week-end ou quoi ? Tu te rends compte de ce que tu viens de t'enfiler, là ?

Qu'est-ce qu'elle veut que je réponde ? Que je crevais de faim ? Que son pâté est bon ? Que j'avais très envie de pain frais ? Que j'ai l'impression de ne pas en avoir mangé depuis des mois ?

– T'iras au collège demain, reprend-elle.

– Bien sûr, je ne suis pas malade, juste un peu fatiguée. J'appellerai Cindy dans l'après-midi pour voir si j'ai des trucs urgents à rattraper. Et toi, tu vas bosser chez la mère Soizic ?

– Bah oui, c'est lundi, non ? C'est quoi sur ton poignet ?

Je remonte ma manche gauche et découvre une inscription au stylo : *MeninB-Par.*

– C'est rien, dis-je en cachant ce mot qui ne m'évoque rien.

– Montre voir ! insiste ma mère. C'est dégoûtant ! En plus, c'est mauvais d'écrire sur sa peau.

Je m'exécute à regret parce que je la connais, elle ne va pas pouvoir s'empêcher de se faire des films.

– Ça veut rien dire. Qu'est-ce que t'as été faire ? Et avec qui tu as traîné ? T'as pas pris de drogue, au moins ?

– Pourquoi tu me demandes ça ? Je ne suis pas folle.

– Tu as des yeux bizarres ce matin ! Hein, Jacques, elle a des yeux bizarres, ta fille !

Mon père baisse la tête et se garde bien de s'en mêler. À la place, il préfère se resservir un grand verre de rouge.

– Et la lettre dont tu m'as parlé cette nuit, c'est quoi ? Ça avait l'air important pour toi.

– Non, c'était rien, dis-je pour qu'elle arrête avec ses questions.

Je n'ai aucune idée de quoi elle parle.

– Une lettre d'un amoureux, peut-être…

Je soupire bruyamment et remonte à l'étage. Après une douche bien chaude, je m'isole dans ma chambre pour m'habiller. J'enfile de vieilles fringues, je vais descendre aider aux travaux de la ferme. L'air frais et les bêtes me remettront les idées en place. Mon regard se pose sur une enveloppe qui traîne sur mon bureau. Ce doit être la lettre dont parlait ma mère. Je reconnais mon écriture.

À ouvrir d'urgence !
(Kori, n'attends pas.)

Je l'ouvre et en sors une lettre écrite de ma propre main.

Koridwen,

Si tu lis cette lettre, c'est que j'ai réussi. Ce message n'est pas une farce. Ne le jette pas. Je le rédige aujourd'hui en pleine possession de mon esprit. Je suis toi, Koridwen, avec quelques mois de plus.

Je te le répète, ce n'est pas une farce et ne jette surtout pas cette lettre.

Une terrible catastrophe se prépare, un virus va anéantir la quasi-totalité de la population. Les premiers signes apparaîtront en octobre. Je le sais parce que je l'ai vécu une première fois. Des forces que je ne suis pas arrivée à identifier ont décidé de donner à l'humanité un moyen d'éviter la catastrophe en me faisant revenir dans le temps quelques mois avant. Je connais le moyen d'empêcher ce drame. Il y a un vaccin, le MeninB-Par, qui peut stopper la progression du mal. Je sais que ce que j'écris est impossible à concevoir. Ne jette pas ce papier. Garde-le précieusement. Tu constateras bientôt que je n'ai rien inventé.

Koridwen

Qu'est-ce que c'est que ça ? Quelqu'un m'aurait fait une farce en imitant mon écriture ? Mais qui ? La seule qui en serait capable, c'est Cindy, parce qu'elle me connaît par cœur. Mais ce n'est pas dans son style de faire un truc aussi tordu. Ou bien ma mère aurait raison et j'aurais écrit ces mots sous l'effet d'une drogue qui m'aurait provoqué un dédoublement de personnalité… Ce serait pour ça que je ne me souviens de rien ?

MeninB-Par, c'est le nom qui était écrit sur mon poignet et que j'ai fait disparaître sous la douche. Ce serait donc un vaccin. J'allume mon ordi pour vérifier. En effet, ce produit existe. Il a été administré en France pendant plusieurs années à tous les enfants, jusqu'à ce qu'on découvre qu'il avait des effets indésirables parfois très graves pour certains d'entre eux. Ce n'est pas parce que ce truc existe que je vais admettre tout le reste. C'est du délire complet. Ce serait moi dans le futur qui m'écrirais à moi plus jeune ??? Comment avaler une connerie pareille ? La vie n'est pas un jeu vidéo où on peut voyager dans le temps. Et même si parfois j'en aurais bien envie, on ne vit pas dans WOT. Je repose la lettre sur mon bureau. Ce truc va me donner mal à la tête et je n'en ai pas besoin aujourd'hui. Je dévale les escaliers, traverse la cour et retrouve mon père derrière l'étable. Il finit de charger des piquets et du grillage dans la remorque du tracteur. Sans lui adresser la parole, je m'installe dans l'habitacle. Nous allons réparer ensemble quelques clôtures.

J'appelle Cindy vers 17 heures.

– T'es malade, Kori ?

– Non, j'étais trop crevée, mais ça va mieux. C'était bien, le collège ?

– T'as rien manqué. T'as fait quoi alors, ce week-end ?

Sa question me trouble. Je ne me souviens encore de rien. Je comptais sur elle pour m'aider à reconstituer mon emploi du temps de ces derniers jours. En dehors de mes parents, je ne vois quasiment qu'elle.

– Je te raconterai demain. Là, j'ai bientôt plus de batterie. Je t'embrasse.

– Moi aussi.

Mardi 26 mars

Je retrouve Cindy dans le car de ramassage. Je me suis répété ce que je veux lui dire. Je vais juste énoncer les faits le plus simplement possible : la lettre, ma fatigue, le nom du médicament, ce que j'ai pu reconstituer grâce aux paroles de ma mère. J'évite de la regarder pour ne pas me déconcentrer et apercevoir sur son visage un sourire qui signifierait qu'elle ne me prend pas au sérieux. Je parle vite, tout en sentant l'émotion me gagner et mes joues rougir. Le trajet n'est pas si long et je veux absolument lui avoir tout dit avant d'arriver et surtout qu'elle ait le temps de m'aider à comprendre. Lorsque je termine, elle me saisit la main et s'adresse à moi avec gravité :

– Ce qui m'inquiète surtout, c'est que tu ne te souviennes de rien. J'ai lu des histoires de filles droguées à leur insu dans des soirées par des mecs qui les avaient ensuite abusées. Le matin, elles n'en gardaient aucun souvenir.

– Alors, comment savaient-elles qu'elles avaient été violées ?

– Elles avaient le corps marqué et elles ressentaient des douleurs.

– Je n'ai rien de tout ça, rassure-toi.

– Vendredi, tu m'as dit que tu ne voulais rien faire avec moi pendant le week-end, que tu avais un rendez-vous sur ton jeu en ligne et que ça t'occuperait tout ton temps. Mais, finalement, tu as décidé de sortir ?

– Je n'en sais rien, en fait. Tu sais, pendant les week-ends, je prends rarement mes repas en famille. Parfois je ne croise pas mes parents de la journée. Quand je joue à WOT, je reste enfermée dans ma chambre et je ne descends que pour me faire un plateau-repas. Ma mère s'est aperçue que je n'étais pas là dimanche dans l'après-midi. Je ne sais pas pourquoi elle s'est imaginé que j'étais à Rennes avec toi, mais elle n'a pas cherché à en savoir plus.

– Dis donc, ils ne sont pas inquiets, tes parents !

– Si, mais ils ont d'autres problèmes.

Elle ne répond rien et tourne la tête vers la vitre pour contempler le paysage. Je lui laisse quelques secondes pour souffler avant de lui demander :

– Et la lettre, t'en penses quoi ?

– Ça ressemble à ton jeu.

– WOT ?

– C'est ça. Tu n'avais pas un avatar qui portait le même prénom que toi ?

– Si. Et alors ?

– Ça vient peut-être de là. C'est un message de ton avatar qui t'annonce une nouvelle mission. Enfin, je dis ça comme ça. Tu sais que je n'y connais rien.

– Tu crois que ça pourrait n'être qu'un jeu ?

– Bah, tu vois quoi comme autre solution ?

Je n'ajoute rien mais je ne crois pas à sa théorie. Dans

WOT, ce n'est jamais par une lettre en papier qu'on reçoit les ordres de mission. Et puis, utiliser le nom d'un vrai médicament, ça ne colle pas avec Khronos.

Notre car nous débarque juste devant l'entrée du collège. Nous replongeons immédiatement dans nos habitudes : discussions entre copines et participation minimale à l'oral durant les cours. J'essaie tant bien que mal de m'intéresser à ce qui se passe autour de moi. Depuis le début du collège, j'ai le sentiment qu'on passe la plus grande partie de notre temps à couvrir des feuilles de papier sous la dictée des profs, comme si la photocopieuse n'avait jamais été inventée. Lorsque je remonte dans le car et m'installe près de Cindy à la fin de la journée, toutes les pensées angoissantes mises entre parenthèses me reviennent d'un coup. Ma copine perçoit sans doute mon inquiétude. Après un temps de réflexion, elle déclare :

– J'ai repensé à ton histoire. En pleine nuit, tu as parlé à ta mère. Mais le matin, tu avais tout oublié.

– Et alors ?

– Mets de quoi noter à côté de ton lit, au cas où tu te réveillerais. Des souvenirs peuvent te revenir en rêve.

– Parce que toi, tu te rappelles les rêves que tu fais ?

– Parfois, mais ils s'effacent de la mémoire si on ne les écrit pas immédiatement.

Ma copine serait prête à tout pour me sortir de mes problèmes, mais je crains que son conseil ne me soit d'aucune utilité. Je vais quand même préparer de quoi écrire sur ma table de chevet, au cas où.

Le soir, au moment de m'endormir, je ne suis pas tranquille. Bien sûr, je me sens moins isolée du fait d'avoir parlé à Cindy, mais j'ai peur que ça recommence, qu'on me vole encore le souvenir de moments de mon existence.

Mardi 14 mai

Plus de sept semaines se sont écoulées depuis ces deux jours dont j'ai perdu momentanément le souvenir. Aucun élément n'a refait surface durant cette période. Aucun rêve non plus, du moins aucun que je puisse me rappeler. Bientôt, je me demanderai si j'ai vraiment vécu cet épisode bizarre de ma vie. C'est sans doute le moment de passer à autre chose. Surtout qu'il y a pour moi du nouveau au collège. Deux jumeaux arrivés de Marseille après les vacances de printemps nous « font la cour ». C'est l'expression démodée qu'a utilisée Cindy quand on s'en est aperçues. Pour moi, c'est une première. Pas pour Cindy qui a toujours attiré les garçons. C'est Johan qui a d'abord branché ma copine. Ensuite, je me demande si ce n'est pas elle qui a passé un accord avec son nouveau chéri pour qu'il me présente son frère. Je sais qu'elle en est tout à fait capable. Elle ne voulait pas que je me retrouve seule et abandonnée comme la dernière fois. Je n'avais pas été jalouse, seulement triste, et je m'étais réfugiée dans WOT.

C'est très agréable, un garçon qui vous tourne autour, surtout un gars comme Ethan qui en plus est drôle et plutôt mignon. Ce soir, dans le car de ramassage, quelques centaines de mètres avant mon arrêt, il m'a surprise en m'embrassant sur la bouche. J'imagine qu'il s'était fixé ça comme objectif pour la journée et qu'il a attendu le dernier moment. En même temps, je me doutais bien que ça arriverait. J'ai trouvé ça assez agréable, même si j'avais imaginé que j'allais ressentir une impression plus intense. J'ai dû trop regarder de séries pour ados à la télé. J'avais déjà fait des essais à l'école primaire pour de faux, en gardant les lèvres serrées. Ethan a semblé ravi de son exploit, mais j'ai aussi perçu de l'émotion sur son visage… C'est ce qui m'a fait le plus plaisir.

Mercredi 15 mai

– Kori, lève-toi ! Ou tu vas rater ton car ! T'as un quart d'heure, pas plus !

Je me réveille lentement et fais tout mécaniquement. Après une douche express, j'arrange mes cheveux avec des élastiques. Je reste debout pour avaler mon lait. Ma mère me prépare un sandwich avec du beurre salé et des carrés de chocolat noir, comme lui faisait Mamm-gozh quand elle-même partait pour l'école.

– Qu'est-ce que t'as foutu cette nuit encore ? demande ma mère, un peu agressive. T'as recommencé avec ton jeu en ligne ? T'avais promis de n'y toucher que quand t'avais pas classe le lendemain ?

Mais de quoi elle parle ? J'ai éteint vers 22 heures.

Et je ne suis pas retournée sur WOT depuis dimanche. Elle continue sur le même ton :

– Fais pas ton regard étonné quand je te parle. Tu te baladais à l'étage, il était plus de 4 heures. Ça m'a réveillée.

Je n'ai rien à répondre. D'habitude, je la laisse parler et oublie dans la seconde qui suit ce qu'elle a dit. Là, c'est différent, parce que ce qu'elle décrit ressemble à mon comportement durant la dernière nuit de « mon week-end bizarre », celui dont je ne garde aucun souvenir. Là, tout de suite, je n'ai pas le temps d'y réfléchir. Je tirerai ça au clair en rentrant. J'attrape mon manteau et je cavale sur le chemin en direction de l'abribus.

Ouf ! Les petits sont encore là, le bus n'est pas passé. Je vais pouvoir me calmer. Je ne sais pas pourquoi je suis tellement crevée. J'espère que je ne couve rien.

Dans le véhicule, je m'assois à côté d'Ethan, qui écarte son bras pour que je me blottisse contre lui. Il m'embrasse tendrement. J'ai finalement de la chance qu'il soit apparu soudain dans mon paysage. Il me parle de son père qui leur fait vivre depuis l'enfance une vie très inconfortable.

– C'est un instable, il ne peut pas rester longtemps au même endroit. Il est toujours sur de nouveaux projets. Mais une fois qu'il les réalise, il se lasse et veut passer à autre chose. Nous, quand on se pose quelque part, on sait d'avance que ça ne durera pas.

– Tout le contraire de moi, dis-je. J'ai l'impression que ma famille est là depuis toujours et je ne crois pas que mes parents envisagent une seconde de partir un jour.

À la pause de 10 heures, on a aussi pris l'habitude de s'isoler dans un coin de la cour. Aujourd'hui, Ethan a envie d'en savoir un peu plus sur moi :

– Tu fais quoi pendant tes loisirs ?

– Du gouren, le samedi. Mais les compétitions sont interrompues jusqu'à la rentrée.

Je vois à son regard interrogateur qu'il n'a aucune idée de ce que c'est. Je lui explique :

– C'est de la lutte bretonne. Ça ressemble au judo.

– Ça veut dire que tu pourrais avoir le dessus si on se battait tous les deux ?

– Oui, sans doute. Sauf si je te laissais gagner.

– Tu es une drôle de fille !

– Cindy aussi, elle en fait. Ton frère devrait se méfier.

Je lui parle ensuite de WOT et du niveau d'Expert que j'ai réussi à atteindre. Je le sens plus intrigué qu'impressionné. Je me sens obligée de lui préciser :

– Tu sais, je ne suis pas la seule fille à jouer à ce jeu ni à avoir obtenu ce grade. Mais toi, tu ne joues jamais ?

– Ça m'arrive, mais je préfère lire.

– Ah bon ! Et tu lis quoi ?

– De la science-fiction surtout. J'aime bien tout ce qui parle du futur.

– Des histoires de voyages dans le temps ?

– Pas seulement.

– Et en quoi ça t'intéresse ?

– Ça me fait rêver. Et puis, tu sais que ce que certains auteurs avaient imaginé il y a des dizaines d'années s'est réalisé pour de vrai ? Ces gars-là ont de l'avance parce qu'ils ne limitent pas leur réflexion à ce que la science sait aujourd'hui. Ils n'ont pas peur de passer pour des illuminés.

Je n'ajoute rien. Je n'ose pas lui demander s'il pourrait croire que la fille qui se tient en face de lui a reçu une lettre d'elle-même, envoyée depuis le futur.

Je rentre à la maison vers 13 heures. J'aperçois le tracteur qui tourne au fond du champ. Papa profite du beau temps pour travailler. Ma mère m'a préparé du poisson pané et de la purée surgelée. Elle a déjà enfilé sa veste et est prête à partir chez un des vieux pour qui elle fait le ménage.

– Ton père mangera plus tard.

Je hoche la tête, histoire de lui signifier que j'avais compris. Je sens qu'elle a un truc à ajouter, mais elle se retient encore quelques secondes avant de se lancer :

– C'est du Doliprane que t'as pris cette nuit. Pourquoi tu ne me l'as pas dit ? T'avais de la fièvre ? mal au ventre ou à la tête ? Tu veux que je te prenne un rendez-vous chez le médecin ?

– Non, dis-je, ça va.

– Mais, t'avais quoi ?

Je fais une moue pour exprimer mon ignorance.

– Je ne sais pas pourquoi je te le demande. Tu ne parles jamais de toi, ni pour te plaindre ni pour le reste. Allez, j'y vais. À ce soir. Évite de faire la sieste, sinon tu vas encore veiller toute la nuit.

Elle est partie. Je finis mon assiette et range la cuisine,

puis je monte dans ma chambre. Je repère mon cahier par terre près de mon lit. En le ramassant, je m'aperçois que j'ai écrit dedans. Je m'assois pour lire. J'ai rempli presque deux pages. Je survole le tout une première fois. Certains mots sont quasiment illisibles. C'est pourtant bien mon écriture.

D'abord des vidéos relayées sur le Net : des cadavres qui jonchent les trottoirs et les quais de métro. Des gens qui hurlent leur douleur devant les cadavres de leurs proches. Des spécialistes en blouse blanche qui répètent qu'il ne faut pas s'alarmer, que tout est sous contrôle. Un présentateur qui s'écroule en direct à l'antenne. Un long plan sur ses yeux d'où coulent des larmes de sang. Morlaix aussi, ma ville, bloquée par des embouteillages. Des cadavres dans les voitures, des ambulances qui roulent sur les trottoirs. Le lycée aux *grilles fermées. Une affiche placardée à l'entrée : une longue liste de noms suivis chacun d'une croix indiquant que ces gens sont décédés. Un message du proviseur annonçant la fermeture provisoire de l'établissement. Ma mère au visage ravagé par l'angoisse qui vient me chercher pour rentrer à Menesguen. Ma mère encore qui me serre dans ses bras si fort que c'en est douloureux. Ma mère, toujours, allongée au milieu de la cuisine, le corps inerte et le visage tordu dans une ultime grimace. Yffig, sur un engin de chantier, qui recouvre de terre des cadavres alignés dont on ne distingue plus les traits. Max, mon cousin, qui me dit en riant que je pue. Lui et moi dans un tracteur sur des petites routes. Des cailloux qui fracassent les vitres du véhicule. Des visages d'adolescents inconnus, certains hostiles, d'autres bienveillants. Des tunnels, des égouts qui résonnent de cris et de détonations. Un escalier d'immeuble. La porte ouverte d'un appartement. Un couloir qui débouche sur une chambre juste éclairée par une bougie posée à même le sol. Un matelas par terre, une couette blanche. La peau douce d'un garçon qui frôle la mienne… Moi qui lui souris. Ses yeux qui me désirent… Yannis, le gars se nomme Yannis. Je le connais. Yannis.*

Je suis mal à l'aise. J'ai l'impression que c'est une autre moi-même qui a rempli ces pages. Est-ce que je serais en train de devenir folle ?

J'allume mon ordi pour essayer d'y voir plus clair. D'où peuvent venir des visions si précises ? Je lis plusieurs articles dans des encyclopédies et sur des sites de médecine, section neuropsychologie. Je n'apprends rien que je ne sache déjà. En gros, les rêves sont construits sur des réminiscences de son passé. Ce sont des reconstructions plus ou moins cohérentes d'événements que nous avons vécus. Ils peuvent être parfois mélangés à des images vues sur des écrans ou à celles évoquées dans des livres. Que dois-je comprendre ? Qu'une partie des événements que je décris dans ce cahier, je les ai déjà vécus ? Mais quand ? Et comment, surtout ? Je n'arrive même pas à imaginer comment je pourrais avoir vécu en vrai dans le futur et… Tout cela n'a aucun sens. Mais, en même temps, comment ne pas voir de rapport entre ces scènes d'horreur et ce que racontait la lettre que je suis censée m'être écrite ?

Je fouille dans les papiers qui s'entassent sur mon bureau. Je ne tarde pas à remettre la main dessus. Je lis à haute voix :

– … *Une terrible catastrophe se prépare, un virus va anéantir la quasi-totalité de la population.*

J'aurais déjà surmonté tout ça ! Et là, je recevrais une lettre du futur qui me demanderait d'agir. Comment croire un truc pareil ?

Il est plus de 23 heures, je n'arrive pas à m'endormir. J'ai discuté une partie de l'après-midi avec Cindy, mais impossible avec elle, ne serait-ce qu'un instant, d'envisager l'idée même d'un voyage dans le temps. Pour ma copine, ce ne sont que des histoires de WOT que je mélange avec mes propres souvenirs. J'ai perçu qu'elle s'inquiétait vraiment pour moi. Du coup, je n'ai pas insisté et, avant qu'on se quitte, je lui ai même demandé d'oublier mes délires. Et je lui ai assuré que demain, après une bonne nuit de sommeil, je serai de nouveau la Koridwen qu'elle aime, la normale, la fille de la campagne qui ne croit pas aux voyages temporels. Les jours qui viennent, je vais donc être obligée de faire semblant d'avoir été convaincue. Son hypothèse est totalement improbable parce que jamais, dans WOT, le moindre scénario de virus mortel n'a été introduit. Je suis une Experte et je sais de quoi je parle.

Pendant l'après-midi, j'ai visité un site sur Internet où on disait qu'il était possible d'explorer sa « mémoire cachée » grâce à l'hypnose. En attendant que je rencontre quelqu'un qui sache la pratiquer et qui puisse me faire voyager dans mon cerveau, je vais essayer un truc plus simple. J'ai lu qu'on pouvait conditionner ses rêves. Il suffit de penser très fort à une image ou un mot ou n'importe quoi d'autre, juste avant de s'endormir. Ainsi, on peut le faire entrer dans ses songes. Je vais essayer dès ce soir :

– Yannis... Yannis... Yannis... Yan...

Vendredi 24 mai

Je passe de plus en plus de temps avec Ethan, au collège et même en dehors. Je voudrais pouvoir partager avec lui ce que je vis en ce moment, car mon secret me pèse. J'ai des bouffées d'angoisse lorsque je pense à ce que j'ai écrit dans mon cahier : cette horreur qui semble se profiler ; moi, à qui serait confiée une sorte de mission. Pendant ces moments douloureux où je m'éloigne des autres, je croise souvent des regards interrogateurs d'Ethan qui semblent me demander : « Qu'est-ce qui ne va pas ? » Mais je n'ose pas lui raconter parce que j'ai peur que cela l'effraie et le détache de moi.

Nous sommes dans sa chambre, il m'a invitée après les cours. J'ai prévenu ma mère qu'il me ramènerait en scooter avant 19 h 30. J'inspecte la pièce. Au mur sont fixés des posters de groupes de musique dont je n'ai jamais entendu parler. Quelques cartes postales de Marseille et de la Côte d'Azur sont punaisées audessus de son bureau mal rangé. Je suis attirée par ses livres. Il en a au moins une centaine. On dirait un rayon du CDI. Chez moi, il n'y a que ceux qu'on a été obligés d'acheter pour les cours de français. Je m'assois sur son lit. Je sens qu'il a un truc important à me dire, car il affiche un sourire crispé. Il va m'annoncer qu'il a trouvé une autre copine, une normale. Je me disais aussi que ça ne pouvait pas durer. Je crois que je n'ai pas su m'y prendre. Il faudrait quand même qu'il m'explique où je me suis plantée. Je m'entends lui demander :

– Qu'est-ce que tu as, Ethan ?

– Je vais déménager, début juillet, juste après le brevet. Malheureusement, ce n'est pas une surprise.

– Tu vas où ?

– Nous repartons à Marseille. On a proposé à mon père de reprendre un restaurant en bord de mer. Et il a dit « oui ». Je le sais depuis hier soir. Ça m'a à peine étonné. Il se plaignait tout le temps que le climat du Sud lui manquait, sa famille aussi.

– Et toi, tu es content ?

– On ne me demande pas mon avis. Tu viendras me voir, Koridwen ?

– Je voudrais bien, mais ça m'étonnerait. Mes parents n'ont jamais de fric d'avance et comme je bosse tout l'été avec eux, je ne risque pas d'en gagner moi-même.

Il s'assied près de moi et m'entoure de ses bras. Je m'enfouis dans son pull. Je vais perdre beaucoup plus qu'un ami. Contre qui je vais me blottir maintenant, quand j'en aurai besoin ?

Mercredi 29 mai

Ce matin, je tiens difficilement debout. Je me traîne jusqu'à la douche. À la différence des autres jours, je n'attends pas que l'eau se réchauffe pour me glisser dessous. Les gouttes glacées provoquent comme un électrochoc qui me réveille d'un coup. Je suis épuisée comme la fois où… Aurais-je de nouveau écrit durant la nuit ?

Pendant une dizaine de jours, j'avais essayé en vain d'orienter mes rêves. J'avais relu chaque soir, avant d'éteindre, les notes prises la fois précédente dans mon cahier. J'avais aussi réglé mon réveil pour qu'il sonne en pleine nuit parce que j'avais lu que certaines phases de sommeil étaient plus propices aux rêves. Rien n'avait marché et, depuis avant-hier, j'avais complètement renoncé à ces expérimentations.

Je me dépêche de m'habiller et je me précipite dans ma chambre. Le cahier est sur la table de chevet. Je l'ouvre. Quatre pages sont couvertes d'une seule et même phrase :

Pourquoi tu ne fais rien, Koridwen ?
Pourquoi tu ne fais rien, Koridwen ?
Pourquoi tu ne fais rien, Koridwen ?
Pourquoi tu ne fais rien, Koridwen ?
Pourquoi tu ne fais…

Je ne peux retenir l'émotion qui m'envahit et je pleure comme une enfant. Je ne sais pas au juste pourquoi je craque. Est-ce parce que je me sens confusément coupable ? ou bien parce que j'ai l'impression que quelqu'un me parle dans ma tête et veut me pousser à agir, et que ça me fait peur ? Cela ressemble aux symptômes de maladies psychiatriques. Est-ce que je serais en train de perdre les pédales ? J'essaie de me calmer. Après tout, c'est ce que j'essayais de provoquer : un message venu de mon inconscient et peut-être d'une autre dimension temporelle ? Le voilà, c'est à moi d'en tirer les conséquences. Mon corps tremble encore de peur et j'essaie de réguler ma respiration. Je suis doucement en train de me convaincre que l'impossible existe et que, en plus, c'est moi, Koridwen de Menesguen, qui vais devoir sauver l'humanité. Mais comment faire ? Moi je ne suis qu'une adolescente de la campagne ? Qui pourrait bien me venir en aide ? Et d'abord, qui pourrait me croire ? Je ne sais même pas à qui me confier.

Pas à mes parents qui ne sont pas en capacité de comprendre. Non pas qu'ils soient bêtes, c'est loin d'être le cas, mais ils m'aiment trop et cela les empêchera de penser clairement. Je me suis aperçu, depuis quelques semaines, que c'était pareil pour Cindy. La seule de mes proches qui aurait pu m'écouter et peut-être m'éclairer, c'était Mamm-gozh. Mais elle est morte depuis presque deux ans. Je pourrais demander à une de ses copines ? Il y a bien la vieille Céleste, celle qui tenait une épicerie vers Brennilis. Une sacrée bonne femme aux comportements imprévisibles. On m'a raconté qu'elle terrorisait certains de ses clients en leur tenant des propos ésotériques qu'elle accompagnait de rictus horribles et d'un regard halluciné. Avec d'autres, elle était tout le contraire : une « madame Tout-le-monde », une bonne mamie sans problèmes à qui on aurait confié sans souci son propre enfant à garder. Moi je l'ai aperçue à plusieurs reprises et elle ne m'a jamais impressionnée. Je sais que Mamm-gozh la respectait, même si elle faisait tout pour que je la croise le moins souvent possible. Était-ce à cause d'une rivalité entre guérisseuses, ou se méfiait-elle de ses pouvoirs ? Je me souviens qu'elle me regardait bizarrement et ne m'adressait jamais la parole. Je ne sais même pas si elle est encore vivante.

Ethan… Pourquoi pas Ethan ? C'est quand même de lui que je me sens le plus proche en ce moment, même si notre relation est toute nouvelle et va malheureusement bientôt se terminer. Jusqu'à maintenant, j'avais peur de passer à ses yeux pour une fille psychologiquement fragile, pour ne pas dire plus. Mais tout me montre qu'il tient à moi et que je peux compter sur lui. Il faut que je me décide à prendre le risque, quitte à perdre son affection qui me fait tant de bien en ce moment.

Samedi 1er juin

Je profite que les bêtes sont au pré pour nettoyer au jet à haute pression le sol de l'étable. Je relève la tête quand je vois s'encadrer une silhouette dans l'ouverture. Je reconnais Ethan, dont je n'ai pas entendu le scooter arriver. Je coupe l'eau et m'approche de lui pour l'embrasser sur la joue. Je lui précise :

– Il faut que je finisse. J'en ai pour cinq minutes.

– D'accord, dit-il. Je peux te regarder travailler ?

Si ça lui fait plaisir. Cela ne me gêne pas. J'essaie de me concentrer pour ne pas le faire attendre. Je suis contente qu'il soit là. Cette fois, je vais lui parler et ne rien lui cacher. N'a-t-il pas dit qu'il admirait les auteurs de science-fiction pour leur ouverture d'esprit ? À lui de me prouver qu'il est comme eux. J'ai terminé. Je coince les portes pour faire un courant d'air et accélérer le séchage. Je l'entraîne jusqu'à chez moi. Ma mère est en train d'astiquer la cuisine, un foulard noué dans les cheveux. Elle s'essuie les mains sur son tablier, puis tend la droite vers Ethan. Il la saisit énergiquement.

– Bonjour madame.

Je fais de rapides présentations, puis je conduis mon ami dans ma chambre. Je le plante là quelques minutes, juste le temps de me doucher et me changer. Quand je reviens, il n'a pas bougé d'un centimètre. Je m'assois près de lui. Il me prend la main. Je me laisse faire. Il commence d'un air inquiet :

– Tu me fais la gueule ?

– Non. J'en ai l'air ?

– Depuis quelques jours, tu es plus distante. Tu m'en veux de quitter la région, c'est ça ?

– Non. Je sais que tu n'y es pour rien. Mais c'est vrai que ça me rend triste parce que je t'aime bien.

– Alors, qu'est-ce que tu as ?

– Tu es vraiment prêt à tout entendre ?

– Oui.

– Alors, tu ne vas pas être déçu. Tout a commencé le week-end des 24-25 mars dont je ne garde aucun souvenir, jusqu'à la nuit du dimanche au lundi où ma mère m'a découverte tout habillée, endormie sur mon lit.

– Mais si tu es sortie, tes parents ont dû voir avec qui, non ?

– Non, ils ont cru que j'étais avec Cindy et ils n'ont pas cherché plus loin. Tu sais, dans notre famille, on ne se parle pas beaucoup.

Je lui détaille ensuite tout le reste et lui montre la lettre et mon cahier. À mesure que je raconte, je sens son bras me serrer davantage contre lui. Quand je termine, je retiens mon souffle en attendant sa réaction. Pourvu qu'il ne me prenne pas en pitié en pensant que je suis légèrement perturbée ou carrément dingo ! Il souffle bruyamment avant de déclarer, un peu excité :

– Putain, c'est du lourd ! Tout paraît tellement cohérent dans ton scénario qu'on le croirait tout droit sorti d'un roman ou d'un film. Sauf que là, l'héroïne, c'est toi, et qu'on est dans la vraie vie. Putain, c'est génial, mais ça fout les jetons, ton truc !

Il me fait face et déclare avec bienveillance :

– Ma pauvre, ça doit être dur de garder tout ça pour toi. Mais, à partir de maintenant, on est deux, Koridwen. Je suis avec toi.

– Tu pourrais m'expliquer ce que tu comprends, parce que moi, je t'avoue que je suis complètement perdue. Comment je peux vivre deux fois la même période de ma vie ?

– Attention, ce que je vais t'expliquer n'est qu'une théorie. Il y aurait plusieurs lignes temporelles, avec des contacts possibles entre elles.

– Quoi, ce que je vis en ce moment, je l'ai déjà vécu exactement de la même manière il y a un an ?

– Non, pas exactement. Tu explores une dimension parallèle. Globalement, c'est la même, sauf que tes actions la modifient jour après jour. Là, c'est du sérieux, Koridwen, on n'est pas dans une fiction. C'est l'avenir de l'humanité qui est concerné. Tu dois agir. Tu n'as pas le choix. Est-ce que tu as un plan ?

– Je compte rendre visite à mon médecin pour avoir plus d'infos sur le vaccin. Si je sens qu'il est réceptif, j'ai envie de carrément l'avertir de ce qui va arriver. Lui saura comment relayer mes révélations auprès des autorités. En tant que médecin, il sera plus crédible que moi.

– Tu veux que je t'accompagne ?

– Non, je préfère y aller toute seule. Il me connaît depuis ma naissance. Il sait que je suis une fille raisonnable. Je crois que si tu es là, il se méfiera et pensera que tu m'as influencée.

– Comme tu veux.

Mercredi 5 juin

Je suis assise depuis près d'une heure dans la salle d'attente du cabinet médical. Je me dis que le docteur Hamel a intérêt à aimer la compagnie des vieilles dames parce que, à part moi, il n'y a personne de moins de soixante-dix ans. Je les connais presque toutes. Je sais qu'elles sont bien bavardes et que c'est pour ça que j'attends depuis si longtemps. Je suis là officiellement pour des maux de ventre. J'ai réfléchi plusieurs jours à la manière dont j'allais aborder le sujet du vaccin, mais au final je crois que je vais y aller franco. Il me connaît bien et ne pourra pas d'emblée me considérer comme une folle. Je dois tout tenter. Si lui me croit, je vais pouvoir récupérer des doses d'abord pour sauver ceux que j'aime. Ensuite, le reste de l'humanité pourra en profiter.

– Bonjour Koridwen, qu'est-ce qui t'amène ?

J'hésite à me lancer car ce que je m'apprête à lui annoncer est inconcevable. Il reprend avec la voix douce qu'il utilisait quand j'étais toute petite :

– Ta mère m'a parlé de douleurs au ventre, c'est ça ? Et aussi de problèmes de sommeil.

– Non, j'ai besoin d'un vaccin qui s'appelle le MeninB-Par. Vous connaissez ?

– Bien sûr, il sert à traiter certains types de méningite. Sache que je t'ai vaccinée moi-même quand tu avais une dizaine d'années et que tu ne risques pas d'en attraper une.

– Je sais.

– Alors pourquoi en aurais-tu besoin ?

– Ce n'est pas pour moi. C'est pour mes parents.

Il grimace. Il hésite sans doute à couper court, sans plus tarder, à cette discussion. Je vois qu'il prend sur lui pour me demander :

– Qu'est-ce qui te fait dire que tes parents pourraient avoir la méningite ? À ma connaissance, les autorités de médecine n'ont pas détecté récemment de nouveaux cas. Quelque chose me dit que tu as un peu trop surfé sur Internet. Je me trompe ?

– Non, ce n'est pas ça. Je voudrais juste savoir si je peux avoir des doses.

– Ta question est vraiment bizarre. Je vais te répondre mais, ensuite, il faudra que tu m'en dises davantage. Ce vaccin n'est plus commercialisé. Je pense même qu'on a arrêté de le produire.

– Mais il peut rester des stocks quelque part ?

– Oui, à titre provisoire. Il doit y avoir des doses dans les pharmacies centrales au cas où, mais en petites quantités.

– Mais en cas de pandémie soudaine, que se passerait-il ?

– Les médecins prescriraient les vaccins contre la méningite existant sur le marché actuel. Ensuite, ils en vérifieraient l'efficacité. Si on découvrait qu'il s'agit d'une souche inconnue ou mutante, il faudrait mettre au point un nouveau vaccin et faire des essais cliniques avant de le commercialiser.

– Mais si on voulait relancer la production du MeninB-Par dans la même version que celle que j'ai eue ? Ce serait possible ?

– Sans doute. Bon, Koridwen, vas-tu enfin me dire pourquoi tu me poses toutes ces questions ?

Je le fixe quelques secondes avant de me lancer :

– Voilà, docteur. Une grande catastrophe se prépare,

un virus va anéantir la quasi-totalité de l'humanité. Les premiers cas de contamination apparaîtront au mois d'octobre. Il se trouve que le MeninB-Par est l'antidote…

Je lui déballe tout ce que je sais et j'évoque la lettre, mes rêves, les pages remplies dans mon cahier, la nuit.

Il n'a pas souri et m'a laissée parler jusqu'au bout mais, comme Cindy, il a plutôt l'air inquiet :

– Koridwen, je te connais depuis ta naissance. Je sais que tu es intelligente et que tu as les pieds sur terre. Je ne comprends donc pas comment tu peux croire à une histoire aussi invraisemblable. Je ne sais pas qui a pu te mettre de telles idées dans la tête, mais sache que ces gens-là ne sont pas bienveillants.

– Personne ne me manipule, docteur.

– C'est toujours ce que croient les victimes. Est-ce que tu as été approchée par un groupe d'illuminés, peut-être par une de ces sectes druidiques qui fleurissent dans la région ? Ils ont dû te convaincre que tu avais des pouvoirs, parce que tu es la petite-fille d'une guérisseuse qui était très respectée. Sache que ta grand-mère aurait trouvé ton histoire complètement idiote. Je la connaissais bien, même si elle venait rarement me voir en consultation.

– Mais, docteur, dis-je en essayant de ne pas élever le ton, essayez juste une seconde d'imaginer que ce que je raconte est vrai. Même s'il n'y avait qu'une chance sur mille que cela puisse réellement arriver. Si vous pouviez empêcher cette catastrophe, est-ce… ?

– Kori, arrête. Tu as vu le nombre de personnes qui

patientent dans ma salle d'attente ? Je n'ai pas le temps de te suivre dans tes délires !

Je me lève et enfile mon manteau. Je pose le chèque préparé par ma mère sur son bureau. Il me regarde gravement.

– Rentre chez toi. Essaie de te reposer. Tu veux quelque chose pour mieux dormir ?

– Non. Au revoir.

En ouvrant la porte, j'entends qu'il déchire un papier, sans doute le chèque de mes parents.

Jeudi 6 juin

Je suis allongée sur mon lit. Impossible de me concentrer sur mes devoirs. Je préfère essayer de réfléchir à une alternative. Ethan m'a promis de faire de même de son côté. Mais je perds vite le fil de mes pensées et la fatigue m'envahit. Je lutte pour ne pas m'endormir. Ma mère frappe doucement à ma porte. Je me redresse au moment où elle entre sans attendre de réponse.

– C'est le docteur Hamel, chuchote-t-elle en me tendant le téléphone. Il n'a rien voulu me dire.

Je saisis le combiné et fixe ma mère sans prononcer le moindre mot. Elle grimace et quitte la pièce. Elle comprend vite.

– Bonsoir docteur.

– Bonsoir Koridwen. J'ai repensé à ta visite d'hier. À la réflexion, j'ai trouvé que j'avais été un peu sec avec toi. J'aurais voulu te revoir et qu'on prenne le temps d'analyser tranquillement ce que tu ressens. Tu serais d'accord pour passer à mon cabinet demain après les cours ?

– Docteur, est-ce que vous êtes prêt à m'aider ?

– Bien entendu, Koridwen, c'est pour ça que je t'appelle !

– Ça veut dire que vous me croyez maintenant ?

Il laisse passer un silence assez long avant d'enchaîner :

– Alors demain, vers 18 heures, ça pourrait te convenir ?

– Est-ce que vous me croyez maintenant ?

– Non, Koridwen. Je ne crois pas à une fin du monde imminente causée par un virus. Mais, je peux t'aider à sortir de ton problème. Pour ça, il faut qu'on parle et aussi que tu prennes certains médicaments qui t'aideront à mieux dormir et peut-être à chasser tes idées noires. Koridwen, je t'attends demain, d'accord ? Si tu préfères, je n'en parle pas à tes parents. Koridwen ? Koridwen... Koridwen ?

Le téléphone pend au bout de mon bras depuis déjà quelques secondes quand j'appuie sur la touche pour couper la communication. Tandis que je descends au salon pour reposer l'appareil sur son sabot, ma mère m'interpelle :

– Qu'est-ce qu'il voulait ?

– Rien.

– Tu n'es pas enceinte, au moins ?

– Maman, arrête, s'il te plaît !

Dimanche 16 juin

Maintenant, je reconnais les symptômes : douleurs à l'arrière du crâne et grosse fatigue. J'ouvre les volets pour faire entrer la lumière et je ramasse le cahier pour commencer ma lecture.

Yannis. Yannis est là, près de moi. Il y a d'autres personnes avec nous. Une fille avec des cheveux gris qui parle et que tout le monde écoute. Je la connais, je l'ai croisée quelquefois à Dourdu en allant voir Cindy. Elle s'appelle Stéphane. Moi, je regarde Yannis et son chien à trois pattes assis à ses pieds. Il y a Max avec une petite fille qui a posé sa tête contre lui et qui peine à garder les yeux ouverts. Un chat traverse la pièce.

Yannis parle. Il raconte qu'il vient de Marseille, du quartier du Panier, près du Vieux-Port, que là-bas des jeunes coiffés de casquettes rouges font régner leur loi, qu'il s'est enfui en voiture jusqu'à Lyon parce qu'il sait conduire. Je me tourne vers lui et l'interroge :

– C'est quoi, ton nom de famille ?

Il me sourit mais ne me répond pas. Il me prend les mains. Il veut que je le suive. Moi j'ai besoin de savoir :

– C'est quoi, ton nom de famille ?

Il est 15 heures. Ethan et moi marchons le long du chemin qui borde la mer. Il fait presque beau. Jusqu'à mes dix ans, c'était une promenade qu'on faisait en famille le dimanche.

– J'ai réfléchi depuis ton coup de téléphone, se lance-t-il.

Il faut que tu essaies de rencontrer les deux inconnus qui apparaissent dans ton rêve. Imagine qu'ils vivent la même situation que toi. Que toi, Koridwen, tu apparaisses dans leurs rêves. Cela nous en ferait des alliés, et eux auront peut-être trouvé le moyen de faire réagir les autorités. Commençons par cette Stéphane qui habite à Dourdu, c'est ça ?

– Non, en fait, elle ne vient à Dourdu que pendant les vacances. Elle ne sera pas là avant août. Les quelques fois où je l'ai croisée, je l'ai sentie distante, un peu hautaine. Pour tout te dire, je ne la sens pas trop, cette fille.

– Donc, propose Ethan, il faut tenter Yannis.

– On ne connaît que son prénom, et Marseille est une très grande ville, non ?

– Oui, mais le quartier du Panier où il habite n'est pas très étendu. Il doit sortir son chien au moins deux fois par jour, nous avons des chances de tomber sur lui.

– Nous ?

– Oui, j'ai eu une idée, en fait. Je devrais pouvoir te faire venir là-bas sans frais. Mon père va être amené à faire des allers-retours entre Morlaix et Marseille durant le mois de juillet. Il aura de la place dans sa voiture à chaque fois. Chez nous, c'est grand et tu seras nourrie et logée.

– Je n'ai jamais quitté la Bretagne. Je ne suis pas certaine que mes parents seront d'accord.

– Ma mère m'a promis de les appeler pour les rassurer.

– Je vois que tu as tout prévu pour qu'on ne se quitte plus.

– C'est pour sauver le monde aussi, rétorque-t-il en souriant.

Samedi 13 juillet

Je n'en reviens pas. Je suis à 1 200 kilomètres de chez moi, dans un environnement qui diffère totalement du mien. D'abord, c'est une très grande ville, encombrée de voitures, de bus et de scooters. Une foule nombreuse défile sur les trottoirs des avenues jusque tard dans la nuit. Et ces gens parfois venus du monde entier parlent si fort. Et puis il y a cette chaleur sèche qui saisit à la gorge dès la fin de la matinée.

Nous arpentons les rues du quartier du Panier aux heures les moins chaudes de la journée. Sinon, il n'y a que des touristes. Quatre jours pour rien, pour se rendre compte de la difficulté de notre tâche : repérer un type brun de quinze ou seize ans, accompagné d'un chien estropié noir et blanc. Je ne peux pas en dire plus, l'image reste floue. Je ne les ai vus qu'en rêve et je suis donc incapable de préciser ma description. De plus, nous ne pouvons écarter la possibilité qu'il soit parti en vacances et que nous perdions notre temps.

Alors je me suis lancée à deux reprises pour aborder des gars qui semblaient lui correspondre. Un s'est montré très méfiant, comme si je lui tendais un piège pour l'agresser ou le voler. Je n'ai pas insisté et je me suis même excusée. Le deuxième ne s'appelait pas non plus Yannis, mais il se disait prêt à changer de prénom si cela pouvait me faire plaisir. Il voulait absolument que je l'accompagne à une soirée sur la plage avec quelques amis. Lorsque j'ai souri à cette invitation inattendue, j'ai perçu de l'agressivité dans son regard, alors j'ai préféré m'éloigner rapidement et rejoindre mon copain qui me surveillait de loin.

La mère d'Ethan s'occupe de moi comme si j'étais sa fille. Au début, je la trouvais indiscrète parce qu'elle me posait beaucoup de questions. Mais j'ai compris qu'elle s'intéressait vraiment à moi et qu'elle était bienveillante. Je pourrais l'interroger elle-même en retour, mais je n'ose pas le faire. Les repas en compagnie des jumeaux sont très animés, et leurs parents rient volontiers à leurs bêtises. Moi je ne me souviens pas précisément d'avoir vu rire les miens, ne serait-ce qu'une seule fois. C'est forcément arrivé quand j'étais petite. Enfin, j'imagine. Jordan m'a parlé à plusieurs reprises de Cindy qui a préféré rompre dès l'annonce de son retour dans le Sud. Il ne s'en remet pas. Avec Ethan, nous faisons semblant de croire que rien n'a changé, mais nos liens vont se défaire avec le temps. Je ne sais pas si c'est une meilleure façon de se séparer. Je crois juste que j'ai moins de courage que ma copine.

Nous sommes assis sur un des bancs d'une place ombragée depuis une demi-heure. Je viens de terminer une glace à l'eau parfum grenadine et j'ai les mains qui collent. Un chien noir et blanc apparaît, il a quatre pattes. Le garçon qui le tient en laisse a l'air plongé dans ses pensées. C'est lui. Il paraît plus jeune que dans mon rêve, mais je n'ai aucun doute. Je surprends Ethan en me levant brusquement pour fondre sur mon objectif.

– Yannis ?

Il me fixe, incrédule, et jette un œil autour de lui pour vérifier qu'il n'est pas la cible d'une mauvaise blague. J'insiste :

– Yannis ? Tu t'appelles bien Yannis ?

– Oui, répond-il sérieusement. Mais on ne se connaît pas. Tu te trompes de Yannis.

Je ne bouge pas. Il faut que je tente quelque chose, sinon je vais regretter :

– S'il te plaît, attends ! Yannis, s'il te plaît.

– Comment tu connais mon prénom ? Et qu'est-ce que tu veux ?

– Juste que tu m'écoutes quelques secondes. Après, je te laisserai tranquille. Voilà. Je t'ai vu dans un rêve, avec ton chien, sauf qu'il était blessé et que ton visage était marqué par les épreuves et la fatigue. Nous étions à Paris dans un grand immeuble. C'était l'hiver. Nous sommes allés tous les deux dans un appartement et tu m'as parlé de ton quartier et ensuite…

– Je ne comprends rien, dit-il. Laisse-moi.

– S'il te plaît, fais un effort. Je m'appelle Koridwen. J'habite en Bretagne. Je suis venue exprès ici à Marseille pour te retrouver.

Je lui saisis la main pour tenter de déclencher une réaction. Il se laisse surprendre puis se dégage rapidement.

– Désolé, dit-il. Je ne peux rien pour toi.

J'éclate en sanglots. Il est gêné et hésite à s'éloigner. Son chien lui tourne autour en jappant. Il effleure mon bras pour me réconforter :

– J'aurais beaucoup aimé qu'on se connaisse parce que je te trouve très… mais… Salut. Désolé.

Il disparaît rapidement au coin de la rue. Ethan s'est approché et m'enlace. C'est raté.

Dimanche 18 août

Marseille, c'était il y a plus d'un mois. Ethan me téléphone souvent. Je ne trouve pas toujours quelque chose à lui dire, à part que j'aimerais qu'il soit là et qu'il me prenne dans ses bras. Il m'arrive d'oublier durant quelques heures ma « mission » et heureusement car, quand je me focalise sur le sujet, je me sens nulle et démunie, pas du tout à la hauteur de la tâche, au bord de la déprime. Je crois même que si Ethan n'avait pas été là pour m'écouter et me soutenir, j'aurais sans doute accepté les calmants du docteur Hamel pour tenter d'effacer les images du cauchemar qui se prépare.

Ce matin, j'ai relu la lettre. Dans deux mois, la catastrophe se déclenchera. Je me suis fait une raison. Avant les nombreuses morts inexpliquées, personne ne m'écoutera. Alors je vais essayer de vivre presque normalement en attendant et je guetterai les premiers signes. Il y a quelques jours, j'ai croisé Stéphane, de passage à Dourdu, la fille aux cheveux gris et courts que j'avais vue en rêve avec Yannis. On n'a pas échangé plus de trois phrases. J'ai tout de suite senti que j'allais encore me ridiculiser si je lui racontais mes visions nocturnes. Et je pressentais qu'elle serait moins gentille que l'ado marseillais.

Aujourd'hui, je n'ai rien à faire. Cindy est partie camper avec son frère et quelques copains. J'ai décliné l'invitation car je n'aime pas trop les gens qui passent leurs soirées à boire de la bière ou de la vodka et à se remettre de leur gueule de bois tout le reste du temps. Je suis allongée sur une couverture près du ruisseau qui coule à cinq cents mètres de la ferme. C'était l'un des endroits préférés de Mamm-gozh quand elle voulait me raconter des histoires étranges et merveilleuses. J'ai apporté le bouquin qu'Ethan m'a offert. Je lui ai promis de le lire mais je n'arrive pas à me décider. Mon cerveau n'est pas apte en ce moment à se divertir avec des récits imaginaires. Moi, quand je croise maman, je ne peux m'empêcher de penser à ce que j'ai écrit dans mon cahier. Et soudain, je la vois morte sur le sol de la cuisine. Je ne peux rien y faire. Le mieux, c'est encore quand je dors. Surtout que, depuis quelque temps, je ne me souviens plus de mes rêves.

Quelqu'un s'approche d'un pas lent et hésitant. J'entrouvre les yeux. Je la reconnais. C'est Céleste, l'épicière de Brennilis. Elle ne semble pas avoir vieilli ces dernières années. Elle s'assoit sur un rocher à côté de moi. J'entends à sa respiration bruyante qu'elle peine à reprendre son souffle.

– Je te trouve enfin, Koridwen. Tu te cachais ?

– Bonjour Céleste, dis-je, surprise. Vous êtes bien loin de chez vous.

– Je voulais te parler.

– À moi ? Et de quoi ?

– Tu le sais très bien, Koridwen. Tu portes un secret depuis plusieurs mois, un secret que tu ne peux partager avec personne sans risquer de passer pour une psychopathe ou une possédée. Je me trompe ?

Sa voix est douce, mais je perçois dans son ton sec une menace. Je me lève pour lui faire face.

– Et qu'attendez-vous de moi ?

– Je me demande ce que tu comptes faire de ton savoir.

– À votre avis ? Le moment venu, je vais essayer de sauver des gens en leur disant la vérité. Par exemple, quand il sera prêt à m'écouter, j'irai voir le docteur Hamel en espérant qu'il puisse avertir les autori…

– Tu n'as pas le droit, me coupe-t-elle, de changer le destin du monde. Ce qui est écrit aura lieu. Koridwen, écoute-moi bien. Tu ne feras rien !

– Si, je sauverai au moins mes proches.

– Comment ?

– En les persuadant de rester barricadés à Menesguen afin d'éviter tout contact avec l'extérieur pendant un mois ou deux.

– Tu ne feras rien, reprend-elle, plus impérieuse. Je te le répète. Tu n'as pas le droit !

J'en ai la chair de poule. Pourtant, cette vieille femme qui tient difficilement sur ses jambes n'a rien d'impressionnant.

– Regarde-moi, Koridwen ! Tu ne feras rien !

Je la fixe dans les yeux quelques secondes. Puis je ramasse ma couverture et regagne la maison à travers champs. Elle n'est pas Mamm-gozh, elle n'a rien à m'ordonner, cette vieille sorcière !

Vendredi 18 octobre

Ça fait plus d'une semaine que je dors un minimum. Je passe une grande partie de mes nuits sur les sites d'infos du monde entier, à traquer la moindre apparition d'un nouveau virus. Dès que je repère une blouse de médecin ou quelqu'un qui porte un masque de protection, j'essaie de comprendre ce qui se passe. Normalement, les surveillants de mon internat coupent la Wifi vers 22 heures, mais tout le monde sait qu'ils la rétablissent pour leur usage personnel vers minuit.

Ce matin, j'atterris à l'infirmerie parce que je me suis endormie en cours. Ce n'est pas la première fois que ça m'arrive. Madame Jonard me prend ma tension et m'interroge d'abord longuement sur d'éventuels symptômes que j'aurais pu observer ou ressentir : fièvre, mal de ventre, nausée, etc., avant de me demander :

– Et tu dors bien ?

– Pas vraiment.

– Pourquoi ? Tu as des soucis ? des difficultés scolaires ? des problèmes avec tes camarades ou tes professeurs ? Non ? Alors, avec tes parents, peut-être ?

Je sais bien qu'elle est gentille et compréhensive, mais je ne crois pas qu'elle soit prête à encaisser la vérité. Elle m'enverrait directement chez un psy.

– Non, ça va, dis-je simplement.

– Je vais être obligée de prévenir tes parents.

– Je ne vois pas à quoi ça va servir, madame.

– Je suis obligée, Koridwen, c'est de ma responsabilité et tu es mineure.

Elle branche le haut-parleur. C'est ma mère qui décroche :

– Allô !

– Bonjour madame. Je suis l'infirmière du collège. J'appelle pour Kori...

– Qu'est-ce qui se passe encore ?

– Rien de grave, rassurez-vous. Koridwen est très fatiguée, et sa tension est basse. Je crois qu'elle ne dort pas assez.

– D'accord, dit ma mère. Vous voulez que je vienne la chercher ?

– Non, je voulais juste vous prévenir.

– D'accord. Alors, je fais quoi ?

– Il faudrait peut-être prendre un rendez-vous chez son médecin pour ce soir ou demain.

– D'accord, je vais voir s'il y a de la place. Au revoir madame.

Je retourne en cours à l'heure suivante et je tiens le coup le reste de la journée. Je rentre à la ferme en fin d'après-midi. Bien entendu, ma mère n'a pas appelé le docteur Hamel juste parce que j'étais fatiguée. Tant mieux. Pendant le repas, mon père me déclare :

– Y avait cette vipère de Céleste qui traînait autour de la ferme tantôt. Elle n'a pas voulu m'expliquer ce qu'elle fouinait par là. Elle m'a dit qu'elle t'avait causé en août. C'est vrai, ça ?

– Oui.

– Et de quoi ?

– De rien.

– Bon… N'empêche, je sais pas si c'est un hasard, mais depuis que je l'ai vue, l'Internet ne marche plus dans le coin.

– Et c'est quoi, le rapport ? demande ma mère. Qu'est-ce que tu vas encore inventer ! Tu la vois, toi, la vieille boiteuse, en train de saboter l'antenne-relais ?

Mon père ne réplique pas. Il me regarde d'un air entendu. Quelque chose me dit qu'il a sans doute raison.

Vendredi 1er novembre

Yffig s'est fait livrer une pelleteuse, la petite de six tonnes avec le godet de soixante de large. Pour les tombes, c'est l'idéal. Aujourd'hui, il m'apprend à la manœuvrer. Cela m'occupe l'esprit et me distrait durant quelques minutes de mon désespoir. J'ai prévu de passer la soirée avec lui. Je sais que ses jours sont comptés et qu'il faut que nous en profitions.

Je n'ai pas réussi à inverser le destin du monde, et la catastrophe est bien arrivée dans toute son atrocité.

Pourquoi je n'ai rien fait ? Parce que j'étais « absente ».

J'ai sombré à partir du 19 octobre dans une forme de coma. Clouée dans mon lit, les yeux entrouverts, j'étais incapable du moindre mouvement ou de la moindre parole. Au début, j'ai essayé de me rebeller contre mon corps qui me trahissait. Je pleurais intérieurement de rage et de désespoir. Puis, j'ai lâché prise car ça ne servait à rien. À ce phénomène étrange de tétanie, deux explications ont été avancées par mes proches. Mon père a suspecté Céleste, la sorcière rivale de Mamm-gozh, d'être venue chez nous en son absence pour me jeter un sort ou empoisonner ma nourriture. Ethan a eu une théorie plus complexe et plus psychologique. Il a dit que mon cerveau avait refusé le combat et m'avait déconnectée de la réalité. Il connaissait des récits de médecins qui décrivaient ce phénomène durant la Première Guerre mondiale. Des soldats s'endormaient littéralement ou même s'évanouissaient au moment de sortir de la tranchée pour aller affronter l'ennemi. Un instinct animal leur faisait « faire le mort » pour éviter le péril. Lorsque je suis enfin sortie de cette paralysie inexpliquée, mon cœur était plein de honte et de colère car j'avais compris que j'avais failli à ma mission et que le monde souffrait par ma faute.

Maman a attendu que j'aille mieux pour me faire ses adieux. Elle est morte hier, mais pas dans la cuisine, dans son lit pendant la nuit. J'ai parlé ce matin au téléphone avec Ethan de ce détail. Il a une hypothèse tirée de ses lectures :

– Tu as vécu deux fois une séquence identique, la

mort de ta mère, même si des éléments ont pu varier. Tu es peut-être prisonnière d'une « boucle temporelle », ce qui t'oblige à revivre des événements plusieurs fois. Tu ne gardes à chaque fois en mémoire que quelques souvenirs du passage précédent, mais tu l'interprètes comme une vision de l'avenir. Je suis obligé de rajouter, et je sais que ça ne va pas te rassurer, que dans mon bouquin, le héros s'apercevait qu'il avait fait le tour des dizaines de fois avant.

Je l'écoute sans rien pouvoir dire. Je perçois l'horreur et l'absurdité de la situation, mais je n'arrive pas à me représenter ce qu'il tente de m'expliquer. Pourtant, au fond de moi, j'ai la sensation confuse que ce qu'Ethan avance, c'est la vérité. Ma respiration devient difficile. Après quelques minutes, je parviens à articuler :

– Mais comment je peux faire pour que ça s'arrête et que je sois comme les autres. Comment… comment je sors de la boucle ?

– Dans le roman, le héros renonçait tout simplement à repartir dans le passé. Il se coupait du monde et n'essayait plus de changer la réalité. Il acceptait de faire le deuil de sa vie présente, le deuil des siens. Il abandonnait tout espoir de retour en arrière.

– En fait, il se suicidait, mais ça, tu n'oses pas me le préciser.

– Non, je te jure. Il acceptait de vivre dans le chaos, d'y construire un avenir différent, et il y avait de l'espoir.

Je m'écroule et pleure durant de longues minutes avant de pouvoir demander :

– Ethan, tu seras là dans combien de temps ?

– Je suis déjà en chemin. Si tout va bien, demain, dans la matinée. Je te promets qu'à deux, on y arrivera.

ALERTE SPOILERS

U4.Stéphane
U4.Yannis

Florence Hinckel
Vincent Villeminot

STÉPHANE ET YANNIS

APRÈS

Morvan,
18 septembre, neuf mois plus tard

1.

– YANNIS !

J'attrape sa main mais il n'existe plus en tant que corps. Le monde n'est que sensations, mouvements, vagues, couleurs. Douleur.

Crier me libère. Crier me relie à ce qui reste de physique en ce monde qui n'est pas moi. Une onde comme une autre. Je ne suis qu'ondes. Je ne suis que douleur. Je suis hors monde.

Maman, tu ne m'avais pas dit que ça faisait aussi mal ! Tu n'as pas eu le temps.

– MAMAN !

– Courage, ma belle, on y est presque.

J'entends cette voix comme si elle venait de loin. Yannis, lui, tente d'éponger mon front, mais je le repousse :

– Ne me touche pas !

Que plus personne ne me touche, que personne ne me détourne de ma bulle rouge et tournoyante de douleur. Je dois la maîtriser. La faire cesser de tourbillonner. La canaliser. Ce ne doit plus être qu'une flèche dont je serais l'arc tendu.

– Souffle. Respire. Oui, comme ça, c'est bien.

Une flèche. Un seul objectif : ne plus être moi. Une cible : la vie.

Oh comme elle palpite, la vie ! Comme ses vagues sont hautes ! Et putain de rapprochées. Pas le temps de souffler.

– Je vois les cheveux ! On y est. Pousse !

Je suis un roc qui se fend en deux. Les rocs ressentent-ils cette drôle de tristesse lorsque la foudre s'abat sur eux ?

—

Des cheveux gris entre ses jambes. J'ai presque envie de rire.

Enfin, gris, je ne sais pas, j'imagine – sombres en tout cas, ensanglantés.

Rire, je ne sais pas non plus. J'ai trop peur. Trop mal pour elle. Réduit à cette impuissance de la voir souffrir.

Je ne pensais pas qu'elle pouvait avoir mal, ainsi. Elle dont je connais la résistance à la douleur, l'incroyable résistance, la dureté. Elle a été si dure, si souvent, que je lui en voulais presque, quand je devais porter pour deux la douceur et la paix du monde.

Et maintenant, elle crie, elle hurle, elle ne veut pas que je la touche.

Elle supplie.

Elle veut que je reste. Il faut que je reste. Je voudrais être ailleurs, moi, ne pas la voir comme ça dans cette douleur, tout ce sang sur les draps, la sueur sur son front, ses yeux perdus, qui cherchent, qui ne trouvent pas où s'accrocher.

Que dire ?

—

– Allez, encore un effort. Pour le passage des épaules.

Je suis…

– Elle perd connaissance !

– Gifle-la !

—

– Quoi ?

– Gifle-la ! répète Elissa. Vas-y !

—

Les gifles brûlent mes joues.

– ÇA FAIT MAAAAAL !

– Oui, ça y est, le voilà !

Voilà quoi, qui, où ?

– Allez, ma jolie, un dernier effort, pour le placenta. Pousse une dernière fois. Allez !

Mes dernières forces y passent. Je m'écroule.

Le prochain cri n'est pas de moi. Cela ressemble au cri d'un bébé chat.

Je peux enfin distinguer le visage de Yannis, que je n'ai jamais vu aussi pâle. Et puis celui d'Elissa, épuisée mais souriante. Elle pose sur mon ventre… un petit être chaud, nu comme un ver. Un bébé. Mon bébé. Notre bébé, à Yannis et moi. Ce petit visage lisse aux yeux entrouverts, ces mains minuscules, cette petite bouche qui happe l'air, ces petites fesses… Un, deux, trois, quatre, cinq doigts. Tout y est. Tout est beau. Tout est parfait. Une nouvelle vague me happe, mais cette fois pas de douleur, rien que de l'émotion. Jamais je n'ai ressenti plus grand bonheur, plus grande fierté, plus grande sensation d'exister. Parce que je suis redevenue moi et que ce bébé rampe sur mon ventre pour y trouver mon sein comme si c'était le Graal. Ce bébé se souviendra pour toujours de mon odeur, du goût de ma peau, de ma chaleur. Ce bébé aura longtemps besoin de moi. Je suis importante pour lui. Il est important pour moi. J'attire Yannis vers nous pour l'inclure dans notre cercle. Il en fait partie. Il a autant d'importance. Le bébé doit aussi se souvenir de sa peau, de son odeur, de sa chaleur, alors je pose la main de son père sur le dos du bébé en train de téter. On pourrait nous croire animaux en cet instant. Nous le sommes. Mais étrangement, au contraire, jamais je ne me suis sentie autant humaine. Et autant femme.

2.

Il a rampé sur elle. Sur son corps nu que j'avais aimé, que je n'aime plus vraiment, à cette minute – enfin si, dont je sais que je l'aime, je le sais, je le sais, mais je ne le vois plus. Il m'effraie.

J'ai eu si peur en la voyant souffrir. Si peur.

Si mal pour elle.

Ce corps qu'Elissa a couvert et découvert, pendant l'accouchement, allant du feu à elle, de l'eau chaude à elle, la guidant, m'instruisant pour que je sache la guider, virevoltant entre nous, me laissant toute la place que je ne sais pas occuper : celle du père.

Elissa me regarde, m'encourage vers eux deux.

Et Stéphane me regarde. Ce bonheur dans ses yeux. Ce bonheur, il me cherche. Elle veut que je le partage, que nous soyons tous les trois, maintenant.

Elle me prend la main, la pose sur lui.

Il mange son sein, comme un petit animal.

Mon fils.

Je les regarde, elle, lui. Je souris. Je ne sais pas pourquoi, simplement parce qu'elle a besoin de me voir sourire, et lui aussi peut-être. Parce qu'il faut que nous soyons heureux.

Jamais je ne me suis senti aussi loin, si étranger à elle. À eux deux. Stéphane, mon fils.

Elissa prend le bébé, l'emmène pour l'envelopper dans une serviette-éponge, cette boule de chair cyanosée, bleue, sale de sang, de mucus, gluante de liquide amniotique. Je tiens la main de Stéphane, qui somnole. Puis je suis les consignes d'Elissa.

J'éponge le sang sur les jambes, les cuisses, le ventre de Stéphane. Je la lave, à l'eau tiède.

Elle se laisse faire.

De loin, j'entends Elissa parler à notre enfant, pendant que je lave sa mère.

Sa mère, notre enfant.

3.

Je la laisse dormir. Je sors.

Dehors, l'automne arrive mais il fait beau. Un temps de printemps sur cette fin septembre.

Happy court vers moi sur ses trois pattes, joyeux. Vient-il me féliciter ?

Devine-t-il, sait-il, comme il devine tout depuis mon enfance ?

Bon chien.

Il repart sur ses trois pattes, à la poursuite d'un lapin ou d'une chimère.

– Ça va, Yannis ?

Elissa me rejoint, dehors, sur le banc de pierre.

– Tu te souviens ? Quand Stéphane nous a rejoints avec Marco, j'étais assise ici. Il y a dix mois.

Dix mois... Est-ce possible que tout change si vite ? Ils étaient arrivés, apportant la guerre avec eux, la violence, alors que nous en sortions seulement. Ils nous avaient emmenés avec eux, dans la guerre.

– Tu vas bien ? demande-t-elle.

– Où est le bébé ?

– Nathan dort. Il est épuisé, l'émotion, tout ce neuf... Tu imagines.

Elle rit.

– Stéphane dort aussi, ajoute-t-elle. Elle va bien. Et toi ? Tu ne veux pas répondre ?

– Moi, je ne sais pas. Je pensais que ce serait... plus beau. Moins dur.

– Elle a été courageuse, magnifique. Et votre enfant va bien. Nathan.

Elle répète son prénom, comme s'il fallait que je l'apprenne. Nathan. Le prénom du frère de Stéphane. De notre fils. D'un mort et d'un nouveau-né. Est-ce une bonne idée ? Cela nous avait semblé une évidence, mais maintenant je ne sais plus. Je ne sais plus rien.

Toutes ces évidences que nous avons éprouvées, depuis janvier, successivement. Quand elle s'est aperçue qu'elle n'avait plus ses règles. Quand elle s'est transformée. Quand nous avons compris.

Je crois que moi aussi, j'ai dû me transformer,

pendant tous ces mois. Tout me paraissait aller de soi. La voir si belle. Elle si dure, si sèche parfois, qui s'arrondissait, se transformait, dont les seins devenaient des fruits plus ronds, plus mûrs, pleins, dont le ventre se tendait, se veinant de bleu, dont tout le corps disait qu'elle préparait quelque chose.

Dont les yeux brillaient d'une joie brûlante, si brûlante qu'elle en semblait d'ailleurs.

Elle qui riait, de nouveau, qui croyait, de nouveau, qui espérait.

Je me souviens de son rire étonné, et du mien, la première fois que Nathan a bougé, dans son ventre. Elle a posé ma main sur elle, je l'ai senti bouger. Notre enfant.

Oui, moi aussi, j'ai cru avec elle que tout serait pour le mieux, de nouveau. Que c'était la meilleure chose qui pouvait nous arriver. Que l'enfant entre nous n'effacerait pas les morts, mais qu'on allait recommencer. Repartir. Un monde neuf, palpitant, sous la peau de son ventre.

Et aujourd'hui... Je ne sais pas... J'ai peur, brutalement. Je me sens seul. Je dois devenir père. Je songe à mon père. Au grand-père que je n'ai pas connu. À la montre qu'ils m'ont léguée, alors que, il y a quelques mois, j'avais encore Frodon dans une poche pour me rassurer.

J'aurais besoin de leurs fantômes, ce matin, pour me rassurer. Pour me dire que je vais savoir. Que la vie ne fait pas peur quand elle continue.

Happy revient en aboyant follement, comme s'il me retrouvait après des mois d'errance.

4.

C'est un garçon. Un magnifique garçon ! Nous l'avons appelé Nathan, comme se nommait mon petit frère. Si cela avait été une fille, ç'aurait été Camila, comme la petite sœur de Yannis. Une mémoire, une évidence...

Elissa sait être à la fois discrète et indispensable. Nous avons fait le bon choix en allant chez elle alors que le terme approchait dangereusement. Ce n'était pas prévu, pourtant. Nous savions que sa maison était surveillée. Que des militaires pouvaient faire irruption n'importe quand. Mais j'ai paniqué, et Yannis n'était pas bien fier non plus. On a lu tous les bouquins qui parlent d'accouchement qu'on a pu trouver ici ou là durant notre périple. On se serait peut-être débrouillés tout seuls, mais le risque était grand. Et puis Yannis aurait-il su pratiquer une épisiotomie, au besoin ? Et s'il était tombé dans les pommes ? Me serais-je recousue seule ? Tout cela devenait de plus en plus impensable, et de plus en plus je pensais à la seule femme adulte que nous connaissions. Mais c'est Yannis qui a proposé cette solution en premier. Il connaissait Elissa mieux que moi. Il savait que cette dernière s'était préparée très sérieusement à accompagner un accouchement, comme une sage-femme, dans l'espoir d'accoucher sa propre fille. Il savait que tout le matériel nécessaire se trouvait dans sa petite maison. Je ne pouvais pas connaître de meilleures conditions.

Nous avons donc débarqué hier chez elle, sans savoir

que le grand événement arriverait dès le lendemain ! La surprise a illuminé le visage d'Elissa et, lorsque son regard s'est posé sur mon ventre énorme, des larmes ont coulé sur ses joues. Émue, elle nous a ensuite expliqué, durant le repas du soir, qu'elle a retrouvé des amis de sa fille, à Saulieu. Ils lui ont appris qu'elle avait fait une fausse couche. Elle avait eu du mal à se remettre de son chagrin, et ils l'avaient vue sombrer. Puis un jour elle avait tout bonnement disparu. Plus personne ne l'avait revue. Elissa n'avait aucun indice pour la retrouver…

—

Elissa aide Stéphane à nourrir Nathan, elle lui apprend les gestes. Moi, elle m'apprend à changer, laver, habiller notre enfant.

Qu'aurions-nous fait sans toi, Elissa ?

Mais tu sais que nous n'avons pas le temps. Nous n'aurions jamais dû revenir te voir. Nous sommes des terroristes, encore. Des tueurs de militaires, pensent-ils. Des fuyards. Et nous revenons dans un endroit où les militaires savent que nous sommes passés…

Stéphane et Nathan. Je répète leurs prénoms.

Elle, je la retrouve, la reconnais. Lui, je l'apprends, l'adopte. En quelques heures. Il est déjà une part de moi-même.

Plus que ne l'a jamais été personne, je crois, plus que Camila peut-être…

Mais maintenant, il faut partir. Fuir, de nouveau ? Comme tout l'été, lorsque nous nous cachions ? Il faut partir mais je ne veux plus fuir. Je ne veux plus prendre les routes détournées, les chemins de traverse, marcher toujours dans l'ombre, la nuit, craindre chaque bruit, chaque retour trop bruyant de Happy, comme s'il nous annonçait l'arrivée du danger.

Maintenant, je dois regagner le monde. M'en réemparer, le reconstruire, du moins délimiter un jardin, un endroit, où nous n'aurons pas peur. Chez nous. Pour que mon fils puisse y grandir, tranquille, que Stéphane puisse continuer d'y sourire avec douceur, avec confiance.

Qu'elle ne soit pas obligée de redevenir une guerrière.

5.

Nathan dort dans le berceau qu'Elissa avait prévu pour son petit-fils ou sa petite-fille. Je me repose sur le lit à côté, tout en admirant les feuilles des arbres par la fenêtre ouverte. Il fait doux. La nature hésite depuis quelques jours entre l'été et l'automne. Je me sens moi-même entre ces deux saisons.

– Tout va bien, ma belle ?

Elissa entre à pas feutrés dans la chambre, comme si elle n'était pas chez elle. Je lui tends la main en souriant. Elle s'approche pour la prendre et vient s'asseoir à mes côtés. Son regard se pose sur Nathan. On ne peut pas s'empêcher de regarder Nathan !

– Ça ne te gêne pas, Elissa, qu'il soit dans le berceau que… qui…

– Tu plaisantes ? Rien ne me fait plus plaisir, Stéphane ! Tu sais… Yannis et toi, c'est comme si vous étiez de ma famille, maintenant. Et ce petit bonhomme aussi.

Son sourire m'apaise.

– Ça veut dire que Nathan a une grand-mère ?

– Je me sentirais vraiment honorée que vous me considériez comme telle. Et tellement heureuse !

Nous rions toutes les deux lorsque Yannis entre à son tour dans la chambre. Il a l'air soucieux.

– Stéphane, dit-il un peu sèchement, tu sais qu'on ne peut pas rester ici, n'est-ce pas ?

– Je sais, Yannis. Mais encore un jour ou deux, c'est possible, non ?

– Il faut que Nathan prenne un peu de poids avant que vous repartiez, intervient Elissa. Et Stéphane doit reprendre des forces.

Une ombre passe sur le visage de Yannis. Comme j'aimerais qu'on puisse vivre ces beaux moments dans l'insouciance ! Elissa se lève, pose une main sur l'épaule de Yannis avant de nous laisser. Il vient prendre sa place à mes côtés.

Lui aussi regarde longuement Nathan. Notre enfant. Puis il s'allonge près de moi, mêlant ses doigts aux miens. On écoute le bruissement de la nature, et la respiration régulière de notre petite merveille dans le berceau. J'aimerais qu'il soit aussi heureux que moi. J'ai droit à ce bonheur ! Il y a droit aussi.

Je murmure :

– Où va-t-on aller, Yannis ?

20 avril, année suivante

6.

Après notre départ de chez Elissa, nous sommes allés nous réfugier dans une maison de Gresse-en-Vercors, un village dominé par le Grand Veymont. Yannis savait que nous pourrions y attendre la fin de l'hiver en toute tranquillité.

Nous y avons hiberné comme une famille d'ours, bien au chaud devant la cheminée, vivant du stock de vivres et de matériel pour bébé que Yannis avait rassemblé avant les fortes chutes de neige. Maman ours, papa ours et bébé ours. Cette image m'a longtemps fait rire autant que pleurer. Saletés d'hormones ! Pourtant j'ai fait tout mon possible pour dissimuler le trouble permanent qui se jouait en moi. J'espère que Yannis n'a rien perçu de mes vagues et tsunamis. Il a tant à gérer. Je veux ne lui montrer que mon bonheur d'être avec lui, et avec Nathan.

—

Dans les pharmacies que nous avons trouvées sur la route, les boîtes de lait premier âge étaient périmées depuis plus d'un an… Heureusement, Stéphane nourrissait Nathan, apparemment sans mal. Et personne parmi les pillards ne s'était intéressé aux magasins pour nourrissons. Nous avons trouvé des vêtements pour Nathan, et un sac à dos dans lequel il se tient droit, maintenant.

Nous nous sommes enfermés, tous les trois, tout l'hiver.

Je sortais chasser avec Happy, couper du bois. Stéphane semblait avoir besoin d'un nid où s'enfermer. À quoi pensait-elle ? Elle semblait éprouver une peur rétrospective, douce-amère. Elle était paisible, Nathan collé contre son flanc – comme si, après tout cela, le temps ralentissait.

Elle m'appelait en souriant : « mon chasseur-cueilleur ». Elle lisait, beaucoup.

Je crois qu'à l'abri des murs, elle n'a jamais entendu les loups.

—

Une grande fatigue lancinante a pesé sur moi pendant de longues semaines, sûrement causée par l'allaitement et cette obligation de fuir si vite de chez Elissa. Des doutes m'ont assaillie sur ma capacité à être mère, à réussir à élever un enfant sans aide et sans conseils. Sans crèche, sans école. Avec quel avenir ? Quelle société ? J'ai eu peur de mal faire, de mettre Nathan en danger, de l'éduquer sans copain ni copine. Peur de notre solitude à trois…

Les forces et le courage me sont revenus peu à peu, grâce à l'équilibre que je sentais renaître chez Yannis. Cela m'a permis de lisser les vagues de mon humeur. Au printemps, rassérénés, encore plus amoureux et passionnément attachés à notre enfant, nous avons repris la route. Notre objectif: quitter la France où nous sommes recherchés.

Nous sommes longtemps restés immobiles devant l'entrée du tunnel du Mont-Blanc, à Chamonix. Nathan dormait paisiblement dans le porte-bébé que Yannis avait fixé sur son ventre. Le doux regard velouté de mon hussard s'est tourné vers moi, il m'a souri, il a pris ma main, et nous avons avancé dans l'obscurité, précédés par la lumière d'une lampe torche.

—

Notre maison, sur les hauteurs de Chieri, est une ancienne ferme. Des murs puissants, des toits de tuiles orange comme ceux de Manosque. Elle était vide quand nous sommes arrivés: pas de cadavres, pas d'anciens occupants, mais de quoi dormir, une réserve de bois, des outils agricoles.

Sans doute est-ce cela qui nous a décidés à nous y installer – ou bien est-ce la vue à 360 degrés ?

D'un côté, nous voyons les milliers de toits de tuiles

de la ville. Ocres et briques, splendides sous le soleil, en dépit de ce que nous savons : sous ces toits dorment des milliers de morts. Ici, personne n'a évacué, brûlé, nettoyé. Nous n'avons jamais eu à nous planquer depuis notre entrée en Italie, il n'y a même plus de jeunes, ici, ni de militaires… Personne.

Que sont-ils devenus ? Sommes-nous dans un pays vide ? Stéphane pense que seuls les enfants français ont reçu ce vaccin.

Et l'armée italienne ? On ne sait pas.

—

Bien sûr, je me suis demandé si je devais aller voir mon père, pour lui annoncer la grande nouvelle : il est désormais grand-père ! Mais j'irai plus tard. Beaucoup plus tard. Peut-être. Ceci est mon histoire et il n'en fait partie que de loin, comme cela a toujours été le cas. Il n'y avait que dans mon cœur et dans ma tête qu'il était proche. Le soupçonnait-il, au moins ? Peu importe aujourd'hui.

—

Si nous nous asseyons sur l'autre pente de notre toit, en revanche, nous voyons un tout autre paysage : les champs, qui, en un an, ont retrouvé déjà un peu de sauvagerie. Il faudra redomestiquer la terre, couper les broussailles, retrouver les sillons sous les herbes folles. Je ne sais pas encore bien ce que nous allons planter, et si ce sera trop tôt, trop tard. Il faudra que je suive les conseils d'Elissa, que je trouve des semences.

En deux semaines, quelques bêtes sont déjà revenues. Habituées à l'homme, elles semblent chercher notre présence.

Happy se prend pour un bouvier. Hier, j'ai fait ma première traite. Bientôt, Stéphane pourra arrêter de nourrir Nathan, nous deviendrons fermiers.

—

Je revois ma mère bercer mon petit frère d'une main tout en préparant un biberon de l'autre, avec cette adresse propre aux femmes qui ont l'habitude de tout faire seules.

Et me voilà désormais en train d'admirer le soleil se coucher sur les toits de Chieri, cette ville du Piémont où nous nous sommes installés, tandis que je donne son bain à Nathan. Je pense à la vie que sera la nôtre. Je me prends à rêver que d'autres familles toute neuves nous rejoindront et que nous nous aiderons mutuellement. C'est possible, me dis-je, alors que Yannis insiste pour me relayer. Après le bain, il enveloppe notre fils dans une serviette et il le berce tendrement, des deux mains.

7.

Cet été, Nathan marchera, je crois. Il digère le lait de vache.

Il est tellement vigoureux, déjà, impatient aussi.

Tout à l'heure, quand il sera couché, je monterai sur notre toit, avec Stéphane, pour voir la nuit venir avant l'orage. Nous n'avons presque jamais eu de pluie, depuis notre arrivée, mais ce soir les nuages menacent.

Peut-être que nous ferons l'amour, sur les tuiles, avant l'averse. Le présent et l'avenir nous appartiennent. Le silence ne me fait plus peur, plus jamais.

Le personnage de Stéphane est écrit par Florence Hinckel.
Le personnage de Yannis est écrit par Vincent Villeminot.

14 DÉCEMBRE

D'après les œuvres originales
U4.Jules, U4.Koridwen, U4.Stéphane, U4.Yannis

Adaptation : Lylian
Dessin : Pierre-Yves Cézard

Typographie : Philippe Gillot

JULES
PLUS QUE DEUX HEURES AVANT LE COUVRE-FEU.
DÉCEMBRE, PARIS, PLACE DENFERT-ROCHEREAU, 16H
J'AI JUSTE ASSEZ DE TEMPS POUR TROUVER LA PLANQUE DE KORIDWEN, LUI EXPLIQUER LE TOPO, ET FAIRE LE VOYAGE RETOUR.
ELLE DOIT ABSOLUMENT REPRENDRE LA RESPONSABILITÉ DE SON COUSIN AVANT QU'IL NOUS CLAQUE DANS LES PATTES.
ÇA DOIT SE FAIRE AUJOURD'HUI. DEMAIN, IL SERA TROP TARD.
LOI MARTIALE
À COMPTER DU 16
DÉCEMBRE, TOUTE
PERSONNE HORS
D'UN R-POINT SERA
CONSIDERÉE COMM
CRIMINELLE.

JE NE PENSAIS PAS QU'IL Y AVAIT AUTANT DE SURVIVANTS EN DEHORS DES R-POINTS.
HÉ, TOI, OÙ TU VAS COMME CA ?
DES SAUCISSES KNAKOC ! STYLÉ !
ON VA SE PÉTE
BIDE, MON VIE
CERTAINS PROFITENT DU TEMPS QU'IL LEUR RESTE POUR FAIRE DES PROVISIONS

TOUS LES INDIVIDUS SONT INVITÉS À SE RENDRE AU CENTRE DU STADE CHARLÉTY ! NOURRITURE, REPAS CHAUD ET COUCHETTE VOUS SERONT OFFERTS !
PARTOUT, LES PATROUILLES MILITAIRES CIRCULENT.
LE STADE. JE NE SUIS PLUS TRÈS LOIN DE LA RUE LECOCQ. ET DE KORIDWEN.

ETRANGEMENT, DEPUIS QUE L'ARMÉE A REPRIS LES COMMANDES, LE MONDE EST PLEIN DE "TERRORISTES".
TERRORISTES
RECHERCHÉS VIVANTS
STÉPHANE CERTALDO
YANNIS CEFAÏ
POUR MA PART, J'AI L'IMPRESSION QU'ON EST JUSTE DES ADOS PAUMÉS QUI CHERCHONS À SURVIVRE, SANS QU'ON NOUS IMPOSE UNE NOUVELLE AUTORITÉ.

Chier ! Ils sont vraiment partout, ces nazes !
Impossible de passer par là.
Comment atteindre Gentilly ?
Le cimetière ! Peut-être que je trouverai un accès là-bas.
C'était trop beau. Ce fichu mur est bien trop haut pour qu'on puisse l'escalader.
Crrrr...
?

QU'EST-CE QU'ILS FABRIQUENT ?
MAGNE, ON N'A PAS TOUTE LA JOURNÉE !
MERDE, METS-TOI EN MODE NINJA, MON VIEUX !
DERNIER VOYAGE MON POTE. CE SOIR, ON SE LA COULE DOUCE.
S'IL Y A UNE CORDE, IL Y A SÛREMENT UN PASSAGE.
C'EST PEUT-ÊTRE MA SEULE CHANCE !
BINGO !
PLUS QU'À DESCENDRE.
QU'EST-CE QUE TU FOUS LÀ, TOI ?
AÏE ! JE CHERCHE UN PASSAGE VERS GENTILLY... JE VEU ÉVITER L'ARMÉE.

AH OUAIS,
OURQUOI ?
JE DOIS VOIR UNE AMIE. SON COUSIN VA MOURIR SI JE NE LA PRÉVIENS PAS !
DIS-EN PLUS ! IL RESSEMBLE À QUOI LE COUSIN ?

C'EST UN GRAND, BRUN, UN PEU ATTARDÉ, IL A LES CHEVEUX TRÈS COURTS. IL S'APPELLE MAX !

C'EST OK,
U CONNAIS
KORIDWEN,
AS VRAI ?
OUI. C'EST ELLE QUE JE VEUX REJOINDRE.

SI TU VEUX TE LA JOUER FACILE, DESCENDS PAR LÀ JUSQU'AUX ÉGOUTS. EN BAS, TU FILES À DROITE ET TU REMONTES À LA SURFACE AU PANNEAU "VAL-DE-MARNE". C'EST L'ACCÈS LE PLUS DIRECT POUR GENTILLY. T'AS COMPRIS ?
ÇA DEVRAIT ALLER. MERCI, LES GARS.

TU SAIS QUOI, MEC ? T'AS DE LA CHANCE DE CONNAÎTRE KORIDWEN.

Mes "amis" du cimetière n'avaient pas menti.
Gentilly
Rue du Val-de-Marne

Le tunnel menait dans la bonne direction.

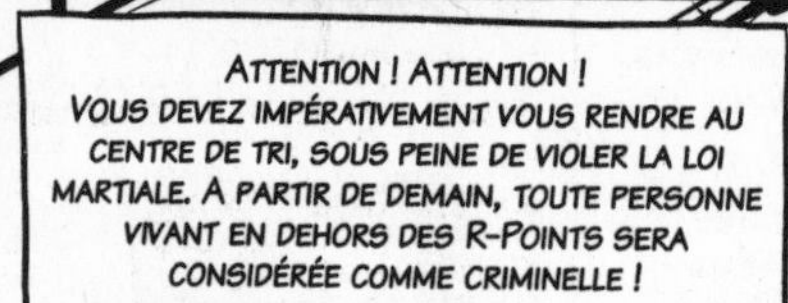
Attention ! Attention !
Vous devez impérativement vous rendre au centre de tri, sous peine de violer la loi martiale. A partir de demain, toute personne vivant en dehors des R-Points sera considérée comme criminelle !

Hé toi ! Tu fais quoi ici ?

Je vis au R-Point de la Salpêtrière. Je viens de franchir le barrage de la porte de Gentilly. J'ai juste un truc personnel à récupérer.

C'est bon, tu peux passer, mec. Mais déconne pas. Demain, on sera tous arm
et on n'hésitera pas à te tirer dessus
tu traînes dans le coin.

Encore quelques minutes
et je vais retrouver Koridwen.
La suite du périple n'est pas plus
agréable. Les opérations de nettoyage
n'ont pas encore commencé ici.
Ça pue. Comme en novembre.

La rue Lecocq, enfin.
6, 8, 10, 12, la planque est là.

Au fond de moi, j'espère ne
pas avoir fait tout ça pour rien.

« Tout beau, bel..., dit... druide,
que veux-tu... te chante ? »
?

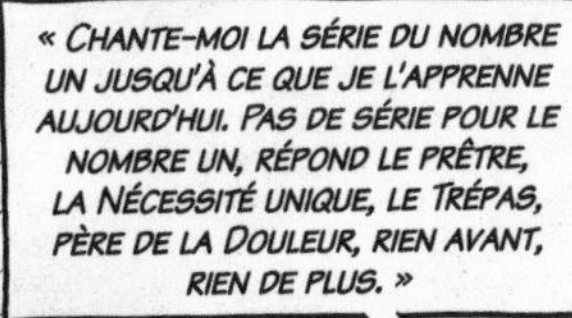
« Chante-moi la série du nombre
un jusqu'à ce que je l'apprenne
aujourd'hui. Pas de série pour le
nombre un, répond le prêtre,
la Nécessité unique, le Trépas,
père de la Douleur, rien avant,
rien de plus. »

Bouge pas !
Tais-toi.

STÉPHANE

PARIS, 10 HEURES PLUS TÔT, 6 H DU MATIN.

JE ME RÉVEILLE, IL FAIT PRESQUE JOUR. QUELLE HEURE EST-IL ?

YANNIS DORT. HAPPY EST COUCHÉ AVEC LUI.

YANNIS... A SON CONTACT, J'AI APPRIS À ME DÉBROUILLER MIEUX QUE JAMAIS.

MAIS MAINTENANT, J'AI BESOIN QU'IL M'OFFRE SA CONFIANCE.

SANS ÇA, ON EST FOUTUS. TOUS LES DEUX.

L'affiche est toujours là. Elle me rappelle que nous n'avons pas le choix.

TERRORISTE
RECHERCHÉS VIVAN
STÉPHANE CERTALDO
YANNIS CEFAÏ
MARCO GALLEHAULT
Le contrôleur général Philippe Certaldo a laissé placarder le visage de sa fille sur tous les murs de Paris.

Etait-ce vraiment le dernier moyen dont disposait mon père pour me retrouver ou croit-il vraiment que j'ai quelque chose à voir avec les meurtres ?

Hé, salut.
Je dois me concentrer sur mon objectif : trouver un ordinateur, consulter la clé USB...
Ensuite, j'innocenterai Yannis. Il verra bien, le hussard, si je me fais des idées !

Bien dormi ?
Oui. J'en avais besoin !

En revenant de la Salpêtrière, j'ai vu plein de gilets jaunes. Des types au service de l'armée. Faudrait qu'on bouge d'ici.

D'accord, mais le plus urgent, c'est l'ordinateur.
Ok !

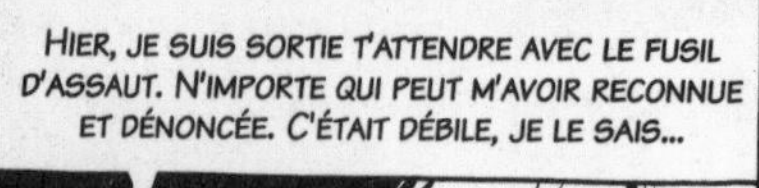
HIER, JE SUIS SORTIE T'ATTENDRE AVEC LE FUSIL D'ASSAUT. N'IMPORTE QUI PEUT M'AVOIR RECONNUE ET DÉNONCÉE. C'ÉTAIT DÉBILE, JE LE SAIS...

ALORS, ON DOIT SE CASSER D'ICI TOUT DE SUITE ET SE TROUVER UN ABRI SÛR AVANT LA NUIT.

OK.

T'ES PRÊT, ON Y VA ?
PAS UNE ONCE DE REPROCHE DANS SA VOIX. C'EST COMME S'IL PENSAIT QUE JE NE FAIS QUE DES CONNERIES QUAND JE SUIS SEULE.

FAUT JUSTE PLANQUER LES ARMES, LA PHARMACIE ET TOUT CE QUI POURRAIT ÊTRE ENCOMBRANT.

TU ES CERTAINE DE VOULOIR PRENDRE LE FUSIL ? SI ON SE FAIT CHOPER AVEC CA, ON EST CUITS, TU SAIS ?

YANNIS PEUT PROTESTER, MOI JE NE VEUX PAS RENONCER À CETTE FORCE DE DISSUASION.

YANNIS
RUE BENSERADE
DEUX HEURES PLUS TARD.
CETTE RUE A L'AIR CALME.
NOUS DÉCIDONS DE TRANSFÉRER NOS STOCKS D'ARMES ET DE NOURRITURE DANS UNE CAGE D'ASCENSEUR.

JE GARDE UNE ARME AUTOMATIQUE ET UN COUTEAU SUISSE, AU CAS OÙ.
STÉPHANE NE LÂCHE PAS SON FUSIL D'ASSAUT. J'ESPÈRE QU'ELLE NE VA PAS PÉTER UN PLOMB COMME MARCO.

DANS QUELQUES HEURES, ELLE SAURA OÙ RETROUVER SES PARENTS, ET MOI J'EN SAURAI PLUS SUR KHRONOS.

LE RENDEZ-VOUS DU 24 EST LE SEUL ESPOIR QUI ME RESTE. UN ESPOIR FOU AUQUEL JE M'ACCROCHE.
SI ON SE PERD ET SI ON A ENVIE DE SE RETROUVER POUR LE 24 DÉCEMBRE, ON SE DONNE RENDEZ-VOUS ICI, OK ?
STÉPHANE ME REGARDE COMME SI JE L'AVAIS GIFLÉE.
POURQUOI TU T'ACCROCHES À CE RENDEZ-VOUS, YANNIS ?
CROIRE À KHRONOS EST AUSSI STUPIDE QUE DE CROIRE AU PÈRE NOËL !

ÇA TE VA BIEN DE PARLER DU PÈRE NOËL !
TOI QUI PENSES QUE TON PÈRE VA TOUT RÉGLER D'UN CLAQUEMENT DE DOIGTS !
L'HISTOIRE DE L'AFFICHE, C'EST À CAUSE DE MARCO ! C'EST DE SA FAUTE SI JE SUIS RECHERCHÉE POUR MEURTRE. MON PÈRE SAIT BIEN QUE...
TU T'ENTENDS PARLER ?
MARCO NOUS A SAUVÉ LA VIE. IL EST MORT POUR ÇA !
S'IL A TIRÉ SUR LES MILITAIRES DANS LA FORÊT, C'EST PARCE QUE TON PÈRE NOUS FAISAIT CHASSER !
ET QUAND MARCO A TUÉ UN SOLDAT POUR TE SAUVER LA PEAU À LYON, C'ÉTAIT AUSSI LA FAUTE DE MON PÈRE, PEUT-ÊTRE ?
LA MAUVAISE FOI DE STÉPHANE ME REND FOU. COMMENT PEUT-ELLE CHARGER AINSI LA MÉMOIRE DE MARCO ?
STÉPHANE, T'ES UNE VRAIE KHAMJA !

C'EST À CAUSE DE TON PÈRE QU'ON EST TRAQUÉS COMME DES BÊTES. TU LE SAIS COMME MOI !
ET MÊME S'IL ACCEPTE DE T'AIDER...
...TU PENSES SINCÈREMENT QU'IL EN AURA QUELQUE CHOSE À FOUTRE D'UN PETIT MEC DES QUARTIERS DE MARSEILLE ?
ARRÊTE DE JOUER LES VICTIMES, YANNIS. TU VAS FINIR PAR EN DEVENIR UNE.
ET TOI, ARRÊTE AVEC TON PÈRE...
CHUT, TAIS-TOI !

TU NE M'EMPÊCHERAS PAS DE...
HÉÉÉ

DÉPÊCHONS-NOUS DE TROUVER UN ABRI SÛR ET UN ORDI. ENSUITE...

ET ENSUITE QUOI ?
CHACUN SA VIE ?
OUI, ON DIRAIT...

UNE FOIS DE PLUS, JE ME SENS TRÈS SEUL.

STÉPHANE
UN PEU PLUS TARD.
CE SOIR, IL Y A BEAUCOUP TROP DE JEUNES EN GILETS JAUNES À GENTILLY.
ILS PASSENT DANS TOUS LES IMMEUBLES ET CRIENT AUX SURVIVANTS DE SE RENDRE AU R-POINT LE PLUS PROCHE.
DEMAIN, CE SERA LA LOI MARTIALE.
IL NOUS FAUT UN ABRI, ET VITE.
IL Y A UNE FERRONNERIE JUSTE LÀ. ELLE A L'AIR LIBRE. ON POURRAIT S'Y INSTALLER, NON ?
OK, MAIS D'ABORD ON LA SURVEILLE UN PEU, HISTOIRE DE PAS AVOIR DE MAUVAISE SURPRISE.

Déjà quelques bonnes minutes que nous attendons. Si rien ne se passe, nous allons investir notre nouvelle planque.

Soudain, une fille avec un bonnet noir entre discrètement dans l'usine.

Dans une heure, ce sera le couvre-feu permanent et nous n'avons ni vivre, ni eau.

Nous ne sommes même pas sûrs de revenir rue Benserade où sont nos affaires...

Happy se met à grogner. Il se passe quelque chose.

Ce type qui s'approche de l'usine, il fait deux fois ma largeur d'épaules, un vrai déménageur.

Mais je m'en fous. Pas le temps de se concerter. Je ne laisserai pas passer cette occasion.

Si tu veux, je
vais lui parler.
Et tu crois qu'il va
gentiment t'inviter
à prendre le thé ?

Regarde bien dans quel
monde on vit vraiment,
maintenant.

« Chante-moi la série du nombre onze jusqu'à ce
que je l'apprenne aujourd'hui », demande l'enfant.

Bouge pas !
Tais-toi.

Tu t'appelles comment ?
Réponds-moi tout bas.
Jules...

Tu es droitier, Jules ?
Oui...

Tu vois, même si tu fais le con, je ne te casserai pas ton bras utile, en tout cas pas pour commencer. Tu as une arme ?

a fille est seule, à l'intérieur ?
Je crois...

Elle a un ordinateur ?
Je ne sais pas.

Maintenant, tu vas frapper à la porte. Et pas un mot sur nous.

BOOM !
BOOM !
BOOM !

Frappe encore ! Plus fort !

C'est Jules, ouvre-moi !
BOOM ! BOOM !
BOOM !

BLAM ! BLAM !
BLAM !
14 DÉCEMBRE, BIEN PLUS TÔT. 5H DU MATIN À GENTILLY.
DES COUPS DE FEU DANS LA RUE D'À CÔTÉ.
RÉFUGIÉE DANS « LA CAVERNE » DE MAX, J'ATTENDS.
AU MILIEU DE LA NUIT, J'AI CRU QU'ON FRAPPAIT À LA PORTE.
J'AI PRIS MON ARME, PRÊTE À M'EN SERVIR.
QUAND LE BRUIT A ENFIN CESSÉ, J'AI ESSAYÉ DE ME RENDORMIR. IMPOSSIBLE.

Au lever du jour, tout est calme, sauf dans ma tête.
Il s'est passé trop de choses depuis plusieurs semaines. J'ai le sentiment de ne rien maîtriser.

Je vais jeter un coup d'œil dehors pour voir s'il reste des traces du combat de la veille.

Elle est là, dans la boue. Je la reconnais tout de suite.

Anna...

Je repense à cette nuit, aux coups donnés contre la porte. Anna se trouvait-elle au milieu d'un affrontement ou en était-elle la cible ?
Pourquoi est-elle morte ?

Elle était venue chercher refuge chez moi et je n'ai pas réagi.

La nuit sera bientôt là.
La journée est passée
à une vitesse folle.
Même après m'être lavée, je n'arrive
pas à faire le vide dans ma tête.
Des frissons me parcourent le
corps comme si j'avais de la fièvre.
Max n'est toujours pas là
et je n'ai aucun moyen de le
retrouver.
Dans mon ventre, je sens
une boule qui ne cesse de
grossir.
Combien de personnes sont
mortes à cause de moi ?

Nicolas

Camille

Marek

Anna

Tout ici me rappelle les pires moments à Menesguen, quand je regardais le flacon de poison fabriqué avec les médicaments de mes parents.
Je dois endiguer la vague de déprime qui m'assaille.
Mamm-gozh, aide-moi !
« Tout beau, bel enfant, dit le druide, que veux-tu que je te chante... »
« Chante-moi la série du nombre un jusqu'à ce que je l'apprenne aujourd'hui. »
« Pas de série pour le nombre un, répond le prêtre, la nécessité unique, le Trépas, père de la Douleur, rien avant, rien de plus. »
« Chante-moi la série du nombre deux, reprend l'enfant, jusqu'à ce que je l'apprenne aujourd'hui. »
BOUM ! BOUM ! BOUM !
?!
Les hommes d'Attila ! Ils viennent pour ma mise à mort.
C'est Jules, ouvre-moi !
La voix de Jules trahit une urgence. J'entends piétiner.
?!

Désolé, ils m'ont pris par surprise !

Je les laisse rentrer. Pas le choix.
Yannis, ferme derrière nous !

Si Jules n'était pas en danger, j'aurais pu tenter de désarmer le dénommé Yannis.

Le visage de la fille me dit quelque chose.
RECULE !

Elle ne semble pas apprécier que je la fixe.
Pourquoi vous nous braquez ?

La fille ne répond pas. À les regarder, ils n'ont pas le look des voyous d'Attila.
Tant mieux pour moi.

ÉPHANE
La fille me dit quelque chose. J'ai déjà vu son visage, mais où ?
Avance près d'elle, toi !
Sûrement pas à Gentilly, ça doit dater d'avant. Amie ? Ennemie ?
Avec son bonnet enfoncé sur la tête, dans la semi-obscurité, impossible de bien distinguer ses traits.
est arrivé quelque chose à Max ?
Il y a un souci avec lui. Il refuse de...
Ça va ? On ne vous dérange pas ?
Mettez-vous à genoux !
Tiens-les en joue. Je vais les fouiller.
La fille ne baisse pas les yeux. Elle me défie même du regard.
Bon. On vous explique. Nous sommes recherchés par la police militaire, pour meurtre.
Vous vous foutez de savoir qu'on est innocents. On a juste besoin d'un endroit où se planquer cette nuit, et c'est tombé sur vous.
Elle n'a pas l'air d'avoir peur, j'ai envie de la gifler.

YANNIS
Pendant que je fouille celui qui s'appelle Jules, je cherche le regard de Stéphane. Elle ne doit pas tomber dans la violence.
Elle le capte enfin. Je l
sens se calmer un peu.
Toi, tu as des armes ?
Non mais dans la bétaillère, il y a des provisions.
Restez calmes, ok ?

L'idée d'avoir des prisonniers me fait flipper. Dans quel merdier on s'est mis ! Impossible de revenir en arrière maintenant.

Fébrilement, je tâte le corps de l
fille qui se raidit sous mes mains.

ULES
ÇA Y EST ! JE SAIS OÙ J'AI DÉJÀ VU CES DEUX-LÀ !
LEURS PHOTOS ÉTAIENT PLACARDÉES SUR LES MURS DU LYCÉE CLAUDE-MONET ! CE SONT DES TERRORISTES. NOUS SOMMES SOUS L'EMPRISE DE DEUX ASSASSINS, TUEURS DE MILITAIRES !
C'EST BON, ELLE N'A RIEN SUR ELLE.
UN ORDINATEUR, TU EN AS UN ?
NON.
VA FALLOIR EN TROUVER UN POUR NOUS.
IMPOSSIBLE ! J'AI UN COUSIN MALADE. JE DOIS...
TU NE DOIS RIEN DU TOUT ! TES PLANS VIENNENT DE CHANGER. TU OBÉIS AU DOIGT ET À L'ŒIL, PIGÉ ?
STÉPHANE, JE SAIS QUI TU ES... JE SUIS KORIDWEN, JE VIENS DE MENESGUEN...
PUTAIN, ELLES SE CONNAISSENT... EST-CE QUE ÇA PEUT NOUS SAUVER LA VIE ?

Un mois et demi plus tôt.
1er novembre.
Apparu il y a dix jours dans la ville d'Utrecht aux Pays-Bas, le filovirus méningé U4 accomplit ses ravages.
D'une virulence foudroyante, il tue en quarante heures ceux qu'il infecte.
Marseille
Dès les premiers jours, il se propage dans toute l'Europe. Des quartiers, des villes, des zones entières sont rapidement placés en quarantaine.
En vain.
Lyon
En France, plus de 96% de la population a disparu. Les seuls survivants sont des adolescents entre 15 et 18 ans, et de rares adultes.
Paris
La nourriture et l'eau potable commencent à manquer. Internet devient instable.
L'électricité et les réseaux sociaux menacent de s'éteindre.

WOT

WARRIORS OF TIME

En fonction de leur niveau, les joueurs pouvaient voyager à travers les époques d'un monde fictif, Ukraün.

Ils avaient la possibilité de changer le cours des événements et ainsi d'accomplir leur quête.

Régulièrement, les joueurs se rendaient sur le forum du jeu pour élaborer des stratégies ou recevoir des conseils des combattants Experts.

Les plus chanceux pouvaient recevoir des aides du maître de jeu, Khronos.

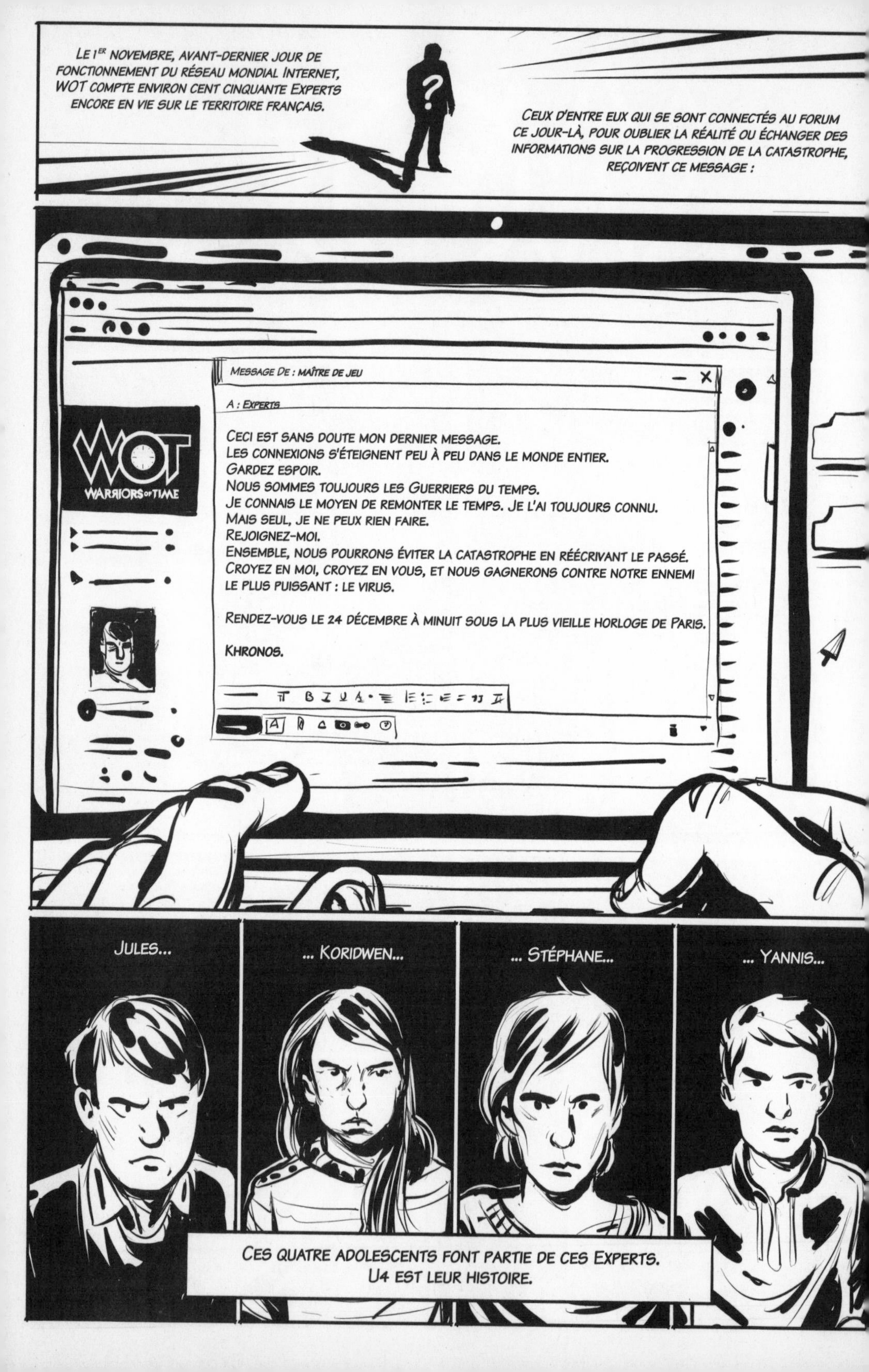
Le 1er novembre, avant-dernier jour de fonctionnement du réseau mondial Internet, WOT compte environ cent cinquante Experts encore en vie sur le territoire français.
?
Ceux d'entre eux qui se sont connectés au forum ce jour-là, pour oublier la réalité ou échanger des informations sur la progression de la catastrophe, reçoivent ce message :
Message De : maître de jeu
A : Experts
WOT
WARRIORS OF TIME
Ceci est sans doute mon dernier message.
Les connexions s'éteignent peu à peu dans le monde entier.
Gardez espoir.
Nous sommes toujours les Guerriers du temps.
Je connais le moyen de remonter le temps. Je l'ai toujours connu.
Mais seul, je ne peux rien faire.
Rejoignez-moi.
Ensemble, nous pourrons éviter la catastrophe en réécrivant le passé.
Croyez en moi, croyez en vous, et nous gagnerons contre notre ennemi le plus puissant : le virus.
Rendez-vous le 24 décembre à minuit sous la plus vieille horloge de Paris.
Khronos.
Jules...
... Koridwen...
... Stéphane...
... Yannis...
Ces quatre adolescents font partie de ces Experts.
U4 est leur histoire.

FAN FICTIONS

Ces quatre nouvelles ont remporté le Concours de Fan Fiction U4.
Vous pouvez retrouver toutes les autres fan fictions sur
http://www.lireenlive.com/fan-fiction-u4/

ALICIA

1er novembre

– Toussaint ? C'est bizarre comme prénom, hein, Chichi ?

Pourtant, c'est bien ce qui est écrit dans la case d'aujourd'hui, sur le calendrier de papy.

Chichi Love, c'est mon chien en peluche articulé. Il est trop chou, il est capable de faire le beau. De s'asseoir. De se coucher. De donner la patte. Et il aboie.

– Chichi Love, aboie ! C'est bien, tu es un bon chien ! Tu veux manger ?

D'accord, d'accord, je sais qu'il n'est pas vivant. Je sais qu'il ne va pas me répondre. J'ai sept ans, mais je ne suis pas débile. Ma maîtresse de CE1, elle dit souvent que je suis une petite fille intelligente. Mais comme papy est mort, je n'ai personne avec qui parler.

Papy est mort. Je le sais. Y a plein de gens qui meurent, en ce moment. J'ai vu les images à la télé, avant qu'elle ne s'arrête.

J'ai beaucoup pleuré quand papy est mort. Je crois qu'il a eu très mal. Mais il ne disait rien. Je l'aimais fort, mon papy. J'adorais quand il m'emmenait à la Cité des sciences ou au cinéma. J'adorais quand il imitait l'âne pour me faire rire. J'adorais quand il me préparait ses spaghettis bolognaise. Je ne l'ai jamais dit à maman, mais ceux de papy étaient mille fois meilleurs que les siens. Mon papy. Mon papy chéri. Je pense qu'il est mort parce qu'il était vieux. Je crois.

J'espère que maman va vite venir me chercher. Elle, elle n'est pas morte. Elle ne peut pas être morte.

J'espère qu'elle va se dépêcher. Parce que j'ai froid et j'ai peur, ici, toute seule.

Heureusement, j'ai Chichi. Et mon Babouche en peluche. Heureusement qu'ils s'entendent bien, ces deux-là.

Maman va venir me chercher.

3 novembre

Ça me fait bizarre d'être toute seule chez papy. Je n'aime pas retourner dans son bureau. Je ne le regarde pas, quand j'y entre pour cocher les cases du calendrier. Je sais qu'il est là, pourtant. Allongé par terre, comme s'il dormait. Mais il est mort.

Au fond, je ne sais pas trop ce que ça veut dire, être mort. Je pensais que quand on était mort, on n'était plus là. Mais papy, il est toujours là. C'est étrange, non ?

Dans la cuisine, il reste plein de trucs à manger. Papy avait fait des réserves pour moi, parce que je venais passer les vacances de Toussaint chez lui.

– Qu'est-ce que tu veux, Chichi ? De la brioche ? Avec du Nutella ? Et toi, Babouche ? Une banane ?

Mince, y a plus de bananes.

Oh ! J'entends des bruits. Des bruits que j'aime pas. Et qui me font peur. Vite, Chichi, il faut que tu chantes ! Il faut que tu aboies !

– Allez, mon chien, fais le beau ! Danse avec moi !

Mais Chichi ne bouge plus. Je vérifie que le bouton est bien sur « ON ». Oh non ! Plus de piles ! Aujourd'hui, Chichi Love est mort lui aussi.

Je pleure avec Babouche en regardant un épisode de Dora sur la tablette, qui a encore un peu de batterie.

– Maman ! Maman chérie ! Tu es où ? Viens vite me chercher !

6 novembre

Le monstre ! Le monstre arrive ! Il m'attrape avec ses grands bras, il me griffe, il veut me manger ! Maman !

Quand je me réveille, il fait noir. Je n'ai pas ma veilleuse. Y a plus de lumière. J'ai peur ! Maman, j'ai peur ! Chichi, j'ai peur ! Babouche, mon Babouche !

Je pleure. Mes larmes sont toutes chaudes. Ou moi ? J'ai de la fièvre, peut-être ?

Maman, pourquoi tu n'es pas là ? D'habitude, quand je fais des cauchemars, je me réfugie dans ton lit douillet. Tu me rassures, tu me câlines, tu me caresses les cheveux. Je me recouche en sentant ton parfum que j'adore. Tu bordes la couette et je me sens mieux.

Je pleure et j'ai peur. Qu'est-ce que j'ai peur ! Maman ! Papa ! Mince, j'ai fait pipi au lit en plus !

– Alicia, t'es qu'un bébé ! Un gros bébé ! Maman sera pas contente !

Et je pleure encore en pensant à maman.

Toutes les piqûres de papy me piquent et me grattent. Ma peau a gonflé à un endroit, et c'est tout chaud. J'aime pas ça.

9 novembre

Plus de brioche. J'ai mangé des compotes.

J'ai froid. Y a plus de chauffage, on dirait.

– Babouche, tu crois que maman va venir aujourd'hui ?

J'espère.

– Qu'est-ce qu'on va faire aujourd'hui, en attendant maman ?

Je crois que je vais fabriquer une cabane, comme avec mes copines quand elles viennent jouer à la maison. On prend tous les draps dans la panière de linge sale. On les tend, on les attache ensemble avec des pinces à linge. Ça fait comme une grande tente.

Je vais chercher les paquets de gâteaux, les chips, les bonbons, les Pom'Potes, les Chocapic, deux bouteilles d'eau, une bouteille d'Oasis, une bouteille de lait, des mini-jus de pomme et mes jouets.

– Regarde, Babouche. Ce sera notre petit nid douillet, en attendant maman.

Mon Chichi, je ne peux pas le prendre, je l'ai enterré. Dans la salle de bains, au fond de la baignoire, sous des oreillers.

Je me réfugie dans la cabane avec Babouche. Je sors mes étoiles de Dora en peluche et en plastique. Elles font du bruit, mais pas assez. J'entends encore des sons qui font peur. Des cris, des fois. Des coups. Je plaque mes mains sur mes oreilles. Chanter ! Chanter !

Chanter cette chanson qu'on a apprise à la chorale de l'école. Elle est si belle.

– *Chut, chut, plus de bruit, écoutons la nuit ! Chut, chut, les amis, la Terre s'est endormie. Flic, floc, flic, floc, quel est ce bruit un peu loufoque ? C'est peut-être un renardeau qui boit dans le ruisseau ? Ou alors un bébé faon qui tète sa maman...*

Maman ? MAMANNNNN !!

11 novembre

Les bruits ! Ça gratte... Ça gratte fort ! J'ai peur. Même dans la cabane, je les entends.

Je vais manger, peut-être ? Des chips ? On est quand ? Le matin ?

– Maman ! Mamannnn...

La nuit, j'ai peur. À cause des cauchemars. Et du noir. Et du froid.

Ça gratte. Encore. Mes bras, le bruit.

Encore fait pipi au lit. Alicia, sale bébé !

– Babouche !

Babouche, t'es pas mort, toi ?

Plus de batterie dans la tablette. Plus de Dora !

Maman ! Maman, tu ne viens pas ? Tu m'abandonnes ?

– Mamannn !

Faut pas pleurer, Alicia. Dora, elle pleure pas. Dora, elle est courageuse. Dora, c'est une vraie exploratrice.

14 novembre

Ma cabane. Dans la forêt. Avec Babouche. Allez, les étoiles, dans Sac à dos !

Let's go !

Les bruits, encore ! Les grattements ! Ça bouge dans la cuisine... Des voleurs ? Des méchants ?

AU SECOURS !!

Maman !! Dora ! Babouche !

OOOOH ! Et les bruits ! Ils arrivent ! Ils courent ! Ils grattent !

Ça doit être des animaux. Pas des voleurs. Des chats ? J'y vais ?

C'est Chipeur ! Deux ? Trois Chipeurs ? Ils sont tout gris, presque noirs ! Couinent dans la cuisine ! Fouillent dans les gâteaux !

– AAAHHH !

Horrible ! Un Chipeur sur moi ! Il griffe, il pique, il mord ! Il a des petites dents pointues ! Ça fait mal !!

Babouche, sauve-moi ! Je cours dans le couloir. Le gros Chipeur noir est tombé par terre en couinant.

Ma cabane. Ma cabane ! Sac à dos. Les étoiles. Babouche, mon Babouche, comme j'ai eu peur !

Vite, fermer la porte.

15 novembre

Maman ? Tu es là, maman ?
Non, c'est Babouche. Maman viendra pas.
Viendra pas ?
Pas.
Jamais ?
Jamais.
Qu'est-ce qu'on va faire, alors ?

15 novembre, nuit

Partout. Y en a plein.

Les queues : des serpents. Les griffes : des piqûres. Les dents : des épées.

Sur moi. Sur mes bras. Un cauchemar ? Non !

Je crie. Je crois. Je pleure. J'ai mal. J'ai maaaal ! Trop mal…

Dora, pleure pas. T'es une exploratrice. T'es dans la forêt. Les Chipeurs vont s'en aller.

Faut chanter. Trois fois. *Chipeur, arrête de…*

Aïe !

MAMAN !! POURQUOI TU M'AS ABANDONNÉE ??

16 novembre

Dora ! Réveille-toi !

Babouche ? Où on est ?

Chez papy.

Il est où, papy ?

Il est là-bas.

Ici ? Bah, pourquoi tu dors par terre, papy ?

Il est peut-être fatigué.

Tu crois que papy a faim, Babouche ?

Peut-être. Faut lui donner à manger, Dora. *Come on*, Dora !

D'accord ! On y va, Babouche. *Let's go !* Qu'est-ce qu'il préfère ? Des chips ? Des bonbons ? Du jus de pomme ?

Des chips.

Papy, allez ! Mange ! Miam !

Super, Dora ! *We did it ! We did it !*

17 novembre

Ils sont là ! Encore !

Noirs. Poilus. Grattant. Couinant. Menaçant.

J'ai peur ! Babouche ! Qu'est-ce qu'on fait ?

On va avec papy, dans son bureau.

Tu crois ?

Oui. On va se cacher. Ils nous trouveront pas. *Come on*, Dora !

18 novembre

Ils nous ont trouvés, mon Babouche.

Je sais.

J'ai maaaaaal, Babouche ! Ils m'ont mordue partout ! Regarde !

Je sais, Dora. Je sais. Pleure pas, Dora !

Malmalmalmalmalmalmalmalmalmal.

Chut, Dora ! Pleure pas…

Mal.

…

Pleurer.

Oublier.

18 novembre, après-midi

Dora, pleure pas !

…

Dora ? Dora ?

Babouche, je suis fatiguée.

Courage, Dora.

…

Dora ?? Dora !!

…

Une porte. Quelqu'un ? NON, PAS LES CHIPEURS !!!!!!!!!!

Non.

Oooooh ! C'est… c'est… c'est Diego ! DIEGO ! DIEGO EST LÀ !!

HÉLOÏSE

1er novembre

Ce n'est pas la première pandémie à laquelle le monde doit faire face. Mais c'est la plus terrible. Personne ne peut contrôler le virus U4. C'est pour cela qu'il tue toujours plus de personnes. Comme si avoir décimé plus de 90 % de la population n'était pas suffisant.

Étant donné que j'ai seize ans, je fais partie des survivants. C'est aussi injuste que les nouvelles lois qui régissent ce monde chaotique. Je sais pourtant que je ne suis pas la plus à plaindre. Après tout, je n'ai perdu que mes parents, alors que d'autres ont perdu bien plus, leur famille tout entière. Moi, je n'ai aucun frère, aucune sœur à pleurer. Ça surprenait les gens, quand je leur apprenais que j'étais fille unique. Comme je suis noire, on s'attendait toujours à ce que je sois issue d'une tribu très nombreuse. Eh bien, désolée pour vos préjugés, mais nous ne sommes que trois à la maison. Enfin, avant que U4 n'embarque mon père et ma mère. À présent, je n'ai plus de parents, et plus de chez-moi. Marseille est le nouveau royaume où nous régnons, les casquettes rouges. En toute originalité, nous nous sommes baptisés ainsi parce que nous arborons tous la même casquette rouge. Rouge comme le sang qui ne cesse de couler. Et souvent par notre faute.

Ce matin, je suis de patrouille. Notre groupe de dix quadrille Marseille à la recherche d'autres jeunes comme nous. Non pas que nous ayons envie de sympathiser. Mais il est de notre devoir de montrer à tous que c'est nous qui faisons la loi à présent. C'est le Grand Retournement. Finis, les privilèges pour ces gosses de riches qui n'ont jamais eu à se battre. Nous qui sommes issus des cités, la survie, ça nous connaît. C'est au tour de ces privilégiés de la vie de découvrir ce que c'est. C'est au tour de ces privilégiés de découvrir ce que c'est que la vraie vie.

Nous marchons en rythme, comme un seul homme. Pour la première fois de ma vie, j'ai le sentiment d'appartenir à un groupe. Avant U4, j'étais un peu paumée. Oui, j'avais ma bande de copines, mais je ne me sentais pas vraiment à ma place. Je ne savais pas ce que je faisais avec elles, car au fond, nous ne partagions pas les mêmes préoccupations. À vrai dire, je n'avais pas de préoccupations. Ni les garçons, ni les fringues, ni les stars ne retenaient particulièrement mon attention. Au lycée, j'étais en première littéraire, mais j'avais choisi cette filière plus par défaut que par envie. Et à la maison, ce n'était pas mieux. Ma mère n'avait jamais été très disponible, et mon père et moi n'étions pas sur la même longueur d'ondes. Moi je voulais aller de l'avant et lui désirait perpétuer les traditions. S'il y a bien une chose que j'avais en commun avec mes amies, c'était mon ras-le-bol par rapport à mes parents. Je les ai critiqués, insultés, détestés. Et maintenant ils me manquent. Le poulet frit de ma mère, l'entêtant parfum de mon père, ce ne sont pas tant leurs qualités que leurs petites manies qui me laissent un vide. Comme lorsqu'elle faisait claquer sa langue en signe de mécontentement quand je rentrais plus tard que prévu, ou comme quand il fronçait les sourcils en découvrant, sceptique, les notes inscrites sur mon bulletin. Heureusement, je n'ai pas hérité de ses sourcils fournis ni du reste de sa pilosité abondante.

Dorénavant, je sais pour quoi je me bats : rétablir une justice, faire bouger les choses. C'est triste, mais ce virus a au moins du positif pour moi, il m'aide à me sentir à ma place. Est-ce normal d'aller bien dans ces circonstances ?

Nous longeons le port en écartant les gabians sur notre passage. Je pense que les Marseillais détestent les gabians autant que les Parisiens détestent les pigeons. L'air qui s'infiltre dans nos narines est nauséabond, à cause des corps jetés à la mer. La mort a plusieurs visages, mais aussi plusieurs odeurs. Sang. Décomposition. Et, en l'occurrence, le sel.

– Regardez de l'autre côté, je murmure à mes camarades.

Mes coéquipiers s'exécutent et aperçoivent à leur tour un garçon assis sur un banc. Ils me tapent sur l'épaule pour me féliciter. Un sentiment de fierté s'empare de moi.

– Hé, toi, là-bas ! crie Sophiane, le chef du groupe. Hé !

L'inconnu esquisse un mouvement de recul.

– Hééé, bouge pas !

Je suis la première à courir vers lui et les autres s'élancent à ma suite. L'adrénaline me pousse à prendre des initiatives. Je gagne en assurance en me disant que mon travail sera récompensé. Lorsqu'on se fait remarquer dans une mission, on est sûr d'obtenir le respect et l'amitié des autres. C'est un luxe comme un autre.

Sans réfléchir, je saisis mon pistolet et tire sur le banc, dont le dossier en bois vole en éclats. Cela suffit à effrayer l'inconnu qui détale dans la direction opposée. Il escalade les carcasses des voitures qui encombrent le quai. S'il espère pouvoir nous semer dans les ruelles tortueuses du Panier, il se fourre le doigt dans l'œil. Ce n'est pas le premier que nous poursuivons. Et nous ne cessons notre traque qu'une fois notre gibier attrapé.

– Reviens ici, connard ! hurle Sophiane.

Je doute que cet ordre sympathique lui donne envie de s'exécuter. En fait, il accélère, et les insultes se déchaînent. Je me tais et préfère économiser mon souffle qui se fait plus court. Le martèlement de mes pas sur le bitume fait écho aux battements de mon cœur. Tous deux s'accélèrent et s'unissent en un parfait accord.

Je tente de tenir le rythme, mais le garçon conserve

une longueur d'avance; même les deux vitres qui explosent sous les tirs de mes compagnons ne parviennent pas à ralentir sa fuite. Comment se fait-il qu'il soit aussi en forme, alors que nous avons mis la main sur tous les magasins d'alimentation? Il faudrait renforcer les patrouilles…

Tandis qu'il fonce vers la place des Moulins, j'aperçois son profil. Le choc me freine brutalement. Ce visage… c'est celui de Yannis, un garçon qui était dans ma classe en seconde. Un an ou une éternité a passé depuis que nos chemins se sont séparés. Nous n'étions pas proches. Mais je sais qu'il était gentil. C'est vrai qu'il vivait bien, en tout cas mieux que nous, les habitants de la cité. Pourtant, ce n'était pas un gosse de riches. Du moins, il n'en avait pas la mentalité. Tout à coup, je réalise que nous plaçons tous ceux qui ne sont pas des cités et du groupe des casquettes rouges dans la même catégorie. Ce sont nos ennemis, contre lesquels nous devons nous défendre. Mais bon, pour l'instant, c'est vrai que c'est plutôt nous qui menons l'offensive.

Le reste du groupe m'a dépassée. Je n'ai pas à courir beaucoup pour les rejoindre, ils se sont arrêtés, désemparés.

– Où il est, bordel? crie Ethan avant de tirer en l'air.

Je partagerais son impatience si je ne connaissais pas l'identité de celui que nous pourchassons. Le fait de le connaître, même de loin, m'ébranle. En fait, ce détail change tout.

– Reste tranquille, mec. Ça sert à rien de tirer dans le vide. On l'a perdu, de toute façon, lui dis-je, dans l'espoir de les pousser à abandonner cette chasse.

– Sale enflure ! Encore un qui est resté terré comme un rat et qui ne sort que pour vider les magasins sans penser aux autres.

C'est typiquement le genre de déclarations que j'aurais pu faire, quelques minutes plus tôt. Avant de voir Yannis. Avant de comprendre que tout n'est pas si simple, que tout n'est pas tout noir ou tout blanc.

– T'inquiète, il n'échappera pas à nos patrouilles. Et il paiera.

Des rires mauvais éclatent. Mais je garde la bouche fermée.

– Ouais, ils paieront tous, renchérit Sophiane. C'est l'heure du Grand Retournement !

Tous acquiescent, sauf moi, dont la gorge nouée ne laisse plus sortir aucun mot.

Jusqu'à aujourd'hui, je croyais me battre pour une justice méritée après des années de galère, à trinquer pour les autres et à enrager contre ceux qui ont eu la vie facile depuis leur naissance. Qui ont toujours obtenu ce qu'ils ont demandé pour Noël. Pauvres contre riches, ça me paraissait une vengeance équitable. Sauf que parmi ces riches ou ces gens plus aisés que nous se trouvent aussi des gens comme Yannis, qui n'ont jamais fait de mal à personne. Est-ce que nous devons les juger parce qu'ils ont plus d'argent que nous ? les condamner pour une chose dont ils ne sont pas responsables ?

Pourquoi facilitons-nous la tâche de U4 ? Pourquoi nous détruisons-nous comme le fait ce virus en tuant de manière anonyme et injuste ?

Le soir, les différentes patrouilles se vantent de leurs prises. Ceux qui ont eu le malheur de croiser leur route sont actuellement morts, parce qu'ils ont osé chercher quelque chose à se mettre sous la dent ou errer dans les rues. Pauvres fous ! C'est bien connu, les jeunes d'aujourd'hui sont inconscients.

Une bagarre éclate, comme souvent quand nous tentons d'échanger normalement alors que nous en sommes incapables. Je reçois un coup de coude dans le menton. Le choc est violent, mais moins que celui de tout à l'heure. Ethan m'attrape par le bras avant que je me fasse à nouveau frapper accidentellement.

– Attention à toi, Héloïse ! Tu rêves ou quoi ? me demande-t-il en me tirant à l'écart de l'affrontement.

Non, je ne rêve pas. Je ne rêve plus depuis dix jours. C'est à peine si j'arrive à dormir. Et lorsque j'y parviens, ce ne sont pas des rêves mais des cauchemars qui viennent hanter mon inconscient. À l'image de ce qu'est devenu ce monde : un cauchemar.

– Allez, reprend Ethan, sans se préoccuper de mon absence de réponse, on va manger. Tu dois reprendre des forces. Demain, une longue journée nous attend !

Hé oui, demain, ça recommencera : manger, patrouiller, se battre. Survivre. Le soir, avant de m'endormir le cœur lourd, je retire ma casquette. Nous la portons de côté, pour montrer que nous sommes des rebelles, que nous cassons les codes. C'est une Nike. On pourrait croire que, dans ces moments, les marques n'ont aucune importance. Ce n'est pas le cas. Ce n'est pas parce que c'est la fin du monde qu'on doit s'habiller n'importe comment, se laisser aller. Je pose ma casquette rouge à côté de moi. Et pour la première fois depuis que j'ai endossé mon nouveau rôle, je ne suis pas pressée de la reposer sur ma tête.

CINDY

9 Novembre

Je me suis bien des fois questionnée sur la façon dont tout cela prendrait fin. À quoi ressemblerait la Terre sans notre présence, livrée à l'état de nature, libérée de la perversion des hommes ? Aujourd'hui, les lumières de notre monde s'éteignent les unes après les autres, comme la flamme vacillante de bougies qu'on souffle. Bientôt ne subsistera plus que le noir.

Nous mourrons tous tant que nous sommes. L'impitoyable et sempiternelle marche du temps aura raison de nous. U4 accélérera juste le processus.

Kori vient de sortir par la fenêtre. Je me sens plus seule que jamais.

14 novembre

Lorsque je pénètre dans la maison, l'odeur de renfermé me prend à la gorge. Les volets clos plongent l'intérieur dans la pénombre. Je m'avance, frémissant en sentant les lattes de parquet grincer sous mon poids. Des relents de moisissure s'échappent de la cuisine, provenant de toute la nourriture périssable qui s'accumule dans le frigo et sur la table. Un nuage de mouches bourdonnantes s'acharnent sur leur festin, une corbeille de fruits pourrissants et rabougris. On m'a envoyée chez les voisins pour y dégoter des vivres. Je remets mes fouilles à plus tard.

Dans le salon, le tic-tac régulier de l'horloge a quelque chose de glaçant. J'ai l'impression d'être une petite fille craignant l'irruption d'un monstre de cauchemar. Je balaie du regard les photos de famille encadrées qui s'alignent sur un meuble en ébène. Tout à coup, je me sens comme une intruse entrant par effraction dans l'intimité de ce foyer. Sans m'attarder davantage, je grimpe la volée de marches menant au premier étage, les oreilles aux aguets.

Le couloir sur lequel je débouche mène à différentes pièces. Je sursaute alors que le vent de novembre mugit soudain au-dehors, plainte hurlante d'un fantôme en colère. Ou celle des millions d'âmes mortes ces dernières semaines.

Une seule des portes est entrouverte. De l'intérieur filtre une faible lumière m'incitant à approcher. Mes doigts effleurent le battant, qui s'ouvre un peu trop aisément, comme mû par une force invisible. Dans les rayons froids que laisse passer la persienne, des grains de poussière virevoltent. Je reste immobile sur le seuil, fascinée par leur ballet aléatoire.

Un silence sépulcral baigne la pièce. Mes yeux tombent sur le lit double qui trône en son centre. Deux silhouettes y sont enlacées, inertes. Malgré une intuition macabre, mes pas me portent vers elles. Je suis incapable de détacher mon regard de ce tableau.

On pourrait les croire assoupis, mais leurs visages exsangues et une légère odeur m'indiquent leur décès. Ils sont morts, il y a deux jours tout au plus. Des filets de sang séchés coulent des narines et de la bouche de la femme, rivières brunes caractéristiques des hémorragies de U4. Je le sais pour avoir déjà vu les mêmes sur les traits de mes parents agonisants.

Cependant, l'homme n'arbore pas les mêmes signes extérieurs. Son expression est lisse, calme, comme s'il avait plongé vers le trépas pendant son sommeil. Alors que sa main droite étreint celle de son épouse, la gauche tient encore un verre où un dépôt blanchâtre s'est formé.

Ce n'est pas l'épidémie qui a eu raison de lui.

Mon corps est parcouru d'un électrochoc, vague d'énergie brûlante qui me fait reculer. Incapable de soutenir ce spectacle plus longtemps, je fais volte-face et fuis littéralement de cette chambre mortuaire, manquant trébucher dans les escaliers.

En quittant la maison, je ne me retourne pas une seule fois.

15 novembre

Mes cuisses sont en feu après l'effort que j'ai fourni pour arriver jusqu'ici. L'aube se lève à peine sur la campagne endormie, nimbant les alentours d'une lumière onirique. La ligne d'horizon s'éclaircit de minute en minute, moirant les nuages de nuances violettes. L'air vivifiant qui fouette mes joues rougies par le froid achève de me réveiller. Le bonnet enfoncé jusqu'aux oreilles, je pousse mon vélo sur le ruban d'asphalte conduisant à la ville.

Je ne saurais expliquer ce coup de tête qui m'a poussée à enfourcher ma vieille bécane ce matin aux aurores. Après la scène que j'avais découverte la veille et les insultes que j'avais essuyées ensuite pour n'avoir pas rapporté de nourriture, j'avais sans doute besoin de m'échapper de l'atmosphère étouffante de chez moi.

J'aurais dû suivre Kori.

Cette pensée tourne en boucle dans ma tête depuis déjà quelques jours. Je suis passée chez elle ce matin, dans sa ferme de Menesguen, mais les lieux étaient déserts et le tracteur manquait à l'appel. Le mot qu'elle avait laissé dans notre cachette habituelle, derrière une poutre, était bref : *Je monte à Paris. Fais attention à toi. Puissions-nous nous revoir. Kori.* J'ai plié rageusement le message, terrassée par un sentiment d'abandon.

Morlaix est l'agglomération la plus proche de chez moi. Au hameau, nous sommes coupés du monde, incapables de savoir ce qui se passe au-delà de notre patelin. C'est sûrement suicidaire, mais je ne peux m'empêcher de penser que la situation pourrait être meilleure en ville.

Après avoir dépassé les faubourgs, je pénètre dans le cœur urbain. Les carcasses de voitures abandonnées sont des cachettes idéales pour d'éventuels agresseurs.

Leurs carlingues froissées témoignent d'un vandalisme récent. Je reste sur mes gardes, prête à détaler, à l'affût du moindre signe suspect.

L'odeur iodée portée par le vent se mélange bientôt à celle d'une fumée âcre émanant des décombres d'un immeuble. Les poutres noircies ont cédé, entraînant l'effondrement de toute la charpente. Le noroît vient de se lever, accompagné d'un crachin qui achève d'éteindre les dernières braises. Je plisse les yeux et fixe une poupée de chiffon qui a survécu à la fournaise. Elle gît sur le pavé humide, face contre terre. Sans me l'expliquer, je sens un frisson me courir sur la nuque.

Je parcours encore quelques rues désertes, évite une meute de chiens faméliques attroupés autour d'un cadavre méconnaissable. Je réprime un haut-le-cœur, prise de tremblements incontrôlables.

Il faut me rendre à l'évidence.

Ici aussi, les lumières se sont éteintes.

Lorsque j'arrive enfin en vue de chez moi, une pluie diluvienne s'abat sur le sol breton, me trempant jusqu'à l'os. Le ciel orageux est sombre, chargé d'électricité. Les risées déversent des seaux d'eau qui transforment l'allée en un bourbier où je peine à avancer. Je suis finalement obligée de mettre pied à terre, tant mes pneus sont enlisés. Le rideau de pluie contre lequel je me bats brouille les contours autour de moi comme dans une peinture abstraite.

Une fois dans la cour, je me précipite vers la porte d'entrée et fais brutalement irruption au milieu du salon, haletante, l'eau qui s'écoule de mes vêtements détrempés formant très vite une mare sur le parquet. Un feu ronronne dans la cheminée, diffusant une douce chaleur depuis l'âtre.

Plusieurs adolescents sont disséminés dans la pièce. Greg occupe le canapé, ainsi que Kévin qui ne s'est toujours pas remis de la blessure infligée par Kori. Sa jambe est étendue sur la table basse. Tous les regards convergent vers moi, alors que je reste sur le pas de la porte, pantelante, mes cheveux dégoulinants collés au visage.

– Ferme la porte ! braille quelqu'un.

Je m'exécute en titubant à demi, les membres transis par le froid et fatigués par ma longue équipée. Avant que j'aie pu m'esquiver, mon frère surgit de la cuisine, l'air furibond. J'ai à peine le temps de chercher une explication crédible qu'il me saisit les épaules, serrant si fort que je grimace de douleur. Je tente de me dégager, mais il me maintient d'une poigne de fer.

– Qu'est-ce que tu foutais ? Tu as disparu toute la matinée !

Quand il me souffle son haleine à la figure, j'y perçois des relents d'alcool qui me font plisser le nez. Ce n'est pas un fait nouveau qu'il picole avec ses amis, mais je n'en ressens pas moins un vertige d'appréhension. La dernière fois, la grange est partie en fumée.

– Je suis encore libre d'aller où je veux, que je sache, je riposte sèchement.

– Ça, ça reste à voir, lance Greg depuis le canapé.

Il me gratifie d'un de ses regards scabreux qui semblent faire de mon corps un objet. J'ai beau le mépriser de toutes mes forces, il n'en reste pas moins que son attitude m'effraie. Qu'arrivera-t-il, le jour où mon frère sera trop aviné pour garantir ma protection ?

Ce dernier jette un coup d'œil à son acolyte, puis m'entraîne dans une chambre voisine où il me jette sur le lit et claque la porte. Quand il se dresse au-dessus de moi, je protège instinctivement ma tête de coups éventuels.

– Je veux savoir où tu vas et ce que tu fais, Cindy ! vocifère-t-il.

– Tu n'as pas le droit de…

– Tais-toi ! Ils sont *morts*, ça ne rentre pas dans ta petite tête ? Tout le monde est mort et tu le seras bientôt si tu fais l'idiote ! Je ne veux pas… Je ne…

Dans un changement aussi brusque qu'inattendu, il tombe à genoux et s'adosse contre le lit, la tête entre les mains. Il a dû boire plus que ce que je pensais.

– Papa, maman… hoquette-t-il d'une voix rauque. Il ne reste personne…

Sans savoir si c'est une bonne idée, je pose une main sur son épaule. Il s'y raccroche comme à une bouée de sauvetage. Je glisse à ses côtés et me blottis contre lui, les larmes piquant mes yeux. C'est la première fois qu'il craque. Jusqu'alors, il jouait les caïds en permanence avec sa bande. J'avais fini par me demander s'il se rendait vraiment compte de la réalité. Mais, prostré de la sorte, incapable de sortir de son mutisme, je comprends qu'il n'a fait que refouler ses émotions.

– On va s'en sortir, je chuchote plus pour moi que pour lui. On va rester ensemble et rien ne nous arrivera.

Alors que la pluie flagelle les carreaux en trombes

violentes, j'entonne doucement une berceuse que ma mère avait coutume de nous chanter quand nous étions petits.

Je repense à cet homme qui a choisi le suicide plutôt qu'une vie de solitude. Soudain, je le comprends. Je serre la main de mon frère sans cesser de fredonner. J'espère que nous survivrons à la fin du monde.

La vie, comme la mort, est si imprévisible…

FRANCIS

10 novembre

J'ai arrêté de compter les jours depuis le début de la fin du monde. De toute façon, j'ai jamais été sociable. Tire-au-flanc, disait mon père, trop sensible, disait ma mère.

Je les ai brûlés tous les deux sur le toit de l'immeuble, j'avais un masque et des gants mais si le virus doit me choper, il me chopera. J'ai jamais été doué pour courir. Me préparer, par contre, je sais faire, mon corps trop gras est peut-être pas passé sous la barre des cent kilos depuis longtemps mais mon cerveau a toujours eu une longueur d'avance. Dans WOT, j'étais pro en stratégie. J'avais dit à mes parents que c'était foutu dès le début. Paranoïaque, disait mon père, anxieux, disait ma mère. Bon OK, j'avais tort pour les zombies.

Bon débarras, tous ces crétins méprisants qui me traitaient de gros lard, et ces pétasses qui me regardaient avec mépris. Vous faites moins les fiers. Moi j'ai l'habitude d'être seul, je vais survivre.

Je me lève de mon lit et fais le tour de l'appart pour répertorier ce qui peut être utile, je ferai pareil avec le reste de l'immeuble, je crois qu'il n'y a plus personne ici.

Nuit du 10 au 11 novembre

Je me réveille d'un cauchemar où mon père me hurle que je suis un bon à rien, que j'ai taché la moquette avec le sang de maman. Je suis trempé de sueur quand j'arrive dans le salon et vois la tache sur le sol. Même mort tu me pointes du doigt, papa. Je vais chercher un seau d'eau. Le robinet a des soubresauts avant de s'arrêter. Il n'y a plus d'eau mais ça devrait suffire. Je commence à frotter la tache qui vire au rosâtre, je lève la tête, et l'appartement commence à tourner autour de moi. Je cours vomir dans les toilettes, avant de m'endormir sur la cuvette.

17 novembre

Tu serais fière de moi maman, j'ai déjà commencé à maigrir. Il faut bien dire que l'aménagement de mon abri m'a demandé beaucoup d'efforts et que mon nouveau régime spécial apocalypse fait le reste. Il y a d'autres survivants, mais ce sont des crétins. Tout d'abord, il y a ceux qui se sont rassemblés dans les zones qu'ils appellent les R-Points et qui espèrent que des adultes vont leur venir en aide. Tous réunis, comme des moutons à l'abattoir. Je suis allé jeter un œil une fois. Les deux types armés qui montaient la garde m'ont dit que j'avais pas l'air de manquer de bouffe. J'ai fait demi-tour tout de suite et entendu leurs rires jusque deux rues plus loin. Ensuite, il y a les pillards. Ils ne sont pas plus intelligents, mais eux sont dangereux. C'est comme dans WOT, des PNJ et des mobs.

Ça fait une semaine que j'aménage le sous-sol de l'immeuble. Plutôt que me jeter sur la bouffe comme tous les idiots, j'ai pillé les magasins de bricolage. J'ai cimenté toutes les entrées, sauf deux que je cadenasse. J'ai laissé le reste de l'immeuble en l'état pour qu'il ait l'air abandonné. J'ai tout vidé, nettoyé et je m'y suis installé. J'ai repéré des panneaux solaires sur un bâtiment deux rues plus bas. Si j'arrive à m'en servir pour charger des batteries, je pourrai même avoir ma propre source d'électricité. Je suis en route pour la bibliothèque, histoire de trouver des livres utiles, genre électricité, mécanique ou énergies renouvelables. Des bouquins de jardinage, ça pourrait être utile aussi. Des livres, vous auriez pu y penser bande d'abrutis, plutôt que de vous entretuer et vous entasser dans vos R-Points minables.

Un bruit de course me sort de mes rêveries et je me planque rapidement dans un bar-tabac à la vitrine défoncée. Les bruits se précisent et se dirigent vers moi. Je me jette derrière le comptoir, des débris de verre m'entaillent les bras. Je peux observer la salle en désordre par un interstice entre la caisse enregistreuse et le comptoir. C'est une fille qui débarque la première : brune, cheveux longs, elle a l'air essoufflée et blessée. Elle trébuche et s'écroule violemment au milieu des chaises, à deux mètres de moi. Deux types déboulent et se ruent sur elle.

– Bouge pas connasse ! crie le grand.

Il s'assoit sur elle pour la maintenir au sol, pendant que le plus petit la tient en joue avec un flingue.

– Une jolie fille comme toi, ça devrait pas courir n'importe comment, tu vas te casser un ongle.

Le petit rigole comme si c'était la meilleure blague qu'il ait pu entendre. Un rire de hyène.

Je devrais bouger, j'ai l'avantage de la surprise et, comparés à moi, ce sont des poids plumes. Mais ils ont un flingue. J'ai la tête qui tourne. Subitement, le regard de cette fille accroche le mien. Ses yeux me supplient.

– Regarde-moi quand j'te parle, sale pute ! hurle le type assis sur elle.

Il lui met un coup de poing en pleine figure et j'entends son nez craquer. Je me laisse glisser derrière le comptoir sans un bruit. Des larmes de rage coulent sur mes joues. Rage contre ces types, rage contre moi-même et ma lâcheté. J'entends des bruits de lutte, ils la traînent dehors, les bruits s'éloignent. Rage contre cette fille qui a eu le courage de ne rien dire du petit gros planqué là.

Soudain, mon père est là près de moi.

– Bravo, Francis, un vrai héros ! dit-il, méprisant.

Je crois que je deviens fou.

18 novembre

C'est le froid qui me tire du sommeil. Je suis encore recroquevillé derrière le comptoir du bar, j'ai dû m'endormir. Je m'extirpe de là et commence à me diriger vers mon immeuble. J'ai mal aux doigts tellement ils sont gelés.

– Mais qu'est-ce qu'on a là ?

Je sursaute en reconnaissant la voix du pillard de la veille. Je suis à peine surpris en me retournant quand je découvre les deux malades qui marchent vers moi.

– T'as pas vu une meuf dans les parages, gros tas ? Une brune avec le nez pété ?

Ils ont l'air mal en point et épuisés. Le petit a une balafre sur la joue gauche et n'a plus de flingue. J'ai l'impression qu'on me retire un poids de l'estomac. Se pourrait-il qu'ils l'aient cherchée toute la nuit ?

Je fais non de la tête.

– En tout cas, toi t'as l'air de manquer de rien dans la vie, ironise le petit en faisant un geste censé représenter mon corps.

L'originalité des crétins ne cessera jamais de m'étonner…

– Ouais, renchérit le grand. Tu dois bien avoir une planque pas loin, je doute que tu fasses beaucoup de kilomètres avec ton gros cul.

Il a vu juste, mon immeuble se trouve à deux pas. Même les mobs comme lui peuvent avoir une lueur d'intelligence.

– Tu vas nous y conduire bien sagement, ou alors on va te faire perdre un peu de gras, dit-il en brandissant une lame.

Je serais bien incapable de semer deux agresseurs,

c'est d'ailleurs pour ça que je dois avoir un coup d'avance et être prêt pour toute éventualité. Je vais les emmener dans l'immeuble sans faire d'histoires. Je peux les conduire à l'appart où j'ai laissé un simulacre de vie, un matelas avec des draps en pagaille, deux bougies et une demi-bouteille d'eau. Qu'ils prennent ce qu'ils veulent sur ce maigre butin ; si jamais ils deviennent plus menaçants, j'ai caché une batte de base-ball.

Arrivé à l'entrée, je remarque tout de suite que quelque chose cloche. La porte a été forcée, je la ferme à clé normalement.

Du calme, Francis, pas la peine de les exciter pour si peu. Si quelqu'un est passé pour fouiller, il n'a pas dû trouver grand-chose. Je passe la porte le premier et Rire de hyène en second. La déflagration me déchire les tympans et je me plaque au sol. Le sang de Rire de hyène tapisse le mur du couloir. Je me retourne pour voir la fille qui tient le flingue. La fille de cette nuit, bien vivante. Le grand type reste interdit dans l'embrasure, abasourdi par ce qui est arrivé à son pote.

Quand la fille se reprend et lève le flingue dans sa direction, il ne demande pas son reste et prend ses jambes à son cou. Faisant soudain volte-face, la tireuse me met le canon sous le nez. Sa main tremble et ses yeux sont fiévreux.

– Tu veux rester avec moi ?

C'est tout ce que je trouve à lui dire.

20 novembre

Je m'entends bien avec Nola. Elle est bien plus douée que moi pour tout ce qui est mécanique et je crois qu'à nous deux on résoudra vite le problème des panneaux solaires. On ne se parle pas beaucoup, mais nos présences respectives ont l'air de nous soulager. C'est mon cas du moins.

Je n'ai pas osé lui avouer que c'était moi, cette nuit-là, derrière le comptoir. J'ai peur que ça gâche toute notre entente.

21 novembre, le soir

Le bruit me fait sursauter et lâcher mon livre de jardinage. Je souffle prestement sur ma bougie et tente de rester immobile. Des gens fouillent l'immeuble.

Un bruissement léger dans la pièce, Nola vient de se glisser dans ma chambre, sa main attrape la mienne et elle se serre contre moi. Je n'arrive même pas à savoir si ce sont les pillards ou sa proximité soudaine qui me tétanise.

– Francis… murmure-t-elle. Je peux rester ici ?

J'espère qu'elle n'entend pas le tremblement dans ma voix quand je lui réponds par l'affirmative.

Nous nous endormons comme ça. L'un contre l'autre.

23 novembre

Nous marchons dans la rue, le pas léger. Nous revenons des panneaux solaires et, apparemment, les faire fonctionner n'est plus qu'une question de jours.

Nola me sourit et je ne peux qu'en faire autant. Je crois qu'elle m'aime bien. Moi, je pourrais la suivre n'importe où. Nous sommes presque arrivés à la maison maintenant.

Nous stoppons brusquement, ils sont là. Quatre types, armés de bâtons, avec à leur tête le grand pillard que nous aurions dû tuer il y a cinq jours. Je prends la main de Nola et l'entraîne dans les rues en courant plus vite que jamais. Ils sont à nos trousses. Je sais que nous ne les sèmerons pas.

Des patrouilles militaires parcourent les rues de Lyon depuis quelques jours. On doit en trouver une, tant pis pour notre abri, on trouvera une solution. Trop tard, les types nous encerclent. Je vois un véhicule approcher à grande vitesse mais il sera sûrement trop tard. Nola est arrivée à la même conclusion. Elle plonge ses yeux brillants dans les miens :

– J'veux pas mourir, Francis.

Tant de détresse dans sa voix. Je la serre dans mes bras.

Crissement de pneus. J'entends le déclic d'une grenade et un souffle nous englobe.

Nous sommes maintenant tous des statues de chair brûlée. Des statues à la gloire de rien. Plus aucune différence entre agresseurs et agressés.

Game over.

Si Khronos reboote cette partie, j'espère que je retrouverai Nola et que, cette fois, j'aurai l'occasion de mieux la connaître.

SUR *U4 LIVE*...

LE SCÉNARIO D'UNE CATASTROPHE

Le déclin de la technique et de la technologie, qui s'opère après la mort des adultes qui en assurent d'habitude le fonctionnement, est l'une des premières choses que les auteurs d'U4 aient eu à affiner. Dans quel ordre ces problèmes arrivent-ils, et au bout de combien de temps ? Quelles sont les machines qui s'arrêtent ou dysfonctionnent ? Quels en sont les effets ?

À l'aide de documentaires, de recherches, et avec les remarques avisées de spécialistes de l'industrie, les auteurs ont élaboré le document suivant, qui leur a servi de contexte commun.

21 octobre : début de la pandémie.

Personne ne survit au virus, hormis la tranche des 15-18 ans (2 400 000 individus en France = 3,6 % de la population de notre pays).

Seuls des adultes représentant les forces de l'ordre et de

la sécurité élémentaire ont survécu, confinés. Ils se déplacent parfois en véhicules blindés, drones ou hélicos. Ils ont mis en place des systèmes d'urgence, permettant notamment aux matériaux radioactifs des centrales nucléaires de continuer à se refroidir, afin que les centrales n'explosent pas, évitant une catastrophe nucléaire rédhibitoire. L'arsenal nucléaire (avions ou sous-marins) retourne dans les bases et est mis en sécurité. On empêche les barrages hydroélectriques de déborder. On veille aussi à ce que des bactéries dangereuses conservées dans les laboratoires (P4) ne se déversent pas à l'extérieur.

Mais ces adultes confinés, politiques ou militaires, ne veilleront pas au maintien d'Internet (ils auront des téléphones rouges par satellite pour communiquer entre eux, et Internet ne sera donc vraiment pas une priorité pour eux). Il tombera en panne zone après zone, en même temps que le téléphone et l'électricité. Il y aura des coupures et des périodes de reprise de plus en plus brèves, jusqu'à extinction complète.

À partir de ce moment, que se passe-t-il d'autre dès lors qu'il n'y a peu à peu plus d'adultes et que la population est en train de diminuer de plus de 96 % ?

Du 21 octobre au 1er novembre

Les machines continuent de fonctionner un temps : escalators, feux de circulation, fontaines, climatisations. Quelques avions s'écrasent, à cause de morts subites des pilotes. D'autres, en pilote automatique, continuent de voler quelque temps.

Les ordinateurs continuent de communiquer avec les satellites.

Les centrales au charbon et à gaz, qui ne sont plus alimentées et maintenues, s'arrêtent. Coupures en cascade. Les lumières s'éteignent.

Les éoliennes continuent de tourner, mais la consommation a besoin d'être régulée. Les ordinateurs détectent qu'elle ne l'est pas et éteignent tout le système (sauf si les adultes confinés permettent que cela continue un temps).

Les turbines des centrales nucléaires s'arrêtent pour les mêmes raisons. Les réacteurs sont automatiquement coupés.

Les moteurs de certaines voitures dont les occupants sont morts brutalement tournent toujours et émettent du CO_2 dans l'air.

Sans électricité, les usines sont paralysées. Certains gaz qui ont besoin d'être refroidis pour être stockés sous forme liquide ne le sont plus. Ils bouent et la pression augmente. Les soupapes de sécurité empêchent l'explosion, mais les gaz se dispersent dans l'atmosphère. Ceux qui sont plus lourds que l'air sont nocifs pour les animaux qui reniflent le sol.

Les groupes électrogènes sont encore en action, mais les ressources s'épuisent (un GE d'usine ou d'hôpital peut tenir deux ou trois jours sans alimentation).

Les émanations des usines sont brûlées par les systèmes antifuites (feux qui sortent des cheminées : torchères). Mais elles ne le sont pas toutes, et une seule étincelle peut tout faire exploser. Des usines entières brûlent pendant des jours.

Les animaux des zoos n'ont plus de gardiens et ne sont plus nourris. Les barrières électrifiées s'arrêtent. Les plus gros animaux s'échappent, les plus petits périssent. Des prédateurs cherchent à se nourrir dans les villes, mais aussi des autruches, des éléphants, des chameaux...

Les jours suivants

Le bruit diminue et la température chute.

Toutes les machines sont arrêtées.

L'eau courante ne circule plus dans les grandes villes. Les villages sont alimentés par des sources captées dans les collines, et l'eau n'est pas traitée puisqu'elle est bonne, elle continue donc de couler au robinet (mais elle peut être contaminée). L'eau potable dans les grandes villes pourra encore se trouver dans les tuyauteries des maisons, les réservoirs d'eau et, plus sûrement, les bouteilles d'eau minérale...

Des milliers de tonnes de produits toxiques sont déversés dans la nature.

Les animaux domestiques sont désespérés. Ils n'ont plus à manger et sont souvent enfermés. Ceux qui parviennent à s'échapper fouillent dans les poubelles. Les chiens redeviennent sauvages et se rassemblent en meutes. Ils se battent pour la domination du groupe et des territoires. Les plus petits chiens vont disparaître pour la plupart en quelques mois.

Le bétail est abandonné. Il n'y a plus d'abattoir. Toutes les vaches laitières, entièrement dépendantes de l'homme, sont condamnées à mourir.

Les oiseaux entament une importante migration. Ils sont plus nombreux à survivre, sans l'homme (les lumières de la ville, la nuit, en égarait et tuait beaucoup).

Les poulets ont tous succombé, sauf ceux élevés en plein air.

Les supermarchés sont envahis par les souris.

Les écureuils et autres bêtes ont investi les maisons pour trouver à manger...

CONSEILS DE SURVIE POUR NOS HÉROS

Boire

Toujours faire bouillir et rebouillir l'eau dont on n'est pas sûrs.

Dérober dans les pharmacies et dans les magasins de sport des pastilles de purification de l'eau.

Utiliser de l'eau de Javel (une ou deux gouttes par litre).

Toujours filtrer l'eau, si elle n'est pas claire (avec un linge en coton propre, par exemple).

Manger

Se procurer de la nourriture dans les supermarchés, les stocks des maisons, les plates-formes logistiques. Choisir des produits qui se conservent longtemps, hors du frais. Compléter avec des pilules de vitamines, des compléments alimentaires...

Revenir à la chasse, la pêche, la cueillette, en ayant conscience des risques d'erreur et de maladies.

Se chauffer

Faire brûler portes, tables, etc., tout le bois que l'on trouve (donc se procurer des allumettes ou des briquets). Utiliser du charbon. Les gazinières avec bouteilles de gaz.

Recourir aux anciens chauffages à pétrole liquide (présents chez les personnes âgées, souvent, ou chez les gens pauvres dans des appartements très mal chauffés).

La solution la plus facile : ne pas hésiter à superposer les couches de vêtements !

Se déplacer

Voler des véhicules, transférer l'essence d'un véhicule à l'autre (apprendre à siphonner un réservoir).

Récupérer des vélos, et autres véhicules de type « cycles ».

Compter sur la marche, bien sûr.

Ne pas tomber malade, être prêt à se défendre contre autrui (et donc s'armer).

TERRORISTES
RECHERCHÉS VIVANTS

STÉPHANE CERTALDO

YANNIS CEFAÏ

FRANÇOIS JOURDAIN

MARCO GALLEHAULT

Ces individus sont DANGEREUX et ARMÉS.

Recherchés pour assassinats de représentants de l'ordre, associations de malfaiteurs, complot à visée terroriste.

Si tu vois ces personnes, ne cherche pas à les arrêter. Avertis immédiatement les forces militaires ou les responsables de ton R-Point.

REMERCIEMENTS

Cette nouvelle aventure collective s'est menée sans résidence commune (tant pis pour Marilyn Manson), mais avec pas mal de salons, d'hôtels, de rencontres, de tables rondes (souvent carrées), de lectures publiques, de cafés, de trains… « *Never ending tour* ».

Merci à Christian et à Véronique pour tout ça ; aux libraires, bibliothécaires, bénévoles, organisateurs de salons, de jeux de rôle ; aux enseignants ; aux interviewers, modérateurs ; à tous ceux qui se sont pris en photos devant « nos » affiches, ou se sont prêtés à l'art du « bookface » avec nos héros…

Merci à nos familles, qui ont accepté de nous voir si souvent partir cette année, pour propager la contagion.

Et merci, davantage encore, à tous les lecteurs rencontrés.

—

Pour *Contagion*, nous tenons à remercier tout particulièrement Marc, régulier « compagnon de route » cette année, ainsi que Lylian et Pierre-Yves, pour leur travail enthousiasmant sur les deux bandes dessinées de ce recueil.

Chez nos éditeurs, notre gratitude va à Marianne, Sandrine et Stéphanie, Eva et Florence, et tout particulièrement à Clémence dont le travail de coordination et d'édition de ces nouvelles a été décisif. Et aussi à tous ceux qui ont permis à U4 de rencontrer son public, ils se reconnaîtront. Encore une fois, Nicolas nous a fignolé une couverture parfaite – et cette année, c'était quatre fois plus dur.

Merci à tous ceux qui ont osé prendre leur plume et leur clavier pour le Concours de Fan Fictions.

—

Nous sommes tous redevables à Olivier, consultant en sécurité et accompagnateur en montagne, pour ses lumières. Les conseils de survie figurant en fin d'ouvrage ne sont qu'une part infime de sa contribution à nos romans, puis à ces nouvelles.

Pour *Isa et Cédric*, Carole remercie Élodie, d'avoir partagé avec elle son expérience de tatouée tatoueuse.

Pour *Yannis*, Vincent remercie Adda et Laurence, pour leur relecture, leurs suggestions et leurs éclaircissements.

Pour *Les inadaptés*, Florence remercie Mathis, de Loudéac, pour son goût (presque) assumé des romans d'amour. La nouvelle s'en inspire.

On the road, again!

LES AUTEURS

YVES GREVET

Yves Grevet habite dans la banlieue est de Paris, où il a enseigné en classe de CM2 jusqu'en juin 2015. Il a écrit la trilogie *Méto* qui a remporté un grand succès. Il est aussi l'auteur du diptyque *Nox*, de *Seuls dans la ville* et de *Celle qui sentait venir l'orage.*

FLORENCE HINCKEL

Florence Hinckel vit à La Ciotat, non loin de Marseille. Elle a publié de nombreux romans jeunesse, notamment *Théa pour l'éternité* et *#Bleue*. Pour enfants ou adolescents, elle aime explorer des genres très différents. On peut en apprendre davantage sur son site :
http://florencehinckel.com

CAROLE TRÉBOR

Carole Trébor habite à Vincennes tout près de Paris. Elle se consacre à l'écriture d'albums pour enfants et de romans pour la jeunesse depuis 2012. Sa première série, *Nina Volkovitch*, a remporté un beau succès critique et publique.

VINCENT VILLEMINOT

Vincent Villeminot vit dans les Alpes, sur les rives du lac Léman. Auteur de romans pour les adolescents et les jeunes adultes, il a écrit notamment la trilogie *Instinct*, le diptyque *Réseau(x)*, la série de romans graphiques *Ma famille normale...*, avec Yann Autret, et *Le Copain de la fille du tueur*.

N° éditeur : 10225870
Achevé d'imprimer en octobre 2016
par Aubin Imprimeur (Ligugé, Vienne, France)